Brita Ros

Ein Pferd für Stella

Zur Autorin:
Brita Rose Billert wurde 1966 in Erfurt geboren und ist Fachschwester für Intensivmedizin und Beatmung, ein Umstand, der auch in ihren Romanen fachkundig zur Geltung kommt. Ihre knappe Freizeit verbringt sie mit ihrem Pferd beim Westernreiten durch das Kyffhäuserland in Thüringen. Während ihrer Reisen in die USA und Kanada schloss sie einige Freundschaften mit Native Indians in Utah, South Dakota und British Columbia. Diese Tatsache, ihre Liebe zu den Pferden und zu ihrem Job inspirieren die Autorin zum Schreiben. 13 Romane sind bereits publiziert.
Autorenhomepage: www.brita-rose-billert.de

Brita Rose Billert

Ein Pferd für Stella

Roman

Bibliographische Information der Deutschen Nationalbibliothek: Die Deutsche National-
bibliothek verzeichnet diese Publikation in der Deutschen Nationalbibliographie. Detaillierte bibliographische Daten sind im Internet über dnb.d.-nb.de abrufbar.

TWENTYSIX
Eine Marke der Books on Demand GmbH

Herstellung und Verlag:
BoD – Books on Demand, Norderstedt

ISBN: 9783740729936

Lektorat: Jörg Fred Nowack – www.lektorat-nowack.de
Satz, Layout: Holger Scheidemantel
Coverdesign: Cover and Art Renee Rott
www.cover-and-art.de

Kapitel 1
Stella erwacht

Ich war noch so unsagbar müde. Einfach liegen bleiben. Ich hütete mich davor, meine Augen zu öffnen. Meine geschundenen Glieder schmerzten und fühlten sich so unsagbar schwer an. Nur noch ein paar Minuten. Es war still um mich herum. Ich genoss den Augenblick. Ich wusste nicht einmal wie spät es war. Zeit und Raum waren mir sowas von egal. Ich hörte meine eigenen, gleichmäßigen Atemzüge. Das wirkte beruhigend.
Irgendetwas klackte leise in die Stille. Keine Ahnung was das war. Plötzlich piepte mein Wecker unnachgiebig und erbarmungslos. Verdammt! Das nervt! Normalerweise drückte ich das Ding sofort aus. Doch ich war nicht fähig, mich zu rühren. Was war bloß los? Der Piepton und das Klacken bohrten sich schmerzhaft in meinen Kopf. Ich wurde wütend. Noch einmal nahm ich all meine Willenskraft zusammen, um das nervige Ding endlich zum Schweigen zu bringen. Doch meine Arme und Hände schienen mir absolut nicht gehorchen zu wollen. Meine Wut darüber ließ mich heftiger atmen. *Shit*!, durchschoss es wie ein heißer Blitz meine Gedanken und meinen Körper. Ich wollte doch einkaufen! Was liege ich so faul hier herum, als hätte ich nichts zu tun. *Auf jetzt, Stella Fröbel!,* schalt ich mich selbst. *Verdammt! Heute klappt aber auch gar nichts.* Mein Körper war noch immer schwer wie Blei und schien andere Pläne zu haben. Irgendjemand hatte zumindest den nervigen Wecker ausgestellt. *Wie spät ist es überhaupt?,* fragte ich mich. Ich versuchte wenigstens die Augen zu öffnen, um zu sehen, wer in mein Schlafzimmer eingedrungen war.

»Alles gut«, hörte ich eine fremde Stimme aus weiter Ferne. *Nichts ist gut!,* warf ich ein. *Ich muss aufstehen und zwar sofort. Ich muss los! Denkst du vielleicht, ich hätte nichts zu tun? Und wer bist du überhaupt?,* redete ich in meinen Gedanken, sodass niemand meine Worte hören konnte. Ich wollte aufspringen, doch die Erdanziehungskraft war stärker als ich. Viel stärker. Ich kam nicht hoch. Nicht einen Zentimeter! Nicht mal die Augen konnte ich öffnen. *Was verdammt ist nur los mit mir? Ein Alptraum,* beruhigte ich mich. Dann muss ich wohl wieder eingeschlafen sein. Okay, ich hatte in den letzten Tagen viel zu wenig geschlafen. Vielleicht holte mein Körper sich jetzt einfach, was er so dringend gebrauchte.

Jemand berührte mich, strich mir zärtlich über den Kopf. Das war wie im Traum. Keine Stimme. Keine Worte. Aber ich spürte genau, dass dieser Jemand da war. Ich spürte eine warme Hand, die die meine nahm und festhielt. Lange Zeit. Ich fragte mich, wer das war. Und ich ärgerte mich darüber, dass ich immer und immer wieder einschlief.

»Stella?«, fragte eine fremde Stimme irgendwann.

Ich konnte nicht antworten, so sehr ich auch wollte. Jemand hielt vorsichtig meine Hand, so vorsichtig, als befürchtete er, sie könne zerbrechen. Ich versuchte mit aller Macht, meine Hand wegzuziehen.

»Sie hat sich bewegt. Ich glaube sie wacht auf«, vernahm ich eine leise, fremde Stimme. Sie war direkt neben mir, ganz deutlich und klar. Nein, ich kannte diese Stimme nicht. Noch nie gehört. Sie gehörte zu einem Mann, glaubte ich. *Oh mein Gott! Jetzt hört sich aber alles auf! Was hatte ich nur angestellt?,* überlegte ich krampfhaft. *Ein fremder Mann neben mir im Bett! In meinem Bett?!*

Mein Herz pochte schneller. Die nächsten Versuche, aufzustehen, schlugen ebenso fehl, wie der erste. *Okay, du musst erst einmal richtig aufwachen, Stella,* sagte ich in Gedanken zu mir selbst.
Mühsam blinzelte ich. Es schien schon spät zu sein. Grelles Tageslicht blendete mich. Ich glaubte inzwischen nicht mehr daran, zu träumen. Mein Wecker hatte doch Weckwiederholung. Weshalb hatte er noch nicht wieder gepiept? Bisher hatte ich mich immer auf ihn verlassen können. *Hatte der Fremde, der eben gesprochen hatte, das Ding einfach ausgestellt? Wenn ich nur wüsste, wie der Kerl in mein Bett gekommen ...*
Ich konnte mich an nichts erinnern, sosehr ich mich auch anstrengte. Irgendwann musste ich schließlich doch wieder eingeschlafen sein. Das war mir inzwischen egal. Eine eigenartige Gleichgültigkeit hatte Besitz von mir ergriffen. Das änderte sich schlagartig, als furchtbare Schmerzen mich quälten, die mich in meinen Dämmerzustand zurückholten. Ich glaubte fast, mir die Rippen gebrochen zu haben. Jeder Atemzug fiel mir unsagbar schwer. In meinem Kopf hämmerte es furchtbar und ich wurde das Gefühl nicht los, dass er jeden Augenblick zerplatzen konnte. Mir wurde mehr und mehr bewusst, dass irgendetwas mit mir nicht stimmte. Nichts war richtig. Das machte mir Angst. Mein Herz schlug schneller. Ich rang nach Luft. Der Piepton setzte wieder ein. Laut, deutlich und unnachgiebig. Gnadenlos quälte er meine Ohren und bohrte sich schmerzhaft in meinen Kopf. *Hör auf!,* schrien meine Gedanken. Nun hörte ich, wie Leute zu mir hereinkamen. Ich hörte mehrere Stimmen, die ich nicht kannte. Wieder griff die Angst eiskalt nach mir. Ich wünschte mir nichts sehnlicher, als dass dieser böse Traum endlich aufhören und ich endlich

aufwachen würde. Meine Arme mussten eingeschlafen sein. Sie kribbelten furchtbar bis in die Fingerspitzen. Ich versuchte, meine Finger zu bewegen. Und... ich konnte sie bewegen! Ich rieb sie gegeneinander. Das hatte schon manchmal geholfen. Dann versuchte ich, zum wer weiß wievielten Mal, die Augen zu öffnen. Es war extrem hell. Das grelle Licht blendete und stach schmerzhaft in meinen Augen, deshalb schloss ich sie wieder. Die fremden Stimmen redeten durcheinander. Ich verstand nur Wortfetzen.

»Sie ist wach«, verstand ich.

Wach?, fragte ich mich. Ich zweifelte daran. Ich wurde berührt. Jemand schob mein Augenlid hoch, während er mit einem brutalen Licht davor herumfunzelte.

Ich murrte. Ich wehrte mich und kniff die Augen fest zu. *Wer war das?* Ich kam mir wie ein Versuchskaninchen vor. Ich konnte nicht fliehen. Deshalb wünschte ich mir meinen Tiefschlaf herbei, um einen zweiten Versuch zum Erwachen zu haben. Ja, dachte ich, beim zweiten Mal Aufwachen klappt es bestimmt besser. Die Leute gingen weit weg und es wurde still um mich herum. *Mann!* Ich musste mächtig durcheinander sein und zweifelte einen Augenblick an meinem Verstand. Verrückt! Doch ich wurde das Gefühl nicht los, verschlafen zu haben. Ich hatte mit Sicherheit verschlafen.

Warum hatte niemand mich richtig wachgerüttelt? Warum hatte niemand angerufen? Wie sollte ich heute bloß alles schaffen? Noch schneller laufen? Schneller arbeiten?

Das hatte ich in letzter Zeit nur noch getan. Ich hatte immer gedacht, dass das eines Tages weniger wird. Aber das war ein Trugschluss. Eine ebensolche Fatamorgana, wie schneller zu arbeiten, um schneller fertig zu werden.

Ha! Blödsinn! Ich hatte das Gefühl, nie mehr fertig zu werden. Dabei war ich gerade erst siebenundzwanzig geworden und stand mit beiden Beinen im Leben. Ich hatte seit vier Jahren eine kleine Wohnung in der Donaustraße, am Stadtrand Erfurts, auf die ich sehr stolz war. Ich hatte in der Thüringer Landeshauptstadt Labordiagnostik studiert und mich einem Forschungsarbeitskreis angeschlossen. Der Job machte mir wirklich Spaß, denn er war eine Herausforderung. Ich war besessen davon, die Welt zu retten. Ich war schlichtweg glücklich, hatte einen Freund und meine Eltern wohnten nicht weit entfernt. Anfangs hatte ich sie noch jedes Wochenende besucht. Später alle paar Wochen. Wir hatten oft miteinander telefoniert, um uns davon zu überzeugen, dass es uns gut ging. Eines Tages ging am anderen Ende niemand mehr ans Telefon. Wenig später bekam ich einen Anruf, der meine heile Welt zerstörte. Meine Eltern waren bei einem Autounfall tödlich verunglückt. Wenige Wochen danach hatte mein Freund mich betrogen. Ich war tief verletzt und wütend, deshalb setzte ich ihn kurzerhand vor die Tür. Plötzlich war ich völlig allein. So allein wie in diesem Augenblick hatte ich mich noch nie gefühlt. Es gab wirklich niemanden mehr, nicht mal Geschwister. Ich hatte noch eine Tante, die Schwester meines Vaters, die allerdings einen amerikanischen Soldaten geheiratet hatte, mit dem sie vor zig Jahren nach Texas gezogen war. Mein Leben war aus der Bahn geraten, ob ich es wollte oder nicht. Ich stürzte mich also in meine Arbeit. Wen würde es interessieren, wenn ich heute den ganzen Tag im Bett bliebe, um mich mal richtig auszuschlafen. Ich lächelte triumphierend in mich hinein. Und plötzlich war mir alles egal. Sollte doch alles warten. Trotzig ließ ich mich tiefer in meine Kissen

sinken, die unter mir nachzugeben schienen.
Wenn nur diese Kopfschmerzen aufhören würden, wünschte ich mir. *Vielleicht ist das Migräne? Das soll vorkommen, wenn man dauernd Stress hat. Schlaf ist in solchen Fällen schließlich die beste Medizin,* dachte ich noch. Dann musste ich wieder eingenickt sein.

Irgendwann bemerkte ich, dass wieder jemand in meinem Zimmer war. Ich hatte komischerweise das Gefühl, tagelang geschlafen zu haben. Dennoch fühlte ich mich niedergeschlagen und noch immer müde. Dieser Jemand massierte unermüdlich meine Hand und meinen Arm. Ich hatte keine Ahnung, wer das war. Ich hörte keine Stimme.
Wer hier so alles ein- und ausgeht, ohne mich zu fragen! Mir würde doch auch nicht einfallen, einfach in fremde Schlafzimmer einzudringen.
Wieder musste ich in mich hinein lachen. Die Massage tat tatsächlich gut. Meine Hände und Arme kribbelten nicht mehr. Ich seufzte zufrieden. Sollte ich jetzt vielleicht aufstehen? Nein! Ich genoss weiter die Massage. Die tat so gut. Die Berührungen der fremden Hände tat gut. Ich wollte nicht, dass das aufhörte. Wie lange hatte mir niemand die Hände gestreichelt? Gerade in diesem Augenblick wurde mir bewusst, wie sehr ich liebevolle Berührungen vermisste.

Meine Wut war längst verflogen. Es war sechs Monate her, seit mich mein Verlobter verlassen hatte und von Männern hatte ich die Nase gestrichen voll. Das Wort *Verantwortungsbewusstsein* schien im männlichen Sprachgebrauch und Leben gänzlich zu fehlen. Wer würde das schon verstehen?! Männer jedenfalls nicht.

Männer und Frauen waren zwei völlig verschiedene Paar Schuhe, die nur äußerlich zusammen passten. Manchmal. Bei diesem Gedanken musste ich schmunzeln.
»Kitzelt es?«, fragte eine männliche Stimme belustigt.
Ich erschrak innerlich. Hoffentlich würde ich nicht rot anlaufen! Ich öffnete die Augen und blinzelte, um zu sehen, wer das gefragt hatte. Doch das Bild verschwamm herzlos vor meinen Augen, ohne dass ich den, der mich gerade verwöhnte, sehen konnte. Das bedauerte ich sehr.

*****

Die Stimmen, die in mein Zimmer kamen und mit mir redeten, waren nah, real und wurden deutlicher. Manche kamen mir inzwischen bekannt vor, obwohl ich die dazugehörigen Menschen nicht aus meinem früheren Leben kannte. Allmählich wurde mir auch bewusst, dass es nicht mein Bett war, in dem ich lag. Die Bilder vor meinen Augen wurden langsam klarer. Das waren Schwestern, Pfleger und manchmal Ärzte. Sie schienen sich ehrlich darüber zu freuen, dass ich langsam erwachte. Aus dem Koma!? Mein Herz raste und ich riss die Augen weit auf. Ich war auch jetzt nicht allein.
»Sie ist wach! Rufen Sie Professor Winter«, rief eine weibliche Stimme, die fast ebenso aufgeregt war wie ich.
Ich war wach!
Ich sah mich im Zimmer um. Mein Nacken schmerzte. Aber das war mir egal. Meine Augen funktionierten. Wow! Das Licht blendete mich, doch ich weigerte mich strikt, die Lider deshalb wieder zu schließen. Ich hatte Angst, wieder einzuschlafen. Ein Fenster mit Jalousie, ein

weißer Schrank, undefinierbare Kästen, Apparate und Kabel konnte ich erkennen. Um Himmels willen! Was war passiert? Mühsam versuchte ich mich zu erinnern. Ich wollte nur noch schnell einkaufen... Ja, genau...nach der Arbeit. Es war spät und bereits dämmrig. Ich hatte Angst, dass die Geschäfte schlossen, denn ich hatte nichts mehr zu essen. Oh ja, ich hatte Hunger.

Ein Mann mittleren Alters betrat den Raum. Er hätte mein Vater sein können. Durch sein volles schwarzes Haar zogen sich deutlich einige Silberstreifen. Er trug einen weißen Kittel, der offenstand. Darunter sah ich ein blau-gestreiftes Hemd. Er lächelte mir freundlich entgegen und musterte mich aufmerksam. Dann setzte er sich zu mir auf den Bettrand, als wäre er ein Besucher oder ein alter Freund. So hätte es mein Vater getan, wäre er noch am Leben.
»Na, wie geht es Ihnen?«
Ich wollte antworten, doch das schien nicht so einfach zu sein, wie ich mir das vorstellte. Mühsam formte ich meinen Mund. Doch meine Zunge machte, was sie wollte. Sie störte. Also versuchte ich, zu nicken. Es gelang mir tatsächlich. Der Arzt stellte sich vor. Doktor Winter, der ein Professor war. Er beugte sich weit über mich, als wolle er sich auf mich legen und quälte mich mit dem Licht seiner Taschenlampe. In meinen Augen zuckten Blitze. Für einen Augenblick sah ich gar nichts mehr. Ich wollte protestieren und hörte mich murren. Na immerhin. Doktor Winter beruhigte mich.
»Alles in Ordnung, Frau Fröbel. Von nun an machen wir Fortschritte. Jeden Tag einen kleinen.«
Witzbold!, dachte ich. *Nichts ist in Ordnung! Kann mir vielleicht einer sagen, was ich hier mache? Weshalb*

habe ich geschlafen? Und wie lange? Warum habe ich einen steifen Nacken und Kopfschmerzen? Wann kann ich endlich wieder aufstehen? Und überhaupt!
Der freundliche Doktor ging. Typisch! Nie hatten die Zeit für ihre Patienten. Nie sagten sie einem, was los war. Aus irgendeinem Winkel meines Bewusstseins stieg wieder die tief in mir vergrabene Wut herauf.
Ich schnaufte. Laut und deutlich.
Der Professor drehte sich zu mir um. Noch immer lächelte er. Auch das machte mich wütend. Mir war ganz und gar nicht nach Lächeln zumute. Ich musste sicher furchtbar aussehen. Nur gut, dass es hier keinen Spiegel gab. Doktor Winter kam zurück, setzte sich zu mir auf das Bett und wies mit der Hand auf meine Stirn.
»Was für hässliche Sorgenfalten! Ich kann Sie verstehen. Sie wollen wissen, weshalb Sie bei uns sind, nicht wahr?«
Ich nickte.
»Also«, begann er und sein Lächeln schlich sich aus seinen Gesichtszügen.
»Sie hatten einen Unfall, Frau Fröbel. Jemand hat Sie mit einem Auto angefahren und vom Fahrrad geschubst. Sie sind auf den Asphalt geflogen. Nur gut, dass Sie einen Helm getragen hatten, sonst...« Winter wiegte den Kopf.
»Der hat Ihnen womöglich das Leben gerettet.«
Ich bemerkte deutlich, dass ich den Mann anstarrte. Ich wartete, was nun kommen würde. Mein Blick klebte förmlich an seinen Lippen. Seine Gesichtszüge blieben ernst und wenn mich nicht alles täuschte, meinte ich sogar Besorgnis darin zu erkennen.
Oh mein Gott! Warum hatte es ausgerechnet mich erwischt?
In der Stadt gab es tausende Fahrradfahrer.
»Und?«, vernahm ich überrascht meine eigene Stimme

fragen, als wäre es eine fremde. Ich war erschrocken.
»Ihr Schädel war hart genug, das Schädel-Hirn-Trauma und das Schleudertrauma wegzustecken. Ihr Kopf ist wieder in Ordnung, auch wenn Sie noch hin und wieder Schmerzen haben. Durch die erlittenen Prellungen können Schmerzen ebenso im Nacken, den Schultern und den Rippen auftreten. Das wird nach einiger Zeit abklingen, sodass sie bald wieder ohne Schmerzmedikamente auskommen werden.«
Ich nickte, zum Zeichen, dass ich verstanden hatte, was er mir gesagt hatte.
»Allerdings sind zwei ihrer Lendenwirbel angebrochen. Das heißt...« Er machte eine Pause und schien nach den passenden Worten zu suchen.
Mich durchflutete ein Hitzeschauer, der meine Haut frösteln ließ.
Querschnittsgelähmt? Rollstuhl? Ich rang nach Luft.
Professor Winter legte die Hand beruhigend auf meine Schulter.
»Sie müssen geduldig sein. Zum Glück wurden Sie umgehend zu uns verlegt.«
»Wo bin ich?«, wisperte ich.
»Im Querschnittzentrum, Paraplegiologie und Neurologie Bad Berka. Vielleicht ...«
Ich spürte, wie meine Kinnlade nach unten klappte. Entsetzt starrte ich Winter an. Mir war plötzlich schwindlig und übel. Ich musste kreidebleich sein. So fühlte sich das jedenfalls an.
»Vielleicht...«, nahm der Professor seine Ausführungen wieder auf, »kann ich Ihnen helfen, wieder auf Ihre eigenen Beine zu kommen.«
Ungläubig schüttelte ich mit meinem Kopf.
Nein!, schrien meine Gedanken. *Nein! Das ist nicht*

wahr!
»Wir schaffen das, Stella! Ich habe mich auf solche Fälle…«, Winter räusperte sich, »…spezialisiert. Ich kann zwar nicht zaubern, aber ich bin davon überzeugt, dass ich Ihnen helfen kann. Ihre Chancen stehen gut, doch Sie müssen geduldig sein «, vernahm ich seine Worte.
Das Gesicht des Arztes verschwamm vor meinen Augen. Ich spürte die ersten Tränen in meinen Augen. Selbst die Nase hatte ich voll, im wahrsten Sinne des Wortes. Ich schniefte. Professor Winter zog von irgendwoher ein Taschentuch und tupfte vorsichtig an mir herum, als wäre ich zerbrechlich. Wahrscheinlich war ich das gerade auch. Zerbrochen. Alles in mir war gerade zerbrochen. Ich war gerade siebenundzwanzig und wollte doch lieber tot sein.
Verdammt! Welcher Idiot hatte mir das angetan!
Anstatt mich weiter meinem Selbstmitleid hinzugeben, ergriff eine unbeschreibliche Wut Besitz von mir. Möglicherweise gab gerade diese Wut mir die Kraft, die ich im Moment brauchte, um nicht aufzugeben. Der Professor nickte mir aufmunternd zu. Mit dem Anflug seines Lächelns verabschiedete er sich von mir. Ich atmete hörbar tief durch.
»Ach, noch etwas«, wandte er sich noch einmal zu mir um, als er den Türdrücker bereits in der Hand hatte. »Die Polizei war bereits einige Male hier, um sich nach Ihnen zu erkundigen. Die haben einige Fragen an Sie. Aber ich werde sie erst zu Ihnen lassen, wenn Sie dazu bereit sind.«
Winter legte den Kopf schräg und schien auf eine Antwort zu warten. Unfähig, zu reagieren, starrte ihn an.
»Das ist sehr wichtig«, betonte er.
Er wusste genau, dass ich ihn verstanden hatte.

Ich nickte schließlich. Winter ging und schloss hinter sich die Tür. Ich war nun allein mit meinen Gedanken, die sich in meinem Kopf überschlugen und sich hoffnungslos verknoteten. Es würde sicher Jahre dauern, bis ich wieder klar denken konnte.

Ich sah mich im Zimmer um. Nichts hatte sich verändert. Die Einrichtung war karg. Ich war wach und mir war langweilig. Durch die halb herabgelassene Jalousie knallte mir grelles Sonnenlicht entgegen. Wie gern hätte ich jetzt zum Fenster hinausgesehen. Plötzlich spürte ich das unnachgiebige Verlangen, einfach aufzustehen und zum Fenster zu gehen. Ich verzog das Gesicht zu einem bitteren Lächeln. Noch immer hing ich an diesen undefinierbaren Apparaten, die mich wie gnadenlose Wächter überwachten und die jede Bewegung, jeden Atemzug, ja vielleicht sogar meine Gedanken registrierten. Ich fühlte mich beobachtet.

Misstrauisch schielte ich zu den Kabeln und den Monitoren. Vorsichtig schob ich die Bettdecke weg. Ich wollte meine Beine sehen. Ich wollte wissen, ob sie noch da waren. Sie waren da und sahen aus, wie ich sie kannte, nur etwas blasser vielleicht. Mit Verachtung starrte ich auf den Blasenkatheter, während die Decke in Richtung Boden rutschte. Reflexartig wollte ich danach greifen und konnte meinen Absturz nur um Haaresbreite verhindern. Zitternd hing ich am Bettrand und schnappte nach Luft. Die Geräte, meine Wächter, schrien sofort Alarm. Mein Herz schalt mich mit hastigen Schlägen. Mein Kopf ebenfalls. Mühsam bugsierte ich mich in meine Ausgangsposition. Geschafft! Bevor ich auch nur einen Gedanken über mein Missgeschick verschwenden konnte, flog die Zimmertür auf. Eine Schwester erschien.

Sie wirkte offensichtlich erschrocken. Dennoch fragte sie freundlich: »Alles okay?«
Ich nickte.
»Die Decke«, murmelte ich.
Sie lächelte.
»Kein Problem. Ich bin Jenny«, erwiderte sie und hob die Bettdecke vom Boden auf. »War dir zu warm?«
Jenny duzte mich. Eigentlich war ich froh darüber. Sie schien etwa in meinem Alter zu sein. Ihre Stupsnase war von Sommersprossen umrandet und ihre grünen Augen blickten mich fröhlich an. Ihr rötlich schimmerndes Haar war zu einem Pferdeschwanz gebunden, der hinter ihrem Kopf tanzte , während sie mich wieder zudeckte.
»Danke«, sagte ich leise und räusperte mich.
»Ich bin Stella.«
Jenny grinste mich überaus belustigt an.
»Ich weiß. Schön dich kennenzulernen.«
Jenny tat mir gut.
»Kann ich irgendetwas für dich tun?«, fragte sie. »Hier ist übrigens eine Klingel, falls du mich brauchst.«
Ich rang mir ein Lächeln ab. Es funktionierte.
»Ich habe ein großes Problem«, begann ich zu sprechen. Die Worte kamen mir nur mühsam über die Lippen, aber mit jedem Wort funktionierte auch das besser. Der erste Fortschritt, dachte ich und war stolz darauf.
»Ich will duschen, Zähne putzen, Haare waschen, etwas Schickes anziehen und vor allem will ich diese Bodyguards loswerden.«
Jenny nickte verständnisvoll.
»Geht klar«, versprach sie mir. »Ich organisiere alles und komme dann wieder.«
Ich war erleichtert. Ich freute mich ehrlich und ich spürte ein strahlendes Lächeln in meinem Gesicht.

Jenny grinste.
»Schön, dich Lächeln zu sehen, Stella! Wir machen gleich eine Prinzessin aus dir«, sagte Jenny und war postwendend verschwunden, bevor ich protestieren konnte.
Wieso wir?!
Von dieser Sekunde an erwischte ich mich, wie ich inständig darum bettelte, dass ich schneller sein würde, als die Polizei.

*****

Es klopfte kurz und laut an der Tür. Ich erschrak.
Die Polizei?!
Nein, es war Jenny die zur Tür hereinkam. Sie grinste hintergründig. Hinter ihr tauchte ein Mann auf. Ein sehr junger Mann, wie ich fand.
Will der etwa…?!
Ich schnappte nach Luft, wagte aber nicht zu protestieren. Die Tür fiel ins Schloss. Weiter kam niemand herein. Erleichtert ließ ich die Luft durch den schmalen Spalt meiner Lippen heraus.
»Keine Angst. Das hier ist Peter, unser Physiotherapeut. Er wird uns beiden helfen«, beruhigte Jenny mich.
Sie konnte ja nicht ahnen, wie sehr mich das beunruhigte. Der Mann namens Peter grinste. Okay, er wirkte auf den ersten Blick harmlos. Aber musste das wirklich sein?
»Guten Tag«, begrüßte er mich.
Der Physiotherapeut trug hellblaue Baumwollhosen und ein lässiges Shirt, auf dass ein weißes Stück Stoff genäht war. Ich bemühte mich, die kleinen Buchstaben darauf zu entziffern.
»Ich bin Peter. Schön dich kennenzulernen«, sagte er,

während er mir lächelnd die Hand reichte . Er war der Erste der das tat, seit ich hier war. Ich starrte ihn an. Er war nur wenig größer als Jenny, hatte eine Durchschnittsfigur und strahlte mich aus seinen rehbraunen Augen ehrlich an. Das braune, lockige Haar auf seinem Kopf erinnerte mich an den Wischmopp meiner Großmutter. Dieser Gedanke veranlasste mich dann doch zu einem Lächeln.
»Hallo«, erwiderte ich schüchtern.
»Peter Lustig«, kicherte Jenny, während sie mit dem Finger auf den Physiotherapeuten zeigte.
»Nein, Peter Fröhlich«, stellte er richtig. »Ernsthaft. Das ist mein Name«, fügte er hinzu.
Er musste meinen zweifelnden Blick wohl gesehen haben. Doch Zweifel waren mir egal. Verzweiflung hätte es wohl eher getroffen. Ich hatte Zeitdruck. Ich wollte frisch geduscht und frisiert sein, wenn die Polizisten kamen. Womöglich konnten das nur Frauen verstehen. Deshalb beschloss ich, das dem Physiotherapeuten unmissverständlich klar zu machen.
»Herr Fröhlich, Schwester Jenny möchte mich gern duschen und mir die Haare waschen. Ich erwarte nämlich Besucher, die gleich kommen werden, und ich möchte gern vorher salonfähig sein. Wenn Sie also bitte später ... wiederkommen würden... ?«
Peter, der meiner Schätzung nach sicher nur wenig älter war als ich selbst, schüttelte entschieden den Kopf.
»Ohne mich wirst du dich nicht aus diesem Bett bewegen, Stella Fröbel. Anordnung vom Professor.«
Niedergeschlagen akzeptierte ich das Unvermeidliche.
»Okay«, gab ich mein kleinlautes Einverständnis.
Peter baute sich seitlich vor meinem Bett auf, Jenny hinter meinem Rücken. Nun erklärte er mir unsere erste

gemeinsame Übung: Aufrichten und auf dem Bettrand sitzenbleiben. Ich war beruhigt. Wenn es weiter nichts war. Das war doch eines der einfachsten Dinge der Welt. Dachte ich! Als Peter und Jenny mir beim Aufrichten halfen, wurde mir nicht nur schwindelig, sondern auch übel. Ich kämpfte tapfer dagegen an und gab nichts dergleichen zu. Ich spürte mich in Peters Arme sinken und blinzelte in sein Gesicht.

»Wirklich alles okay?«, zweifelte er.

»Ja!«, entgegnete ich entschieden.

Sein Lächeln machte mir Mut. Ich schaffte es tatsächlich, auf dem Bettrand sitzenzubleiben. Meine Beine baumelten. Bis zum Boden reichten sie nicht. Peter und Jenny wagten beide nicht, mich loszulassen. Die Frage, weshalb sie nicht losließen, erübrigte sich bereits in dieser Sekunde. Mein Bett schwankte plötzlich wie ein Boot auf hoher See und schlagartig wurde mir speiübel. Als ich glaubte, mich gegen meinen Willen um meine eigene Achse zu drehen, wurde es dunkel. Ich riss die Augen auf, doch es blieb tiefschwarz.

»Stella?«, vernahm ich Peters besorgte Stimme.

Allmählich wich das Schwarz einem gleißenden Nebelschleier. Es wurde wieder hell. Aus dem Nebel tauchten vor meinen Augen zwei Gesichter auf. Ich fand mich im Bett liegend wieder. Peter und Jenny lächelten. Ich nicht! Ich war enttäuscht. Mein Traum von einer erfrischenden Dusche zerplatzte. Mir war zum Heulen zumute. Ich wollte niemanden mehr sehen.

»Hey, wer wird denn gleich das Korn in die Flinte stopfen?«, fragte Peter herausfordernd.

»Das kriegen wir schon hin, Stella«, versuchte auch Jenny mich zu ermutigen.

»Wann!«, schrie ich verzweifelt.

»Dein Körper hat sechs Wochen gelegen und sich ausgeruht. Nun muss er sich erst langsam wieder daran gewöhnen, dass er etwas tun muss.«
»Sechs Wochen…?«, wisperte ich.
»Ich verstehe, dass du sofort duschen möchtest. Das würde mir genauso gehen. Fühlt sich einfach eklig an«, sagte ausgerechnet Peter.
Ich sah ihn bittend an. Ich wusste nicht wie, aber in mir flackerte ein Hoffnungsschimmer auf.
»Bitte«, flüsterte ich.
Peter nickte Jenny zu. »Hol uns den Lifter.«
Jenny verschwand postwendend und Peter setzte sich zu mir aufs Bett.
»Wir fahren dich in unser Pflegebad. Danach fühlst du dich wie neu geboren«, sagte er.
»Ich habe ja nichts zum Anziehen«, wagte ich, ihm mein nächstes Problem zu beichten.
»Stimmt«, bestätigte er und grinste hintergründig. »Die Sachen, in denen du eingeliefert wurdest, waren kaputt, zerschnitten und sind entsorgt worden. Du wirst deinen Besuch nackt empfangen müssen.«
Ich spürte sehr deutlich, dass ich schamrot anlief. Plötzlich fühlte ich mich ausgeliefert. Jenny kam mit dem fahrbaren Lifter herein und rückte ihn direkt an mein Bett. Jetzt ging alles ziemlich rasch. Bevor ich noch etwas sagen konnte, lag ich auf dem kalten Ding und wurde mit einem Sicherheitsgurt angeschnallt. Ich biss die Zähne zusammen. Nicht ein Wort wollte ich sagen. Wenn das der einzige Weg zu meinem Ziel war, musste ich da durch. Auf dem Flur zog ich die Bettdecke über mein Gesicht, soweit der Gurt das zuließ. Es war nur ein Zipfel. Zur Sicherheit schloss ich die Augen. Erst als die beiden mich durch die Tür in einen Raum geschoben hatten,

lugte ich vorsichtig wieder hervor. Ich hörte das Wasser laufen. Es strömte in eine große Wanne, die mitten im Raum stand. Angenehmer Duft durchströmte den Raum und benebelte meine verwirrten Sinne. Jenny stahl mir meine schützende Bettdecke, doch es blieb angenehm warm. Peter machte tatsächlich keine Anstalten, den Raum zu verlassen, doch ich wagte nicht, zu protestieren. Jenny zog mir das Nachthemd vorsichtig vom Körper, das ohnehin nur ein Stück Baumwollstoff aus dem Klinikfundus war. Und schon ließ Peter vorsichtig den Lifter hinab in das Wasser.

»Sage bitte, wenn es dir zu heiß oder zu kalt ist, Stella.«

»Alles in Ordnung«, antwortete ich.

Das fühlte sich tatsächlich gut an. Verdammt gut! Ich schloss die Augen und genoss den Augenblick. Alles andere um mich herum rückte weit, weit weg. Ich vergaß sogar, dass meine Beine gelähmt waren. Sie bewegten sich sanft im Wasser. Ich gab mich dem Traum hin, dass ich tiefenentspannt zu Hause, in meiner eigenen Badewanne saß. Tiefe Ruhe und Selbstzufriedenheit beherrschten mich. Ich musste wohl gerade lächeln, als Peter leise bemerkte: »Wenn Sie lächelt, sieht sie sogar hübsch aus.«

Ich hörte Jenny leise kichern.

Ach die beiden, dachte ich, und war glücklich darüber, dass sie da waren. Als ich hörte, dass die Tür ins Schloss fiel, öffnete ich die Augen. Peter war nicht mehr da

»Na, wie fühlt sich das an?«, fragte Jenny.

»Mehr als gut«, strahlte ich.

Jenny schrubbte meine Beine, während sie mir erklärte, das sei perfekt für die Durchblutung. Dann waren meine Haare an der Reihe. Ich freute mich über das Haarewaschen. Ehrlich! Ich hatte langes Haar, dass ich

gelegentlich mit einem Gummi zusammenhielt oder hochsteckte. Seit ich erwacht war, hatte ich das nicht mehr gekonnt. Erst als Jenny mich aus dem Wasser gehoben und in warme, trockene Badetücher gehüllt hatte, kam Peter zurück. Er baute sich vor mir auf und grinste triumphierend, als er ein Stück Stoff vor meinen Augen präsentierte.
»Das ist zwar kein Nachthemd, aber vielleicht ziehst du mein Shirt ja der puren Nacktheit vor.«
Er fasste es an den Schulternähten und schüttelte es auf. Natürlich stand sein Name darauf. Doch der niedliche Teddy, der mir jetzt entgegenlachte, brachte mich zum Schmunzeln.
»Danke, Peter, Sie sind...«, ich suchte nach den passenden Worten. Schließlich hatte auch mein Kopf sich sechs Wochen lang ausgeruht und musste erst wieder trainiert werden.
»Einmalig und fast perfekt«, ergänzte er.
»Ja«, bestätigte ich.
Das war er. Er hatte es innerhalb einer Stunde geschafft mich aufzubauen, mir einen sehnlichen Wunsch zu erfüllen und mich zum Lachen zu bringen.
»Und das ist wirklich Ihr Shirt?«, zweifelte ich dennoch.
»Dein Shirt! Klar! Manchmal arbeite ich auf der Kinderstation. Kommt Ihr zwei jetzt allein zurecht? Ich muss kurz zur Besprechung.«
»Natürlich«, entgegnete Jenny.
Jenny war sehr nett. Sie hatte sich in dem straffen Klinikalltag tatsächlich Zeit für mich genommen. Sie gab mir das Gefühl, dass es ihr wichtig war, mir diesen Wunsch zu erfüllen. Als ich trocken war und von Kopf bis Fuß eingecremt duftete, kämmte sie mein Haar. Ich tolerierte inzwischen sogar das etwas aufgestellte Kopfteil

des Lifters.
»Die Frisur mache ich dir im Bett, Stella. Ich halte es hier drin nicht mehr länger aus«, pustete sie.
Die Luft im Bad war heiß, feucht und neblig. Im Flur hingegen schlug mir kalte Luft entgegen.
»Oh, haben wir einen Neuzugang, Schwester Jenny?«, fragte Professor Winter, als er den Flur entlang eilte und für einige Sekunde innehielt. Er lächelte und zwinkerte mir zu.
»Nein, Professor Winter, ich habe Stella nur durch den Vollwaschgang gejagt.«
»Sehr schön«, meinte er, während er bereits weitereilte.

Die Luft in meinem Zimmer war angenehm frisch und das Bett neu bezogen. Jenny packte mich hinein und machte sich mit dem Föhn daran, mein Haar zu frisieren. Sie war ein Engel. Ich staunte nicht schlecht, als sie mir ein dezentes Make-up verpasste. Ich fühlte mich wunderbar, einfach gut und glücklich.
»Ich weiß gar nicht, wie ich das wieder gut machen kann«, sagte ich und spürte Tränen der Rührung in meinen Augen.
»Jetzt fang bloß nicht an zu heulen, bevor du in den Spiegel geschaut hast«, sagte sie energisch.
Ich schniefte und zwinkerte, bevor ich ein strahlendes Lächeln aufsetzte. Das fiel mir in diesem Augenblick nicht schwer. Ich wollte Jenny nicht enttäuschen und mich nicht vor meinem Spiegelbild erschrecken. Schließlich hielt Jenny einen großen Spiegel vor mich. Mein Herz klopfte vor Aufregung. Ich hatte fast Angst davor, mein Spiegelbild zu sehen. Doch als ich hineinsah, lächelte mir ein bekanntes Gesicht entgegen, das ich aufmerksam musterte.

»Danke Jenny«, flüsterte ich. »Danke.«
Nur gut, dass ich mich vorher nicht hatte sehen können, dachte ich und musste grinsen. In dem Augenblick öffnete sich die Zimmertür. Peter erschien. Er starrte mich an. Nur einen Augenblick.
»Wow«, sagte er. »Prinzessin Stella, sind Sie bereit für die Audienz?«
»Sind sie etwa schon da?«, fragte ich erschrocken.
»Ja. Ich habe sie bereits seit fünf Minuten davon abgehalten, dieses Zimmer zu betreten.«
»Danke, Peter!«
Jenny packte rasch alle Utensilien auf den Lifter, den sie gemeinsam mit Peter, hinausschob.
Ich atmete tief durch und blickte angespannt zur Zimmertür.

*****

Kaum drei Sekunden später klopfte es.
»Herein«, sagte ich.
Ein fremder Mann und eine ebenso fremde Dame betraten das Zimmer. Beide grüßten freundlich. Ich betrachtete beide skeptisch, denn sie trugen keine Uniformen.
»Guten Tag, Frau Fröbel. Mein Name ist Kamith. Das ist meine Kollegin Bergmann. Wir haben ein paar Fragen an Sie«, begann der Mann, der sich mit Namen vorgestellt hatte, ganz sachlich.
Sein Blick verriet nichts. Er war schätzungsweise um die fünfzig Jahre und wirkte sportlich. Die Frau war wesentlich jünger. Sie hatte ihre blonden Haare hochgesteckt und lächelte mich an.
»Schön, dass Sie wach sind, Frau Fröbel. Wie geht es

Ihnen?«, fragte sie mitfühlend.
»Setzen Sie sich doch«, entgegnete ich. *Dann können wir uns auf gleicher Höhe in die Augen sehen,* dachte ich.
Die beiden nickten und holten sich tatsächlich die Stühle heran. Ich war etwas erleichtert. Schließlich waren das die Leute, die mir helfen wollten oder auch sollten.
»Können Sie sich an irgendetwas erinnern«, fragte Kamith.
Ich überlegte angestrengt. Das hatte ich bereits so oft getan. Doch wirkliche Zusammenhänge konnte ich in meinen Gedanken nicht finden.
»Es ging alles so plötzlich«, begann ich leise zu erzählen. »Ich war auf dem Weg von meiner Arbeit zum Supermarkt. Es war schon spät und dunkel. Ich war hungrig und hatte nichts mehr zu Hause. Ich hoffte, dass ich es noch schaffen würde, bevor der Markt schließt.«
»Sie hatten es also sehr eilig?«
»Ja.«
»So eilig, dass Sie das Auto nicht gesehen haben?«
»Nein!« Was wollte mir der Polizist, oder was immer er war, unterstellen? »Was soll das?«, fragte ich empört.
»Nun«, redete die Bergmann weiter. »Nun, in diesem Sinn war die Aussage des Autofahrers. Er sagte, Sie waren so schnell unterwegs gewesen, dass Sie plötzlich wie aus dem Nichts vor ihm aufgetaucht sind. Außerdem trugen Sie dunkle Kleidung.«
Ich spürte das verräterische Kribbeln meiner unterdrückten Wut durch meinen Körper fahren, während sie sprach.
»Ich fuhr auf dem Radweg!«
»Natürlich, Frau Fröbel. Doch der Radweg kreuzte an der Unfallstelle die Fahrbahn«, gab Kamith zu bedenken. Ich mochte ihn nicht.

»Auch wenn Sie Vorfahrt hatten, waren Sie verpflichtet, Ihr Fahrzeug und sich selbst ausreichend zu beleuchten.«
»Ich hatte vorschriftsmäßiges Licht am Fahrrad. Das weiß ich ganz genau, denn ich hatte es am Tag zuvor vom Händler technisch überprüfen lassen.«
Kamith nahm das zur Kenntnis. Er nickte.
Frau Bergmann klärte mich schließlich auf. Endlich!
»Frau Fröbel, die Aussage des Autofahrers, der Sie angefahren hat, steht gegen die Ihre. Deshalb sind wir mit den Ermittlungen beauftragt, um den Unfall zu rekonstruieren und die Schuldfrage eindeutig zu klären.«
»Wer hat Sie damit beauftragt?«, fragte ich skeptisch.
»Wir gehen davon aus, dass Sie eventuell eine Mitschuld tragen. Die Haftpflichtversicherung ihres Unfallgegners übrigens auch. Die Schuldfrage muss von Rechts wegen in jedem Fall eindeutig geklärt werden, von Rechts wegen.«
Ich wollte aus einem Impuls heraus im Bett hochfahren. Doch eine unsichtbare Kraft war stärker als mein Wille und drückte mich zurück. Mir wurde schwindlig.
»Ich kann verstehen, dass es Ihnen kaum möglich ist, sich an Einzelheiten zu erinnern. Versuchen Sie es bitte, indem Sie uns einfach alles erzählen, was Ihnen einfällt. Auch wenn es noch so unwichtig erscheint«, sagte Frau Bergmann mitfühlend. Sie schien etwas Verständnis für meine Lage zu haben.
»Davon, wie wir die Schuldfrage beurteilen, hängen unter anderem auch Ihre Ansprüche gegenüber dem Autofahrer ab«, fügte Kamith hinzu.
»Sie wissen also genau, wer das war?«, fragte ich stoisch.
Ich fühlte weder Freude noch Genugtuung. Alles war unwirklich. Der Kerl war heil davon gekommen. Aber ich

würde mein Leben lang dafür büßen müssen.
»Ja«, nickte Kamith. Er blickte mir direkt in die Augen, schien meine stille Frage zu verstehen und schüttelte kaum merklich den Kopf. Ich verstand, dass er mir den Namen des Fahrers nicht sagen durfte oder wollte. Was hätte mir auch irgendein Name genutzt.
»Immerhin ist er bei Ihnen geblieben, hat Erste Hilfe geleistet und hat den Notarzt gerufen.«
»Ist das nicht seine Pflicht gewesen?«, fragte ich mit sarkastischem Unterton.
»Ja, das auch«, entgegnete Kamith und atmete tief durch.
»Bitte erzählen Sie uns, was Ihnen zum Unfallhergang einfällt, Frau Fröbel«, bat Kamith eindringlich und gab mir eine Visitenkarte.
Ich nahm sie, doch ich schob sie unbeachtet unter die Decke.
»Ich sah grelles Licht aufblitzen und spürte im selben Augenblick, wie ich durch die Luft flog. Ich versuchte noch, mich irgendwo festzuhalten. Aber da war nichts. Plötzlich ein dumpfer Schlag, Schmerzen, der Geschmack von Blut in meinem Mund. Dann nichts mehr. Gar nichts«, berichtete ich leise. »Irgendwie dachte ich, es sei ein Alptraum. Jetzt weiß ich, dass es Realität war.«
Die beiden Menschen vor meinem Bett hatten aufmerksam zugehört und schwiegen eine Weile. Vielleicht warteten sie, ob ich ihnen noch etwas erzählen wollte. Sie drängten mich in keiner Weise, was ich ihnen hoch anrechnete. Meine Gefühle kursierten zwischen Unsicherheit und Hoffnung.
»Das alles tut uns ehrlich leid, Frau Fröbel«, sagte Frau Bergmann mitfühlend.
Ich glaubte ihr, denn was sie sagte klang ehrlich.

Anschließend erhob sie sich. Kamith auch. Beide verabschiedeten sich, nicht ohne mir gute Genesung zu wünschen. Ich bedankte mich höflich.
Als sie das Zimmer verlassen hatten, war ich wieder allein. Allein mit meinen Gedanken, die mich bis zum Abend nicht mehr losließen und mich die ganze lange Nacht hindurch beschäftigten.

Kapitel 2

Stella boxt sich durch

Dementsprechend hing ich am nächsten Morgen in den Seilen. Die Müdigkeit war pünktlich mit dem Sonnenaufgang am darauffolgenden Morgen gekommen und quälte mich nun. Auch Peter tat das. Er kannte kein Erbarmen. Im Gegenteil. Er schien sich außerordentlich zu amüsieren.

»Das kommt davon, wenn man die ganze Nacht auf Partys herumhängt«, stichelte er.

Ich wusste nur zu gut, dass er mich damit aufziehen wollte. »Neidisch?«, konterte ich deshalb.

Anerkennend verzog Peter das Gesicht. Dann grinste er.

»Ja natürlich. Was dachtest du denn?«

»Kannst du tanzen?«

»Klar! Und du?«

»Du Scheusal!«, rief ich und schleuderte ihm mein Kissen entgegen, das er lässig auffing.

»Wow, was für ungeahnte Kräfte. War das das Zeug in deinem Kaffee oder das war es Gras letzte Nacht?«

»Weder noch!«

Peter schüttelte mein Kissen auf.

»Dort über dir ist ein Griff. Zieh dich daran rauf, wenn du dein Kissen wiederhaben willst«, befahl er.

Widerspruch zwecklos. Ich versuchte es. Ich musste mich anstrengen, den Griff überhaupt zu erreichen. Peter wartete unbeeindruckt. Er machte keine Anstalten, mir zu helfen. Ich kämpfte. Mein Stolz verbot mir, um Hilfe zu bitten. Als ich den Griff endlich fassen konnte, umklammerte ich ihn, so fest ich konnte. Bloß nicht wieder loslassen, dachte ich. Das war mühsam und kräftezehrend.

»Geschafft, Stella! Perfekt. Schau genau dorthin, wohin

du willst. Fixiere den Punkt mit deinen Augen, damit dir nicht gleich schwindlig wird«, sagte er leise.
Du hast gut reden, antworteten meine Gedanken. Ich begann zu schwitzen. Meine Arme zitterten und meine Hände verkrampften sich. Selbst mein Bauch protestierte gegen diese Tortur. Meine nicht mehr vorhandenen Bauchmuskeln begannen zu schmerzen.
»Super!«, rief Peter begeistert und stopfte mir endlich das Kissen in den Rücken.
Dann fuhr er das Kopfteil meines Bettes so weit hinauf, dass ich mich anlehnen konnte. Ich schnaufte, nicht vor Wut, aber vor Sauerstoffmangel. Peters lächelndes Gesicht tauchte direkt vor meinen Augen auf.
»Du kannst jetzt loslassen, Stella«, sagte er sanft.
Das tat ich langsam. Meine verkrampften Hände schmerzten. Peter musste das wissen, denn er massierte sie, sodass sie kurze Zeit später wieder vollkommen locker waren. Das fühlte sich gut an.
»Ich sitze!«, bemerkte ich ungläubig.
»Ach, ja?«, tat Peter überrascht.
Jetzt trat er zwei Schritte zurück und betrachtete mich.
»Tatsächlich«, bestätigte er.
Ich strahlte vor Freude von tief innen heraus. Ich hatte es geschafft! Ich allein!
»Danke«, sagte Peter.
»Wofür?«
»Für dein Lächeln. Das rettet mir den Tag.«
»Ach, das sagst du doch jeder«, grinste ich frech.
»Stimmt. Ich werde sogar dafür bezahlt«, grinste er frech zurück.
Ich setzte meinen Schmollmund auf und verzog die Augenbrauen.
»Aber keine andere ist so charmant wie du«, fügte er

hinzu. Ich seufzte und das muss wohl ziemlich niedergeschlagen geklungen haben.
»Was ist?«
»Das wird mir wohl niemand mehr sagen.«
»Da wäre ich nicht so sicher«, zweifelte Peter.
Ich lenkte unser Gespräch in andere Bahnen.
»Erzähl mir bitte was von dir, was von der Klinik und erzähl, ob jemand mich besucht hat, während ich geschlafen habe.«
Peter begann zu erzählen. Er entpuppte sich als wahre Quasselstrippe und das tat mir gut. So erfuhr ich einiges über die Welt da draußen und über mich selbst. Tatsächlich hatte mich jemand besucht. Doch Peter wusste nicht, wer diese Leute gewesen waren. Er konnte sie auch nicht beschreiben, weil er sie selbst nicht mit eigenen Augen gesehen hatte. Als er mir jedoch von einem jungen Mann erzählte, horchte ich auf. Meine Gedanken wühlten alles um und ich platzte förmlich vor Neugier. Doch auch über diesen Besucher konnte Peter mir nichts sagen, das mich der Lösung des Rätsels näherbringen könnte.
Ich hatte nicht gedacht, dass die Zeit so schnell vergehen kann. Noch bevor unser Gespräch zu Ende war, hatte ich meine physiotherapeutische Übungseinheit für diesen Tag erfüllt und Peter musste weiter. Doch ich wollte noch nicht aufhören. Meine Motivation war gerade erst richtig erwacht. Peter aber meinte: »Allzuviel ist ungesund. Die Dosis macht den optimalen Erfolg aus. Der Professor würde mir persönlich den Hals umdrehen, wenn wir jetzt nicht aufhören.«
»Okay. Dann bis morgen«, erwiderte ich und lächelte tapfer.

*****

Von nun an kämpfte ich jeden Tag für jeden noch so kleinen Fortschritt, um wieder auf die Beine zu kommen, die nicht funktionieren wollten. Die Kommissarin Bergmann hatte mich noch mehrmals besucht und mir mitgeteilt, dass die Schuldfrage inzwischen geklärt war. Ich war tatsächlich zu 20 Prozent mit an dem Unfall schuldig! *Nicht zu fassen!*
Ich versuchte, zu überlegen, was das für nachteilige Folgen für mich bedeuteten konnte.
Irrsinn!, schalten meine Gedanken. *Dem Kerl ist nichts passiert, er ist völlig unversehrt und hält es nicht mal nötig, mich zu besuchen... oder nach mir zu fragen!*
Ich schwor Rache. Ich wollte diesem Idioten, der mich aus meinem Leben geschossen hatte, gegenübertreten. Ich wollte ihm meine Meinung entgegenschleudern und ihn verklagen, damit er seines Lebens nicht wieder froh wurde.
Es war Winter, als ich eingeliefert worden war. Den Rest davon hatte ich verschlafen. Ich hatte mir manchmal gewünscht, Winterschlaf halten zu dürfen, dachte ich und musste schmunzeln. Inzwischen hatte der Frühling Einzug gehalten, wenn auch noch nicht im Kalender. Der März hatte gerade begonnen und er brachte neben Sonnenschein und Vogelgezwitscher auch die unbändige Ungeduld mit, hinauszugehen. Ich wollte nicht mehr im Bett bleiben. Ich wollte nicht länger in diesem Zimmer bleiben. Meine Freundin hatte mir ein paar Sachen gebracht. Doch sie hatte wahllos Dinge aus meinem Kleiderschrank eingepackt, die nicht alle meinen Vorstellungen entsprachen. Aber ich wollte nicht meckern. Ich war froh, dass ich etwas zum Anziehen hatte und

dass Peter endlich meinem unnachgiebigen Betteln nach Freiheit nachgegeben hatte.
Eines schönen Tages war es dann soweit. Endlich! Ich saß allein und freihändig auf dem Bettrand, ohne dass mein Kreislauf mir einen Strich durch die Rechnung machte. Erwartungsvoll blickte ich zu dem Rollstuhl, der vor meinem Bett parkte. Obwohl ich dieses Ding vom ersten Augenblick an hasste, war der im Moment die einzige Möglichkeit, mich halbwegs selbstständig fortzubewegen. Ich tröstete mich mit dem Gedanken, dass ich die Herrin über diesen Stuhl sein würde, der alles machen müsste, was ich wünschte.
Prinzessin Stella und ihr Diener.
Na ja, dieses Ding konnte nicht alles, das war mir schon klar. Aber er würde mich zumindest dorthin bringen, wo ich hinwollte. Peter, der Physiotherapeut, lächelte mir zuversichtlich entgegen, als er den Raum betrat.
»Super, Stella! Na dann... Auf in den Kampf!«, trällerte er fröhlich.
»Du hast lange genug im Bett herumgelegen.«
Ich atmete tief durch und lächelte böse.
Peter schien meine Gedanken lesen zu können.
»Ich zeige dir, wie du auf deinen Thron kommst, um die Welt zu erobern. Glaub aber nicht, dass ich immer da sein werde, um dich dahinein zu bugsieren. Das ist dein Job.«
Ich brummte missmutig. Mein Humor hielt sich momentan in Grenzen. Peter aber lachte, doch er lachte mich nicht aus.
»Glaubst du, dass ich mit dem Ding auch meinen Job machen kann? Oder vielleicht den ganzen Tag in einem stupiden Büro stundenlang an einem Schreibtisch sitzen und langweiligen Papierkram erledigen?«

»Wie wäre es mit Politesse? In dem Job kannst du dich jeden Tag an allen möglichen Autofahrern rächen«, grinste er frech.
Ich schnaufte.
Wahrscheinlich deshalb baute Peter sich vor mir auf und stemmte die Hände in die Hüften. Ich wusste inzwischen, dass er nur ein Jahr älter als ich war. Peter hatte eine gute Figur und braunes, lockiges Haar. Aus seinem runden Gesicht funkelten seine braunen Pupillen mich direkt an. Er konnte nicht ernst sein. Sein Gesicht wirkte immer fröhlich, selbst wenn er einmal nicht lächelte, so wie gerade jetzt.
»Was glaubst du? Glaubst du etwa, dass die Welt ihre Farben verliert, nur weil über uns gerade Nacht ist? Bevor du dich in eine langweilige, graue Maus verwandelst und verkriechst, solltest du vielleicht warten, bis die Sonne wieder aufgeht. In der frischen Morgenluft klaren meist auch unsere vernebelten Gedanken wieder auf. Danach kannst du dich mit dem Rollstuhl immer noch einen Abhang hinabstürzen. Aber glaub mir, du wärest die Erste.«
Meine Augenbrauen hoben sich ungläubig.
»Nicht bevor ich diesen Idioten, der mir das angetan hat, nackt ausgezogen habe!«
Peter lachte laut los. Wahrscheinlich stellte er sich das gerade sehr bildhaft vor. Auch ich musste plötzlich lachen, denn sein Lachen war einfach zu ansteckend. Ich konnte nicht anders. Wir lachten beide so laut, dass es über den Krankenhausflur schallte und die Aufmerksamkeit des Personals und einiger Patienten auf den Plan rief. Die Tür stand weit offen. Selbst Professor Winter erschien völlig außer Atem, und blickte überrascht zu uns herein. Auf seinem Gesicht erschien

ein zufriedenes Lächeln. Er nickte mir aufmunternd zu, bevor er weiterging.
»Okay!«, beschloss ich, als ich wieder genug Luft bekam, um zu sprechen. »Auf was warten wir noch. Ich bin schließlich nicht mehr die Jüngste!«
Grinsend schüttelte Peter den Kopf. Dann half er mir mit einer solchen Leichtigkeit in den Rollstuhl, dass ich kaum begreifen konnte, dass ich das fast alleine getan hatte. Na ja, nicht ganz.
»Du musst deine Muskeln trainieren, dann ist es ganz einfach.«
»Aha«, bestätigte ich und war mit meinen Gedanken schon weit weg von diesem Zimmer.
Wochenlang war ich hier drin gefangen gewesen. Ja, es kam mir vor, als würde ich gerade aus meinem Gefängnis entlassen. Ein erhebendes Gefühl! Ich war neugierig, was mich da draußen erwarten würde. Wie ein ungeduldiges Kind griff ich an die Räder des Rollstuhls. Doch so sehr ich mich auch anstrengte, der bewegte sich nicht einen Millimeter.
»Du musst immer zuerst die Bremsen lösen«, hörte ich Peters Stimme hinter mir.
Klar! So blöd kann man doch gar nicht sein.
»Auf geht`s«, trällerte Peter und tanzte elegant zur Tür. Die stand noch offen. Peter war ein großer Charmeur. Grinsend rollte ich an ihm vorbei und zur Tür hinaus. Die Tür zur Außenwelt stand mir offen! Oder besser gesagt, die zum Flur der Klinik. Aber auch der weiteste Weg begann mit dem ersten Schritt. Ich rollte in Richtung Ausgang. Mein Herz hüpfte. Einige Zweibeiner sprangen höflich zur Seite. Meinen Physiotherapeuten hatte ich inzwischen abgehängt.
Ich hörte, wie er hinter mir herrief. »Langsam, Stella!«

Ich wandte meinen Blick kurz zu ihm und grinste frech. Genau in diesem Augenblick wurde meine rasante Fahrt durch etwas abrupt ausgebremst. Bevor ich meinen Blick wieder in Fahrtrichtung brachte, vernahm ich ein dumpfes Brüllen.
Oh Gott! Ich war gegen einen Menschen gefahren, weil ich nicht hingesehen hatte!
Der Weg war frei, zumindest vorher. Weshalb war der Trottel nicht einfach zur Seite gegangen? Der Trottel war ein hochgewachsener Mann, der zwar sportlich wirkte, aber anscheinend nicht sportlich genug war. Mit schmerzverzerrtem Gesicht starrte er mich an.
»Sie sind gefährlich«, presste er mühsam hervor.
Peter hatte sich inzwischen schützend neben mir und meinem Rennfahrzeug aufgebaut.
»Sorry…«, stammelte er. »Ich hätte besser aufpassen sollen.«
Weshalb er, fragte ich mich. *Hat der Trottel vor mir nicht selber Augen im Kopf?!*
»Schon gut«, wehrte der Mann ab, während er die Hände hob. »Wissen Sie vielleicht, wo ich meinen Vater finden kann?«, fragte der fremde Mann Peter.
Der Mann trug einen Pferdeschwanz und blickte über mich hinweg, als sei ich Luft. Ich verzog mein Gesicht. Ja, ich war beleidigt. Der Trottel mit dem Pferdeschwanz bewegte sich nicht einen Zentimeter aus meinem Weg. Ich wollte weiterfahren! Am liebsten wäre ich über seine Füße gerollt.
»Würden Sie mich bitte durchlassen!«, schnaufte ich so freundlich, wie mir nur irgend möglich war.
Da Peter seine Frage beantwortet hatte, wandte der Mann sich ohnehin zum Gehen. Er ging schließlich ohne ein weiteres Wort.

»Unhöflicher Mensch«, sagte ich so laut und deutlich, dass zumindest Peter mich verstehen musste. Der räusperte sich und schwieg. Genervt verdrehte ich die Augen, während ich an die Räder griff, um erneut durchzustarten.
»Hey, hey, langsam, Stella!«
»Ich habe einiges nachzuholen«, rief ich.
»Wenn du so rasant weiter fährst, baust du gleich den nächsten Unfall und landest wieder in deinem Bett.«
»Okay, überredet«, lenkte ich ein.
Dieser Physiotherapeut schien im Augenblick der einzige Mensch in meinem Leben zu sein, der sich ernsthaft Sorgen um mich machte. Ich sollte ihm also vertrauen, und das tat ich. Ich vertraute ihm mehr als manchen Ärzten, die mir nichts versprechen konnten oder wollten, ja die sogar Angst vor meinen direkten Fragen zu haben schienen. Peter war ehrlich. Er machte mir Mut, aber keine falschen Hoffnungen. Wie auch immer, ich lebte, obwohl ich mir nicht sicher war, ob das gut für mich war. Aber manche Entscheidungen lagen ganz einfach nicht in meiner Hand. Ich hatte definitiv im Leben gerade eine Arschkarte gezogen und nun musste ich damit klarkommen. Das hieß ja aber nicht, dass ich das Spiel verloren hatte. Manchmal wendete sich das Blatt ganz unverhofft.
Das glaubst du doch selbst nicht, Stella Fröbel, schrien meine eigenen Gedanken zurück.
Scheiße!
Mir war zum Heulen zumute. Ich hatte mindestens tausend Sorgen und Probleme mehr als vorher und ich wusste wahrhaftig nicht, wie ich das schaffen sollte. Mir war noch nicht mal ganz klar, ob ich das überhaupt schaffen wollte.

Der Flur war sehr lang. Der Weg nach draußen führte zunächst in den Aufzug. Ich hatte das Gefühl, mein Ziel nie zu erreichen. Doch ich erreichte es. Die Tür nach draußen schob sich vor mir auf. Kalte, feuchte Luft schlug mir entgegen. Ich rollte hinaus. Endlich!
Ich atmete tief ein und aus. Es regnete. Die Tropfen sprangen auf mich herab. Das störte mich nicht.
Vielleicht bekomme ich dann ja eine Lungenentzündung und war morgen tot. Mir doch egal!
»Stella«, hörte ich eine mir bekannte Stimme rufen. »Es regnet!«
»Na und?!«, rief ich zurück.
»Komm wieder rein!«
Ich stoppte den Rollstuhl und drehte das Ding um, dem Eingang zu. Dort stand Peter, der offensichtlich fror. Inzwischen tropfte ich selbst. Mein Haar klebte im Gesicht. Und ich grinste herausfordernd.
»Bitte, Stella! Hab Mitleid mit mir! Ich werde mir hier draußen den Tod holen.«
Peter war nicht nur ein hervorragender Physiotherapeut, sondern auch ein sehr geschickter Psychologe. Er hatte meine Widerworte im Keim erstickt. Widerstand zwecklos. Langsam rollte ich zu ihm. Erst jetzt bemerkte ich, dass auch ich zitterte. Peter grinste.

*****

Bereits in der darauffolgenden Nacht begann es in meinem Hals zu kratzen. Ich kramte in meinem Nachtschrank und zauberte daraus ein Tuch hervor. Ich fand mein kleines Nickituch, das mit den Igelchen aus Kindertagen. Es weckte sofort Erinnerungen. Ich band es um. Es passte noch immer. Ich hing meinen Gedanken

nach, während ich weiter kramte. Irgendwo mussten noch ein paar Eukalyptusbonbons sein.
Klar, ich war erwachsen, seit Jahren schon, doch Hals und Kopf bildeten bei mir eine absolute Ausnahme. Ich trug auch heute noch Kindermützen. Ich musste, denn alle anderen rutschten mir unweigerlich über Augen und Nase. Bei diesem Gedanken musste ich lachen.
Schließlich hatte ich eine ganze Packung Taschentücher gefunden und Kaugummis.
Na ja, wenigstens etwas, dachte ich und ließ mich erschöpft zurück in das Kissen fallen.
Ich kaute eine Weile und musste dabei eingenickt sein. Plötzlich schüttelte mich ein furchtbarer Hustenreiz wach. Im hohen Bogen flog der Kaugummi aus meinen Mund und durch das Zimmer. Nur langsam beruhigte ich mich wieder. In meinem Hals kratzte es noch grässlicher als vorher. Es fühlte sich an, als hätte ich Nägel verschluckt. Ich trank einen Schluck Wasser. Das half auch nicht.
Diese Nacht war kurz, viel zu kurz. Unbarmherzig musste ich mich zum Waschen auf den Bettrand setzen. Schwester Jennys fröhliches »Guten Morgen, Stella« erwiderte ich nicht. Mir war, als hätte ich über Nacht mehrere hundert Kilo zugenommen. Selbst der Waschhandschuh wog gefühlte zehn Kilo.
»Hey, was ist los mit dir, Stella?«, fragte Jenny, während sie mein Kissen aufschüttelte.
Zur Antwort nieste ich.
»Ohje!«, rief Jenny besorgt.
Ich nieste gleich noch einmal.
»Kann ich vielleicht ein Taschentuch haben?«, fragte ich.
»Natürlich«, antwortete Jenny und drückte mir ein Tempo in die Hand.

Ich schnäuzte mich. Tränenflüssigkeit sammelte sich in meinen Augen.
»Leg dich sofort wieder hin, ich mach das schon.«
Ich konnte es kaum glauben, aber ich war froh darüber. Kaum hatte Jenny mich gewaschen und mir ein frisches Nachthemd übergezogen, kam auch schon der Visite-schwarm in mein Zimmer.
Der Stationsarzt blätterte in den Unterlagen und sagte: »Guten Morgen. Na, Sie machen ja erstaunliche Fortschritte, Frau Fröbel. Gestern war bereits Ihr erster Ausflug« nickte er und schaute mich an. »Und Sie hatten offensichtlich einen Zusammenstoß mit allen möglichen Keimen, Bakterien und Viren«, stellte er fest.
Ich nickte.
»Kann ich bitte etwas gegen die Halsschmerzen haben?«, krächzte ich.
»Mal sehen, was sich da machen lässt.« Er drückte der Assistenzärztin meine Akte in die Hand, zog einen Spatel aus der Brusttasche seines weißen Kittels und beugte sich über mich.
»Machen Sie bitte mal den Mund auf, soweit es geht«, forderte er mich auf. Ich tat, was ich konnte. Er funzelte derweil mit seiner Taschenlampe herum. Nach einer Weile sagte er schließlich: »Okay.«
Ich schnappte nach Luft und starrte ihn erwartungsvoll an.
»Sie haben eine ordentliche Tonsillitis«, sagte er.
Ich starrte ihn immer noch erwartungsvoll an.
»Im Volksmund nennt man das Mandelentzündung. Ich werde Ihnen ein paar Tropfen bringen lassen, die Sie heute bitte alle zwei Stunden einnehmen und ab morgen dreimal täglich. Wenn es nicht schlechter wird und Sie kein Fieber bekommen, werden wir ohne Antibiotika

auskommen, denke ich. Ich verordne Ihnen für die nächsten drei Tage absolute Ruhe. Dann werden wir entscheiden, ob und mit welcher Intensität wir mit der Mobilisierung fortfahren können.«
Ich nickte niedergeschlagen. Das war eine Strafe für mich. Nicht die Halsschmerzen, nicht die Erkältung, aber mein Ausflugsverbot! Das kam einem Zimmerarrest gleich!
Die weiße Wolke schwebte aus meinem Zimmer hinaus. Jenny blieb.
Nach dem Frühstück, das ich heute nicht angerührt hatte, kam Professor Winter allein zur Tür herein. Wie immer setzte er sich auf den Rand meines Bettes und musterte mich mit Besorgnis.
»Ist nur ein Schnupfen, Professor. Der geht schon wieder weg«, beruhigte ich ihn.
Meine Nase, die ununterbrochen lief, musste inzwischen rot glühen. Ich grinste ihn tapfer an.
»Dann bin ich ja beruhigt«, meinte er.
»Wann darf ich endlich nach Hause?«, wagte ich, ihn zu fragen, auch wenn die Konstellation im Augenblick wohl eine ungünstige war.
Der Professor lachte leise. »Wenn Ihr Schnupfen weg ist und Sie sich wieder stabilisiert haben.«
So einfach war das. Mein Herz hüpfte vor Freude.
»Allerdings...«, fügte er vorsichtig hinzu.
Ich hatte es geahnt. Die Sache hatte einen Haken!
»Allerdings muss ich Sie im Anschluss an Ihren Klinikaufenthalt zur einer Rehabilitationskur schicken.«
Ich hub gerade an, zu protestieren, doch Winter hob seinen Zeigefinger. »Das muss sein. In der Kurklinik lernen Sie professionell, mit allen Tücken des Alltags fertigzuwerden, um sie anschließend sicher und selbstbewusst

zu meistern.«
»Noch eine Klinik«, hauchte ich resigniert.
»Ja, aber kein Krankenhaus.«
Ich schwieg.
»Da kommt einiges auf Sie zu, was Sie derzeit noch gar nicht abschätzen können, Stella. Ich darf Sie doch inzwischen so nennen? Sie stehen bei uns schließlich mittlerweile nicht mehr in der Patienten- sondern auf der Inventarliste«, grinste er.
Ich grinste zurück und nieste zur Bestätigung.
»Die Reha habe ich dringend verordnet. Seitdem landen jeden Tag neue Schreiben auf meinem Tisch, weil der Versicherungsträger, sprich Ihre Krankenversicherung, die Haftpflichtversicherung Ihres Unfallgegners in die Pflicht nehmen will. Die hat allerdings jegliche Leistungspflicht abgelehnt, weil Sie eine Mitschuld am Unfallgeschehen tragen. Also kann es sein, dass sie sich vor Gericht herumstreiten werden.«
»Ich?!«, fiel ich ihm empört ins Wort.
»Nein«, beruhigte er mich und lächelte. »Das machen diese Institutionen unter sich aus.«
»Das heißt, ich muss auf die Reha warten, bis die Sache gerichtlich geklärt ist?«
Der Professor lächelte noch etwas mehr, sodass sich um seine blauen Augen unzählige kleine Fältchen bildeten, die sie zum Strahlen brachten. Er wirkte jetzt triumphierend. Er hatte genau erreicht, was er gewollt hatte. Ich wollte plötzlich zu dieser Kur!
»Nein. Ihr Versicherungsträger muss die Kosten für die Reha vorschießen. Vielleicht bekommen die Ihr Geld in drei oder fünf Jahren zurück. Vielleicht auch nie.«
Ich nickte.
»Wohin soll ich denn?«

»Das steht zur Zeit noch nicht fest. Aber sobald sich ein passender Platz für Sie gefunden hat, werde ich es Ihnen höchstpersönlich verraten.«
Ich lächelte dankbar. Wenn ein echter Professor auf meinem Bettrand hockte, sich Sorgen um mich und meine Zukunft machte und mit mir plauderte, als wären wir alte Freunde, das war schon etwas Besonderes. Ich glaube, er hatte es verdient, dass ich ihm vertraute. Und das tat ich.
»Also... ich muss weiter, denn die Pflicht ruft.«
»Danke! Vielen Dank, dass Sie sich Zeit für mich genommen haben«, krächzte ich.
Er nickte, erhob sich und ging zur Zimmertür. Als er die Hand bereits an der Klinke hatte, wandte er sich noch einmal zu mir um.
»Ihr Weg wird nicht leicht, Stella. Aber ich bin fest überzeugt davon, dass Sie das schaffen. Stella,...der Stern... ein wunderschöner Name.«
Schon klackte die Tür hinter ihm ins Schloss.

Ich war allein und ich war müde. Irgendwann war ich eingeschlafen. Doch Jenny war gnadenlos. Alle zwei Stunden weckte sie mich und flößte mir diese geheimnisvollen Tropfen ein. Sie schmeckten nach gar nichts, genau wie der Schluck Kaffee heute Morgen. Vielleicht hatte ich inzwischen ja meinen Geschmackssinn verloren. Ich sollte trinken, mahnte sie. Möglichst viel. Doch ich war zu müde und schlief immer wieder ein.

*****

Die Erkältung hatte mich zweifelsohne gut zwei Wochen zurückgeworfen. Ich musste ein paar Schritte zurück-

gehen und die verborgenen Kräfte meines Körpers erneut wecken. Ich wollte das und Peter half mir. Was mich nicht umbringen konnte, machte mich stärker.
Mittlerweile war es Mitte März. Insgesamt neun Wochen war ich nun hier und meine innere Unruhe wuchs. Es fiel mir sehr schwer, geduldig zu bleiben. Als ich endlich wieder in den Rollstuhl durfte, merkte ich sehr deutlich, wie schwach ich jetzt war. Doch mein Wille war stärker als mein Körper. Ich kämpfte. Nach vier Tagen brachte Peter mich in seine heiligen Räume. Ich sah mich erstaunt um.
»Na, was sagst du, Stella?«
»Ich bin sprachlos«, staunte ich ehrlich.
Wir waren nicht allein. Mehrere Menschen verschiedenen Alters trainierten unter Anleitung der Therapeuten. Auch einige Rollstühle standen dort.
»Rehabilitation heißt das Zauberwort«, meinte Peter.
Ein junger Mann rollte in einem eigenartigen Rollstuhl - modell rasant auf mich zu.
»Hey!«, rief er scharf und warf mir einen Ball entgegen.
Da ich nicht sofort reagierte, traf der Ball ungebremst meinen Kopf. Ich war sowas von erschrocken. Das ging mir alles zu schnell, so schnell, dass ich es kaum begreifen konnte. Der Volltreffer tat nicht sehr weh. Zum Glück war es nur ein aufgeblasener Gymnastikball. Der junge Mann hatte vor mir abrupt gebremst.
»Du musst ihn schon auffangen«, meinte er und grinste frech.
»Darauf war ich nicht gefasst! Ist das hier so üblich?«, fragte ich und wandte mich hilfesuchend zu Peter um.
»Darf ich ich vorstellen? Tim Pollak, mein Kollege.«
Ich wollte etwas sagen, aber ich öffnete den Mund und schloss ihn wieder, ohne dass ein Wort meine Lippen

verließ.
»Peter hat mir viel über dich erzählt. Du willst über den Tellerrand hinaus und brauchst dazu noch ein paar Muckis.«
»Ja«, antwortete ich knapp. Genau so war es.
»Und du hast mich glatt für einen Patienten gehalten, stimmt`s?« Tim grinste triumphierend.
»Nein, für einen Vollpfosten! Ich meine, wer sonst wirft einer Dame mit voller Wucht und ohne Vorwarnung einen Ball an den Kopf!«, konterte ich.
Ich hörte Peter lachen.
»Auf den Kopf scheinst du jedenfalls nicht gefallen zu sein«, amüsierte Tim sich ebenfalls.
»Oh doch! Und wie. Vielleicht war das mein Glück. Vielleicht ist das Durcheinander da oben das Beste, was mir passieren konnte, um mit schrägen Typen besser klar zu kommen als vorher.«
Noch immer hörte ich Peter lachen.
»Das ist die richtige Einstellung, Stella«, nickte Tim anerkennend. »Auf geht`s!«
Ich rollte hinein in den Pool der Leute voller Leben und voller Stimmen. Für mich war es höchste Zeit, mich nicht mehr zu verkriechen. Ich hatte mich für eine Zukunft, für mein neues Leben, entschieden, weil ich zu feige war, es mir zu nehmen. Nun musste ich die ersten Schritte auf meinem neuen Weg beschreiten. Ein Zurück gab es nicht mehr. Die Menschen waren allesamt freundlich und neugierig. Bevor ich zur Besinnung kam, war ich ein Teil von ihnen.
Ich freute mich jeden Tag auf das Training. Das fiel mir von Tag zu Tag leichter und es machte Spaß. Oft mussten die Physiotherapeuten mich aus den Trainingsräumen jagen, damit auch andere zu ihrer Behandlung kamen.

Ab und zu verwöhnte Peter mich mit Entspannungsmassagen. Allerdings konnte ich kaum entspannen, denn er brachte mich ständig zum Lachen.

*****

Unweigerlich kam der Tag, an dem Professor Winter einen Platz in einer Rehaklinik für mich gefunden hatte. Plötzlich ging alles sehr schnell. Ich sollte quasi sofort umziehen.
»Was?! Ich soll direkt… ehm und jetzt gleich umziehen?«, krächzte ich entsetzt. Ich protestierte.
Das ist so üblich, sagten sie mir.
»Mir egal! Ich will zuerst nach Hause«, warf ich trotzig in den Raum.
Das geht nicht, sagten sie mir.
Und ob!
Ich war wütend, wie lange nicht mehr.
In meinem Zimmer tauchte eine Psychologin auf, die beteuerte, dass sie mich verstehen würde. Ich hatte sie vorher noch nie gesehen. Sie saß direkt vor mir und streichelte mich an Schulter und Arm. Das wollte ich nicht! Mir stellten sich die Nackenhaare auf.
»Wie stellen Sie sich das denn vor? Sie kommen doch zu Hause noch gar nicht allein zurecht.«
Ich wurde noch wütender als ich ohnehin schon war. Das war das Letzte, was ich jetzt noch gebrauchen konnte. Ich schnaufte wie ein angriffslustiger Stier und warf sie hinaus.
Mein Entschluss stand fest! Niemand sollte mich wie ein unmündiges Kind behandeln, nur weil ich nicht mehr in die übliche Norm unserer Gesellschaft passte und nicht ganz so funktionierte wie ich wollte. Aber noch war ich

Herrin meiner Sinne!

Am nächsten Tag kam Professor Winter persönlich zu mir. Er trug einen Stapel Papiere unter dem Arm. Ich blieb skeptisch. Doch er setzte sich schmunzelnd auf meinen Bettrand, während ich angekleidet am Frühstückstisch saß. Erwartungsvoll und mit schnellem Herzklopfen betrachtete ich ihn.
»Bevor Sie mich eventuell aus dem Zimmer werfen, Stella, muss ich Ihnen noch etwas sagen«, begann er.
Ich schluckte mühsam und spürte, wie sich mein ganzer Körper verspannte. Das musste er bemerkt haben.
»Am Montag gegen zehn Uhr werden Sie vom Krankentransport von zu Hause abgeholt. Der Transportschein ist in Ihren Unterlagen.«
Ich spürte sofort Erleichterung und ich spürte mein Lächeln im Gesicht.
»Danke«, sagte ich kleinlaut.
»Freuen Sie sich nicht zu früh. Wir reden über zwei Tage Freischwimmen im eiskalten Wasser.«
»Ich schaffe das«, beteuerte ich.
»Davon bin ich überzeugt. Deshalb habe ich Ihrer Entlassung zugestimmt«, grinste der Professor. »Doch nur unter einer Bedingung.«
Ich habe es gewusst! Ich habe geahnt, dass da noch ein Haken an der Sache war.
Ich atmete tief ein und nickte zustimmend. Ich wollte auf keinen Fall riskieren, dass Professor Winter seine Entscheidung revidierte.
»Sie nehmen einen Hausnotruf mit und Sie versprechen mir, dass Sie Hilfe rufen, wenn Sie alleine nicht über eine Hürde kommen. Und davon wird es einige geben. Außerdem versprechen Sie mir, dass Sie Ihre Grenzen absolut

akzeptieren und keine Experimente starten! Ein Sturz könnte fatale Folgen nach sich ziehen.«
»In Ordnung«, versprach ich dankbar.
»Okay. Ich vertraue Ihnen«, meinte Winter versöhnlich.
Anschließend begann er mit seinem Entlassungsbericht.
Die Abschlussuntersuchungen waren mit zufriedenstellenden bis guten Ergebnissen ausgefallen. Die beiden Lendenwirbel befanden sich durch die Metallfixierung in optimaler Position und begannen, zu verwachsen. Im Herbst etwa sollte ich mich auf eine weitere Operation einstellen. Die gequetschten Nerven lagen frei und mussten sich mit ihren Funktionen erst zurück ins Leben kämpfen. Deren Regeneration brauchte viel Zeit und Geduld. Da ich Professor Winter gegenüber nicht nur meine Bedenken, sondern auch meine Angst klargemacht hatte, versprach er, mich höchstpersönlich zu operieren. Um ehrlich zu sein, blieb meine Angst, doch ich vertraute ihm. Mit Zuversicht und guten Wünschen gab er mir die Papiere, verschiedene Bilder meines Kopfes und meiner Wirbelsäule und einige Unterlagen für die bevorstehende Reha. Schließlich verabschiedete er sich von mir.
»Darf ich Sie mal drücken?«, fragte er.
»Natürlich«, wisperte ich ergriffen.
Das war ein sehr bewegender Abschied. Seine Umarmung tat so unendlich gut. Lange Zeit hatte mich niemand mehr in die Arme genommen. Seine Umarmung kam aus tiefsten Herzen und fühlte sich wie der Abschied von einem guten Freund an. Für einen Augenblick vergaß ich sogar, dass er Professor war. Er war ein Mensch geblieben. Als er ging, sah ich ihm nach und atmete tief durch.
Ich beschloss, nun doch etwas zum Frühstück zu essen,

denn ich durfte heute schon nach Hause! Das konnte ich kaum fassen. Ich musste packen und es machte mich tatsächlich traurig, Abschied zu nehmen. Die letzten beiden Wochen waren wie im Flug vergangen und die Entlassung war nun ziemlich plötzlich für mich gekommen.

Obwohl sich alle für mich freuten und mir alles Gute wünschten, sah ich auch ihre traurigen Augen.

»Jetzt mach bloß, dass du hier rauskommst!«, schimpfte Schwester Jenny. »Wir können dich hier nicht mehr gebrauchen.«

Ihre Worte klangen hart, aber ich wusste, wie sie gemeint waren. Ich zog Jenny zu mir und schlang meine Arme um sie.

»Machs gut, kleine Schwester. Und lass dich nicht so viel ärgern, ja«, sagte ich ergriffen.

Ich wollte es nicht, doch meine Augen füllten sich mit Abschiedstränen, obwohl ich versuchte, mich zusammenzureißen. In den letzten drei Monaten war die Station mein Zuhause geworden. Ärzte, Schwestern, Physiotherapeuten, ja selbst die Putzfrauen waren inzwischen zu meiner Familie geworden. Und nicht zuletzt der Professor, der sich persönlich von mir verabschiedet hatte. Auch Jenny zwinkerte mit glänzenden Augen.

»Wir werden dich überhaupt nicht vermissen«, sagte sie ernst und musste schließlich schmunzeln.

Dann kam Peter. Er grinste breit, sodass seine weißen Zähne zu sehen waren. Jenny ging zur Tür und winkte. Dann war sie weg.

»Der Krankentransport wartet«, sagte Peter.

Ich hatte mich schon öfter gefragt, ob seine Vorfahren vielleicht Chinesen gewesen waren. Vielleicht waren sie

das. Ich beneidete Peter um sein Grinsen, um seinen Humor und seinen unschlagbaren Optimismus. Ich saugte all das förmlich in mich auf, damit Peters Gesicht und seine fröhliche Stimme sich in mein Gedächtnis brannten. Das würde mir fehlen. Er würde mir fehlen.
»Was starrst du mich so an, Stella? Hast du es dir etwa anders überlegt?«, fragte er.
»Nein«, antwortete ich verdattert.
Das Gefühl war tatsächlich eigenartig. So lange Zeit hatte ich diesen Tag herbeigesehnt und dafür gekämpft. Und nun? Peter hockte sich direkt vor mich und blickte mir in die Augen. »Bist du bereit?«
Ich nickte nur und schluckte schwer. Ich würde Peter nie wiedersehen.
»Hey. Nur Fledermäuse lassen sich hängen«, sagte er.
Ich lächelte schwach und kämpfte mit den Tränen. Ich wollte das nicht. Ich wollte tapfer sein, denn ich war eine Kämpferin. Dann verschwamm sein Gesicht vor meinen Augen und ich hörte mein Schniefen. Das ärgerte mich. Peter hatte mich nie getröstet, nie Mitleid gezeigt und mich nie umarmt. Er hatte mich aufgebaut, vorwärtsgetrieben und mich oft vor dem Fallen bewahrt. Ich spürte, wie er mir mit einem Taschentuch die Tränen aus dem Gesicht wischte.
»Deine Nase putzt du aber gefälligst selber«, flüsterte er.
Ich musste lachen. In mir war ein furchtbares Durcheinander.
»Wenn du lächelst, siehst du viel hübscher aus, Stella.«
»Aber wozu…«
»Scht!«, unterbrach er mich. »Was glaubst du? Dass die Welt ihre Farben verliert, nur weil über uns gerade Nacht ist? Warte, bis die Sonne wieder aufgeht. Und das wird sie, das kannst du mir glauben, Stella. Du musst ihr

nur die Zeit dafür geben.«
Ich seufzte. Im Augenblick fiel es mir wirklich schwer, daran zu glauben, obwohl ich Peter vertraute. Peter gab mir den Hausnotruf, einen kleinen Kasten, und erklärte: »Du brauchst nur auf diesen Knopf drücken und der Notruf erreicht uns in Sekunden. Häng ihn dir bitte um. Das ist wichtig! Er nutzt dir nichts, wenn er außer deiner Reichweite herumliegt. Klar?«
»Klar«, antwortete ich mit fester Stimme.
Dann zog Peter einen Zettel aus seiner Hosentasche , den er mir vor die Nase hielt.
»Diese Nummer haben nur meine besten Freunde. Ich möchte, dass du sie mit nach Hause nimmst. Nur für den Notfall.«
»Wie viele Notfälle habt ihr denn für mich eingeplant?«, fragte ich skeptisch und verzog das Gesicht.
»Mehr als du dir vorstellen kannst«, grinste Peter.
»Angst?«
»Vorsicht und jahrelange Erfahrungen.«
»Danke«, erwiderte ich.
»Versprich mir, dass du mich anrufst, bevor du auf einen Abhang zurollst.«
»Kommst du mich dann besuchen?«, fragte ich herausfordernd.
»Nein«, antwortete Peter so hart und entschieden, dass ich erschrocken war. »Ich besuche dich nur, wenn du das nicht tust.«
»Wirklich?«, fragte ich hoffnungsvoll.
»Wirklich.«
»Versprochen?«
Peter zögerte. Er hatte sich offensichtlich in eine Zwickmühle manövriert und schien zu überlegen, wie er sich daraus befreien konnte. Ich grinste triumphierend.

»Okay, versprochen«, lenkte er ein und reichte mir die Hand darauf.
Es klopfte an der Tür. Der Fahrer des Krankentransports kam herein und fragte, ob ich fertig sei.
»Ja«, antwortete ich tonlos und schob den Zettel mit Peters Telefonnummer in meine Jackentasche.
Peter nahm meine Tasche. Ich schob den Rollstuhl an. Er schien heute besonders schwer zu sein. Nein, dieses Mal hatte ich die Bremsen gelöst.

Draußen erwartete mich typisches Aprilwetter. Rauer Wind wirbelte feine Schneekristalle durch die Luft. Die Sonne blendete meine Augen. Der Fahrer öffnete den Frachtraum, während Peter meine Tasche in das Auto stellte. Peter kam zu mir und tat das, was ich nicht mehr erwartet, mir aber um so mehr gewünscht hatte. Er umarmte mich, drückte mich zum Abschied an seine Brust und sagte leise: »Lass dich nicht unterkriegen, Stella!«
Ich spürte seine Wärme, seinen schnellen Atem und eine Unsicherheit, die gar nicht zu ihm passte.
»Du dich auch nicht! Ich werde dich nie vergessen. Danke für alles! Ich werde auf die Sonne warten. Das verspreche ich dir, Peter.« Ich wusste, dass dieser Moment ein sehr wichtiger in meinem Leben war. Er brannte sich unweigerlich fest in mein Gedächtnis ein.

Doch die Zeit blieb nie stehen. Wenige Minuten später hatte man meinen Rollstuhl im Transporter festgezurrt, mich angeschnallt und wie eine Glasvase verpackt. Der Motor startete und ich hatte Mühe, etwas von der Welt dort draußen zu erkennen. Peter war verschwunden. Der Wagen fuhr an. Ich hoffte, dass es nicht zu sehr

schaukelte, damit mir nicht übel würde. Mir wurde schnell warm. Noch immer spürte ich Peters Umarmung. Sie begleitete mich nicht nur nach Hause, sondern in eine neue Zukunft, in der alles anders blieb.

Kapitel 3

Stella zieht um

Wenn es auch nur für kurz sein sollte, aber ich war zu Hause. Endlich! Meine Freude war grenzenlos. Niemand hatte das verantworten wollen, deshalb hatte ich es selbst getan. Meine Wohnung lag im ersten Stockwerk und es gab keinen Aufzug. Die Krankenwagenfahrer hatten mich samt Rollstuhl hinauf getragen. Nun stellte sich die Frage, wann ich einen Treppenlift bekam und ob mein Vermieter damit einverstanden sein würde. Wird schon, dachte ich und schob meine Bedenken rigoros beiseite. Meine Freude überwog. Dennoch war es ein seltsam eigenartiges Gefühl, nach so langer Zeit zu Hause zu sein. Nichts hatte sich verändert. Außer meine Grünpflanzen. Die hatten mir meine Abwesenheit wohl sehr übel genommen und sich fast vollständig aufgelöst. Es war ein trauriger Anblick. Nur die Töpfe waren übrig geblieben und ein seltsam modriger Geruch. Ich öffnete zuerst die Fenster, zumindest die, die ich erreichen konnte. Frische Luft wehte in mein Wohnzimmer herein. Der Nieselregen trug den zarten Duft nach blumigen Weichspüler in sich. Ich atmete tief ein und lächelte. Ich war allein. In Gedanken hörte ich noch die Bedenken der Ärzte und Schwestern, die mich nicht allein nach Hause lassen wollten.

Nicht vor der Reha. Wie stellen Sie sich das vor?, hörte ich die Stimme dieser Psychotante in meinen Gedanken.

Wie? Das wusste ich allerdings auch nicht. Aber ich hatte meinen Willen durchgesetzt. Fast drei Tage gehörten mir! Für mich gab es einiges zu tun, denn ich musste die Sachen für meinen Kuraufenthalt packen. Sechs Wochen Urlaub all inclusive waren für mich gebucht und das sollte mich nicht auch nur einen Cent kosten. Ich war mir aber nicht sicher, ob ich mich wirklich darauf freuen sollte. Peter hatte es immerhin geschafft, mich davon zu überzeugen. Dafür hatte er mir hoch und heilig versprochen, mich vor meiner Abreise zu besuchen. Er hatte mir auch seine private Telefonnummer gegeben. Nur für den Notfall.

Wie schade, dass er schon vergeben ist, dachte ich schmunzelnd.

Doch sofort stieß mir der Gedanke bitter auf, dass ich jetzt ein Krüppel war und mir solche Gedanken für den Rest meines Lebens abschminken konnte. Kein vernünftiger Mann würde sich mit mir abgeben, niemals würde einer freiwillig eine solche Last auf sich laden, wenn schon von vornherein klar war... Ich riss mich mit aller Kraft aus diesen Gedanken. Nein! Nur nicht wieder im Selbstmitleid ertrinken.

Ich beschloss, mir zuerst einen Kaffee zu kochen. Meine Tasche stand noch im Flur, wo die Männer sie abgestellt hatten. Meine Jacke war auf den Fußboden gefallen. Dort ließ ich sie liegen. Ich schloss das Fenster, bevor ich mich mit dem Kaffee vor meinen Fernseher rollte. Es war kalt geworden. Und es war eng im Wohnzimmer. Das war mir früher nie aufgefallen. Der Sessel stand im Weg. Ich schob ihn weg, soweit ich konnte. Das war verdammt anstrengend.

Die nächste Herausforderung wartete im Badezimmer auf mich, denn ich musste mal! Tatsächlich konnte ich das spüren. Ich glaubte es selbst kaum. Die Ärztin der Neuro-Urologie hatte mir Hoffnungen gemacht, an die ich nicht glaubte. Jetzt schon! Für wahre Freude war jetzt leider keine Zeit. Verdammt! Ich hatte noch immer den verhassten Blasenkatheder mit dem hässlichen Beutel, doch ich musste mal groß! Mühsam kam ich

gerade so zur Tür herein, aber nicht ohne anzuecken. Ich sah die Toilette vor mir, doch ich hatte keine Chance, zu wenden. Mir war zum Heulen zumute. Einen Augenblick lang dachte ich daran, Peter anzurufen. Aber bis der hier sein würde, war längst alles zu spät. Ich fluchte laut. Das hörte niemand.
Plötzlich klingelte es an der Wohnungstür.
Auch das noch!
Ich fluchte noch einmal, diesmal sogar ziemlich unflätig.
»Moment!«, rief ich, so laut ich konnte. Nach einigen Sekunden drehte sich jedoch der Schlüssel im Schloss. Mir rutsche buchstäblich das Herz in die Hosentasche. Die Tür öffnete sich, während ich zwischen dem Rahmen meiner Badezimmertür festklemmte .
»Hallo Stella«, hörte ich die Stimme meiner Freundin, Steffi. Erleichtert blies ich die aufgestaute Luft aus meinen Lungen. »Ein Glück! Dich schickt der Himmel.«
»Sorry, aber ich hatte deinen Schlüssel noch. Und da dachte ich...«
»Schon gut«, unterbrach ich sie. »Kannst du mir auf die Toilette helfen? Es ist dringend!«
Meine Stimme klang verzweifelt.
»Klar doch«, meinte Steffi. Dann hörte ich etwas dumpf auf den Boden fallen. Steffi hatte ihre Tasche sofort fallen lassen und versuchte mühevoll, mich aus meiner misslichen Lage zu befreien. Der Rollstuhl hatte sich regelrecht zwischen der Badewanne, der Wand und dem WC Becken verkeilt.
»Du meine Güte!«, schnaufte sie.
Mir traten die Schweißperlen auf die Stirn. Eine Minute später stand ich wieder gerade vor der Toilette. Der Rollstuhl ließ sich in meinem schmalen Badezimmer einfach nicht neben der Toilette postieren.

Keine Chance!
»Und jetzt?«, fragte Steffi.
»Ich muss mal!«, schrie ich verzweifelt.
Steffi stieg in die Badewanne und kämpfte sich an meine Seite. Immerhin schaffte sie es von hier aus den Toilettendeckel zu öffnen.
»Kannst du dich am Wannenrand abstützen?«
»Aber nur mit einer Hand. Mit der anderen am Stuhl. Ich ziehe die Bremsen an.«
So schaffte ich es, mein Hinterteil hochzuheben, sodass Steffi mir die Hosen herunterziehen konnte. Mann, war mir das peinlich!
»Warte!«, schrie Steffi.
Du hast gut reden, dachte ich. Ich konnte einfach nicht mehr. Nichts war mehr zu stoppen, als Steffi mir eilig etwas unter den Hintern schob. Mir war egal, was das war. In meinem Kopf begann sich alles zu drehen, als ich mich endlich, endlich erleichtern konnte. Als Steffi das Etwas dann wieder vorsichtig vom Rollstuhlsitz entfernte, mich ohne Kommentar abputzte und versuchte, mir die Hosen wieder hochzuziehen, sagte sie leise: »Die sind nass.«
In diesem Augenblick war meine Kraft in jeder Hinsicht zu Ende. Erschöpft ließ ich mich in den Stuhl sinken und heulte drauf los.
»Um Gottes Willen«, wisperte Steffi.
Sie hockte in meiner Badewanne und schlang ihre Arme um mich. Ich weiß bis heute nicht, wie lange ich mich bei ihr ausgeheult habe. Doch ich glaubte, dass ich alle Körperflüssigkeit verloren hatte und für den Rest der Woche nicht nochmal zur Toilette musste. Ganz langsam beruhigte ich mich. Sie reichte mir wortlos ein Taschentuch. Ich war ihr so dankbar, dass sie nichts gesagt hatte.

Keine Phrasen. Keine gutgemeinten Ratschläge. Durch meine tränengefüllten Augen schimmerte ihr lächelndes Gesicht. Ich wischte mir die Tränen weg und schnäuzte mich ausgiebig.
»Und nun raus aus meiner Badewanne«, sagte ich und musste grinsen.
»Ich glaube, das geht gerade nicht... Meine Beine sind eingeschlafen.«
Es dauerte tatsächlich eine Weile, bevor Steffi sich umständlich wieder aus der Wanne gehangelt hatte. Kaum zu glauben, aber ich musste lachen.
»Erzähle das bloß keinem. Niemals«, forderte ich.
»Schon gut.«
»Versprich es!«, verlangte ich.
»Okay, ich verspreche es«, antwortete sie bereitwillig und zog mich samt Rollstuhl rückwärts zum Badezimmer hinaus.
»Schwöre es!«, verlangte ich eindringlich.
»Stella!«, empörte Steffi sich und baute sich direkt vor mir auf.
»Weißt du, wie peinlich mir das eben war«, lenkte ich kleinlaut ein.
»Und mir erst«, antwortete Steffi.
Dann kicherten wir beide wie kleine Mädchen los.
»Willst du lieber eine Jogginghose?«, fragte sie schließlich.
Ich nickte und zog mir die nassen Hosen aus. *Ein Fall für die Waschmaschine,* dachte ich. *»Sorry«,* sagte ich zum Rollstuhl, während ich mich abwusch, so gut es ging.
Steffi half mir in den frischen Slip und in meine alte Jogginghose. Mir fiel ein Stein vom Herzen. Steffi war, wie ein rettender Engel aus dem Nichts aufgetaucht. Sie hatte meine Post mitgebracht und etwas zu essen. Ich

war froh, dass es sie gab und dass sie mich nicht vergessen hatte.
Sie hatte Familie und mit ihrem Mann eine kleine Bäckerei auf dem Land und daher oft wenig Zeit, um uns zu besuchen. Steffi packte Brot, Brötchen und Kuchen auf meinen Küchentisch, sodass meine Augen größer und runder wurden.
»Damit du nicht verhungern musst. Ich dachte mir, dass deine Schränke vielleicht gerade leer sind«, sagte sie, während sie mir den roten Stoffbeutel mit der Aufschrift »Landbäckerei Keitel« präsentierte.
»Wow! Der ist neu. Der Aufdruck mit dem gefüllten Brotkorb und den Ehren passt perfekt. Gefällt mir! Danke! Vielen Dank«, freute ich mich ehrlich. »Na ja, ich war damals auf dem Weg zum Supermarkt, als es krachte. Wahrscheinlich wird inzwischen auch der letzte Joghurt verschimmelt sein.«
»Schreib mir auf, was du brauchst und sieh zu, dass du einen Treppenlift und einen geländegängigen Rollstuhl bekommst. Dann können wir mal zusammen in die Stadt. Draußen ist Frühling!«
»Ich weiß. Aber vorher muss ich noch zur Reha.«
»Wann?«
»Montag Früh werde ich abgeholt.«
»Montag? Bist du dir sicher?«
»Ja. Warum?«
»Das sind noch dreieinhalb Tage!«
»Na und«, zuckte ich trotzig mit den Schultern.
»Und wie stellst du dir das mit der Pinkelei und so weiter, vor?«
»Salatschüsseln«, grinste ich frech.
Steffi lachte laut los. Mit zwei Kaffeetassen setzte sie sich zu mir an den Tisch.

»Und wohin?«
»Bad Berka.«
»Tatsächlich?«, fragte sie erstaunt. »Bist du denn von dort nicht gerade hergekommen?«
Ich nickte. »Nee, ich komme aus dem Krankenhaus. Aber ja, das ist die einzige Rehaklinik, die für mich infrage kommt, weil... ist ja gleich um die Ecke....«
»Dein Bad müsste inzwischen umgebaut werden«, stellte Steffi schließlich fest.
Ich nickte wieder. »Ich habe einen Antrag dafür.«
»Okay. Aber das kann dauern.«
»Dann mach ich es dringend.«
»Hast du dich schon mal mit dem Gedanken befasst...?«
»Umziehen? Niemals! Das ist mein Zuhause. Alles, was mir von meinem alten Leben noch geblieben ist«, fiel ich ihr hastig ins Wort.
»Wie du willst. Wenn du Hilfe brauchst, sag Bescheid.«
Ich nickte.
»Danke, Steffi. Ohne deine Hilfe wäre ich verloren gewesen. Ich weiß nicht, wie ich mich dafür je revanchieren kann. Aber ich kann dich zum Essen einladen. Und deine Familie auch.«
Steffi lachte fröhlich. »Okay. Wir freuen uns drauf.«

Der Kuchen schmeckte wirklich lecker und verführte dazu, noch ein Stück zu nehmen und vielleicht noch ein drittes. Oh, ich liebte Kuchen! Aber von nun an musste ich streng auf meine Figur, mein Gewicht und meine Fitness achten. Schließlich wollte ich beweglich bleiben und möglichst alles alleine machen können. Ich erwischte mich, wie ich nach einem vierten Stück griff, und kaute genussvoll. Steffi freute sich. Wir hatten uns viel zu erzählen und lachten. Sie berichtete von ihrem turbu-

lenten Familienleben. Natürlich wollte sie auch von mir wissen, was ich angestellt hatte. Ich erzählte ihr von Jenny und Peter, von meinen Ausflügen und meinem Freiheitskampf für die Entlassung. Bevor wir uns versahen, war es Abend geworden.
Als Steffi sich verabschiedete, sagte sie mit einem Augenzwinkern: »Deine Salatschüssel steht übrigens auf der Toilette. Möchtest du noch eine an dein Bett?«
Ich überlegte kurz und nickte.
»Besser wäre es«, gab ich zu und musste lachen. Ihre Idee war total verrückt, aber wirklich gut, das musste ich zugeben.
Als Steffi gegangen war, schaltete ich mir den Fernseher an, damit ich nicht so sehr das Gefühl hatte, allein zu sein. Noch bevor das eigentliche Abendprogramm begann, konnte ich nicht mehr sitzen. Mir tat alles weh. Der Schmerz zog rasch den Rücken hinauf bis in die Schultern und quälte mich so sehr, dass ich beschloss, sofort in mein Bett zu gehen oder besser zu fahren. Ich fiel förmlich hinein und zog mich im Liegen aus. Das war verdammt anstrengend. Kurze Zeit später war ich im Reich der Träume. Ich hatte nicht einmal mehr darüber nachdenken können, was für ein Gefühl das war, im eigenen Bett zu liegen.

*****

Als ich am anderen Morgen erwachte, hatte ich zunächst alles vergessen. Bis ich den Rollstuhl vor meinem Bett sah… »Was guckst du so?«, schalt ich ihn.
Der Stuhl ließ sich davon nicht beeindrucken. Aber es tat gut, mit jemanden zu reden, auch wenn das Ding nicht antwortete. Der Rollstuhl hatte keine Widerworte, war

nicht zickig und vor allem hatte er keine gutgemeinten Ratschläge parat. Da der in meinen Gedanken schon oft ein »er« war und mein unerlässlicher Begleiter, beschloss ich in diesem Augenblick, ihm einen Namen zu geben.
»Was hälst du von Sam?«
Ich schüttelte den Kopf.
»James?«
Ich kniff skeptisch die Augen zusammen.
»Zu steif«, bemerkte ich.
Johann, Hannes, August... überlegte ich weiter. Doch zufrieden war ich damit noch immer nicht. Also kramte ich weiter in den Tiefen meiner grauen Zellen umher, bis mich ein Gedankenblitz eiskalt erwischte.
»Hugo!«, rief ich begeistert aus. »Hugo Fröbel!«
Ich musste kichern. Dieser Tag fing gut an. Heute würde mich nichts aus der Bahn werfen können. Schließlich waren wir zu zweit!
»Hallo Hugo! Guten Morgen. Hast du gut geschlafen?«
Hugo wartete geduldig vor meinem Bett.
»Na ja, etwas mitgenommen siehst du schon aus. Dein Kissen liegt schief und deine Lehne hat Knitterfalten.«
Ich kramte meine Sachen zusammen, die ich wie Ostereier im Bett verteilt hatte. Dann warf ich meine Beine aus dem Bett und stützte mich mit den Händen ab. Mit gehörigem Schwung beförderte ich mich in Hugos Schoß.
»Zuerst bitte zum Kleiderschrank«, forderte ich Hugo auf.
»Oh nein, doch lieber zuerst zur Schüssel, ... ähm ich meine, zur Toilette.«
Hugo gab Gas, denn wir hatten es eilig.
Meine Morgentoilette, das Anziehen und das Frühstück nahmen immens viel Zeit in Anspruch. Sehr viel mehr, als

ich gewöhnlich immer gebraucht hatte. Einen Anflug von Unzufriedenheit ließ ich an mir abprallen. Nein, ich hatte alles alleine geschafft, was ich mir vorgenommen hatte. Und heute war der erste Tag! Ich bestätigte mir selbst eine Meisterleistung. Sofort fühlte ich mich besser und war ein wenig stolz. Mit Recht, wie ich fand. Fast drei Stunden hatte ich vertrödelt, nein, damit zugebracht. Ich sah zur Uhr. Jetzt war es halb elf, also noch früh genug, um mich in die Arbeit zu stürzten.

Zunächst kämpfte ich mich durch einen Berg Post. Ich sortierte zuerst in wichtig, unwichtig und Müll. Die wichtigen Briefe öffnete ich und begann, sie zu lesen. Einige Passagen las ich Hugo laut vor. Hätte Hugo einen Kopf besessen, er hätte ihn geschüttelt. Ich schnappte nach Luft, einem Blatt Papier und einem Kugelschreiber. Kein Wunder, ich hatte mich lange Zeit um nichts kümmern können und eine Krankheitsvertretung hatte ich schließlich nicht. Bald füllte meine Aufgabenliste ein ganzes Blatt und ich fragte mich ernsthaft, wie ich das bis Montagfrüh alles schaffen sollte. Unmöglich, stellte ich fest. Einiges würde ich zur Kur mitnehmen müssen. Also begann ich mit den meiner Meinung nach wichtigsten Punkten.

Nichts klappte auf Anhieb. Behördengänge waren ein Abenteuerausflug in ein unbekanntes Land, wenn auch im Moment nur von zu Hause und vom Telefon aus. Ein Antrag auf Umbaumaßnahmen in meiner Wohnung würde mir zugesendet, sagte man mir. Einen Treppenlift sollte ich mir allerdings selbst einbauen lassen, doch natürlich nicht, ohne vorher die Genehmigung des Hauseigentümers einzuholen. Ich war nicht sehr freundlich, als ich der Dame am anderen Ende der Leitung, meinen Standpunkt dazu klar machte. Schließlich brach ich das

Gespräch wütend schließlich ab.
»Hast du das gehört, Hugo? Ich soll das selber bezahlen! Die sind wohl nicht ganz dicht?!« Während ich fluchte und einige Kraftausdrücke auspackte, die zum Glück nur Hugo hören konnte, startete ich meinen Computer. Hugo schwieg derweil diskret.
Nach fast zehn Wochen schüttelte der PC sich furchtbar. Er startete Updates über Updates. Und wahrscheinlich würde er damit noch bis übermorgen beschäftigt sein. Ich befürchtete sogar, er könne sich vollkommen aufhängen. Schließlich hatte er schon ein paar Jährchen auf dem Buckel.
Computer altern wahnsinnig schnell und sterben jung, dachte ich resigniert.
Meine Unzufriedenheit kam zurück. Ich hatte in dreieinhalb Stunden nicht mal die Hälfte von dem geschafft, was ich mir vorgenommen hatte, und jetzt das! Ich schnaubte. Statt kürzer zu werden, wurde meine Aufgabenliste länger und länger. Der Computer arbeitete noch immer seine eigene Liste ab und gab mitunter seltsame Geräusche von sich.
Schließlich nahm ich mir die Papiere vor, die Professor Winter mir gegeben hatte. Ich stöberte darin herum und las zum ersten Mal einen ausführlichen Bericht über mich selbst. Ich musste zugeben, der war fast so spannend wie ein Roman, auch wenn ich längst nicht alles verstand. Aber die fachchinesischen Begriffe konnte ich ja googeln. Ich wollte alles wissen, wirklich alles. Schließlich war ich in dieser Geschichte die Hauptperson.
»Stell dir vor, Hugo, du kommst auch darin vor.«
Worin?, fragten meine Gedanken.
»Na, in diesem Bericht von Professor Winter. Er konnte natürlich nicht wissen, dass du Hugo heißt.«

Ich musste über mich selbst lachen. Mann, hatte ich einen an der Waffel!
»Wir müssen dringend unter Leute, Hugo, bevor es zu spät ist. Am Montag fahren wir zur Kur.«
Jetzt kramte ich den Prospekt der Kurklinik hervor und begann darin zu blättern. Das Telefon klingelte.
Gerlinde, eine ehemalige Arbeitskollegin, meldete sich. Sie hatte schon mehrmals versucht, mich zu erreichen, aber ich war ja nie da gewesen. Wie auch!
»Ich war im Krankenhaus.«
Gerlinde war ehrlich erschüttert und überhäufte mich mit unzähligen Fragen, deren Antworten sie selbst zu wissen glaubte. Bei der Gelegenheit berichtete sie mir ausführlich über ihre eigenen Krankenhausaufenthalte und ihren Erfahrungen. Inzwischen war sie Expertin für ihre und anderer Leute Krankheiten geworden. Ich hatte den Eindruck, dass ich mich jederzeit vertrauensvoll an sie wenden konnte. Gerlinde war ehrlich, hilfsbereit und eine gute Seele. Wirklich. Ich mochte sie.
»Ich fahre am Montag zur Kur«, erzählte ich ihr.
Kur, das war für Gerlinde das Stichwort. Damit hatte sie nun überhaupt keine guten Erfahrungen gemacht und sie warnte mich vor allen Eventualitäten. Sie stellte auch infrage, ob eine Kurklinik wirklich das Beste für mich war. Schließlich gab es auch noch andere Möglichkeiten. Ich nickte in den Hörer, denn zum Einsprucherheben kam ich nicht. Gerlinde wollte mich natürlich gleich morgen besuchen kommen und sagte mir auch sofort, um welche Uhrzeit. Ich sagte ihr, dass ich mich sehr freue. Zu mehr kam ich nicht. Nicht mal, dass ich im Rollstuhl saß, konnte ich ihr erzählen. Nach gut einer Stunde hatte Gerlinde sich rasch verabschiedet und sofort aufgelegt.

Meine Hand hatte sich verkrampft und das linke Ohr fühlte sich heiß an. Ich blies die restliche Luft, die ich zum Reden geholt hatte, unbenutzt wieder aus.
Der Computer hatte seine Updates tatsächlich überlebt. Nun konnte ich loslegen. Bevor ich die medizinischen Wörter bei Google eingab, kam ich auf die blödsinnige Idee, meine Mails zu lesen. Das hätte ich lieber lassen sollen. Ich war jetzt nämlich Stunden damit beschäftigt, hunderte blödsinnige Werbemails und Sexanfragen zu löschen. Ich ärgerte mich maßlos über diesen Unsinn und fragte mich, weshalb das nicht gleich im Spam-Ordner gelandet war. Ich kontrollierte alle akribisch, weil ich befürchtete, mir könne etwas wirklich Wichtiges entgehen. Aber es gab nichts wirklich Wichtiges. Am Ende blieben nur zwei private Mails mit verspäteten Weihnachtsgrüßen aus dem letzten Jahr und vier Telefonrechnungen.
Ich hatte schließlich den ganzen Nachmittag damit vertrödelt und nichts, aber auch gar nichts, von dem erreicht, was ich mir vorgenommen hatte. Resigniert druckte ich die Rechnungen aus, nur um sie in meinen Ordnern abzuheften. Das gab mir das Gefühl, wenigstens etwas getan zu haben. Meine Unzufriedenheit aber blieb. Ich war enttäuscht. Als ich den Mailaccount schließen wollte, erschien ein Fenster, das meldete, dass meine Firewall angeblich einen Virus gefunden hatte. Ich brach imaginär zusammen, las alles noch einmal durch und folgte den Anweisungen. Eine Systemprüfung startete. Ich wandte mich vom PC ab und ließ ihn allein arbeiten. Ich hatte nicht mal gewagt, in meine Konten zu sehen. Ich war seit Silvester nicht mehr auf dem Laufenden, sicherlich bereits in den roten Zahlen und heute war der neunte April. Am Ende diesen Tages war

nicht nur ich unzufrieden mit dem, was ich heute geschafft hatte oder eben nicht, sondern regelrecht verzweifelt und zerfloss in einem Anflug von Selbstmitleid.

Am anderen Morgen suchte ich einen Grund, um mich mit meinem Rollstuhl in ein Leben zu stürzen, das ich so nicht wollte. Ich hasste es! Ich hasste mich! Ich war grenzenlos wütend. *Okay, Stella, du bist dazu verdammt zu leben,* schalt ich mich selbst. *Also komm gefälligst klar damit und reiß dich zusammen!*
Hugo wartete vor dem Bett. Er war der Einzige, dem ich mich anvertraut hatte, der mir zugehört hatte und der mitbekommen hatte, wie ich mir die Augen ausgeheult hatte. Ich war froh, dass er da war. Peter musste das alles bereits gewusst haben. Er hatte mir gezeigt, dass ich auch alleine klarkommen konnte. Peters Stimme drang in meine Gedanken. *Gib nicht auf, Stella. Niemals!*
Also beschloss ich ernsthaft, das Beste aus meinem Dasein zu machen. Peter war nicht hier, aber ich hatte für Notfälle seine Nummer. Peter hatte recht. Ich atmete tief durch und begann mich auf den Kaffee und mein Marmeladenbrötchen zu freuen.
Mit Schwung beförderte ich mich aus dem Bett, schob meinen Hintern auf den Rollstuhlsitz und zog meine Beine am Baumwollstoff meiner bunt geblümten Schlafanzughose nach. Dann rollte ich ins Badezimmer. Ich musste mal, dringend.
Den ganzen Vormittag brachte ich am Computer zu. Ich war voller Stolz, als ich gegen Mittag meine Aufgabnliste fast abgearbeitet hatte. Manche Anträge konnte ich sogar online ausfüllen und abschicken. Irgendwann spürte ich Hunger, wärmte mir eine Dosensuppe auf und nahm einen Schokoladenpudding aus dem Kühlschrank.

Ich freute mich wie ein kleines Kind darüber und genoss das selbstgemachte Essen. Als ich schließlich das Geschirr wegräumte, kam meine Lieblingsmusik aus dem Küchenradio. Die Latinorhythmen rissen mich mit. Ich konnte nicht mehr stillsitzen. Ich sang mit und Hugo wirbelte mich im Kreis herum, bis mir schwindlig wurde. Dann lachten wir beide.

Kurzentschlossen bestellten wir uns für den Abend beim Italiener meine Lieblingspizza und eine Flasche guten Wein dazu. Wie lange hatte ich mir das gewünscht! Was solls!

Nur von Dosensuppe kann kein Mensch leben, nicht mal Stella Fröbel.

»Wenn ich betrunken bin, fährst du mich nach Hause, Hugo«, kicherte ich.

Hugo erhob keine Einwände und ich wusste, dass ich mich auf ihn verlassen konnte. Die Vorfreude wuchs und kribbelte im Bauch. Bevor mein Besuch anrückte, blieb noch Zeit, um mir den Arztbericht zu übersetzen. Obwohl ich noch immer nicht alles ganz verstand, kroch ein kleiner Hoffnungsschimmer unter meine Haut. Vielleicht konnte der Professor mir ja doch noch helfen. In der heutigen, modernen Medizin gab es ungeahnte Möglichkeiten. Das war ein schöner Gedanke, der ersteinmal unendlich guttat. Und ich war zufrieden mit meiner Arbeit. Auch ein gutes Gefühl!

Während ich begann, den Kaffeetisch vorzubereiten, diskutierte ich mit Hugo, welche Sachen wir für die Kur einpacken sollten.

*****

Es war Samstagnachmittag, genau fünf Minuten vor drei.

Gerlinde war überpünktlich. Ich war darauf vorbereitet. Ich hatte noch etwas von Steffis Kuchen übrig, hatte Kaffee gekocht und den Tisch gedeckt. Fröhlich pfeifend rollte ich zur Wohnungstür, als es klingelte. Ich drückte auf den Summer und öffnete die Tür. Gerlinde blieb mitten auf der Treppe stehen, als sie mich sah.
»Hallo, Gerlinde«, trällerte ich fröhlich.
Die stand so fest, als wäre sie angefroren und starrte mich entsetzt an. Sie legte die Hand an ihre Wange, als hätte sie plötzlich Zahnschmerzen.
»Stella! Du meine Güte!«, entfuhr es ihr.
»Schön, dass du mich besuchst. Komm rein!«, rief ich und war mit Hugo bereits auf dem Weg zur Küche.
Ich hörte, wie Gerlinde die Wohnungstür aus der Hand rutschte.
»Na sag mal...«, begann sie im Flur zu sprechen, während sie ihre Jacke auszog. »Was ist denn mit dir passiert, Stella? Um Himmels willen!«
»Guten Tag. Darf ich vorstellen: Das ist mein neuer Freund Hugo«, grinste ich.
Gerlinde erbleichte sichtlich.
»Davon hast du mir gar nichts erzählt«, sagte sie betroffen und eine Spur vorwurfsvoll.
»Ich kam ja nicht dazu«, antwortete ich ehrlich.
»Was ist passiert?«
»Komm doch erst mal rein und setz dich.«
Ich postierte Hugo mit Schwung am Küchentisch. Gerlinde setzte sich mir gegenüber hin. Ich schenkte ihr Kaffee ein und bot ihr Kuchen an. Sie war wohl zu beeindruckt, denn sie reagierte nicht. Noch immer hatte ich das Gefühl, dass sie mich anstarrte.
»Wie geht es dir denn?«, fragte ich schließlich.
Gerlinde begann zu berichten, dass ihr Mann zu einer

Darmspiegelung war, ihre Tochter sich von ihrem Mann getrennt hatte, die Enkelkinder nächste Woche zu Besuch kämen und der Hund eine Nahrungsmittel-allergie hatte. Ich hörte aufmerksam zu, während ich auf eine Gelegenheit wartete, auch etwas dazu zu sagen. Schließlich schenkte ich Kaffee nach und aß das Stück Kuchen, das ich mir zugeteilt hatte. Als Gerlinde mich fragte, wie es mir ginge, hatte ich den Mund voll. Ich grinste nur.
»Wie stellst du dir das bloß vor? Meinst du, du kommst allein zurecht? Wenn du Hilfe brauchst, dann melde dich, Stella. Außerdem müsste dir doch Hilfe von der Krankenversicherung zustehen. Schon alleine das Putzen der Wohnung! Ich weiß, wie anstrengend das ist, wenn man nicht so kann, wie man möchte. Und wie willst du überhaupt die Treppen rauf- und runterkommen? Da musst du Anträge stellen für Zuschüsse und für Umbaumaßnahmen. Das steht dir alles zu. Aber das kann dauern. Oh, Stella! Stell dir das bloß nicht so einfach vor!«
Das tat ich keineswegs und ich wollte gerade auch nicht damit konfrontiert werden. Ich spürte meine innere Unruhe und zitterte kaum merklich. Gerlinde beschäftigte sich derweil mit Fragen und warf Probleme in den Raum, an die ich ohnehin jeden Tag schmerzlich erinnert wurde.
Vielleicht macht sie sich nur Sorgen um mich, dachte ich. Gerlinde war gerade mal neun Jahre älter als ich, aber sie redete, als wäre sie meine Mutter. Ihre einschlägigen Lebenserfahrungen beeindruckten mich total. Sie meinte es ja nur gut.
»Was ist denn nun eigentlich passiert?«, fragte sie schließlich und wartete tatsächlich auf meine Antwort.

Ich berichtete in drei Sätzen, dass ich einen Unfall hatte, ein Autofahrer mich umgefahren hatte und mein Helm mir womöglich das Leben gerettet hatte. Sofort sprang Gerlinde auf das Tragen von Fahrradhelmen an und erklärte ausführlich, wie wichtig sie waren. Nach einer Weile stellte sie fest, dass mein Fahrradhelm mir tatsächlich das Leben gerettet hatte. Ich kämpfte, während sie redete, mit Erinnerungen, die ich jetzt gerade nicht brauchen konnte. Als könne sie meine Gedanken lesen, versetzte sie sich selbst in meine Lage und sprach laut aus, was sie dachte. Das haute dem Fass den Boden aus! Mein Herz pochte so schnell, dass mir heiß wurde.

Ich weiß, verdammt nochmal, ich weiß, dass mein Leben verkorkst ist!, schrien meine Gedanken.

Nicht nur einmal hatte ich darüber nachgedacht. Ich spürte die alte Wut in mir aufsteigen und beherrschte mich nur mit großer Mühe. Doch ich wollte nicht unhöflich werden. Als Gerlinde endlich gegangen war, saß ich im Rollstuhl und brach in Tränen aus. Sie hatte es in nur zwei Stunden geschafft, mich von meinem wochenlang und mühsam erkämpften Optimismusthron zu stürzen. Selbst Hugo war verschwunden.

Schließlich begann ich, wahllos Sachen für die Kur aus dem Kleiderschrank aus- und wieder einzuräumen, nur um mich zu beschäftigen. Meine Hände zitterten kaum merklich und ich konnte kaum einen klaren Gedanken fassen. Ein klägliches Häufchen Sachen blieb auf der Kommode im Schlafzimmer liegen.

Es klingelte. Ich rollte zur Tür. Ein junger Mann lächelte mir freundlich entgegen.

»Ihre Pizza, Senorita Stella!«

»Oh, vielen Dank, Seniore Francesco«, lächelte ich zurück und zahlte mit einem kleinen Trinkgeld.

»Ich stelle es dir auf den Küchentisch«, meinte Francesco in seinem charmanten italienischen Dialekt und war schon an uns vorbei.
Ich seufzte.
Ich kannte Francesco schon, seit ich hier eingezogen war. Beinahe jeden Samstagabend hatte er mir meine Pizza gebracht. Das war inzwischen ein Ritual geworden. Ein Samstagabend ohne seine Pizza war für mich unvorstellbar. Er fragte nicht, weshalb ich so lange nichts bestellt hatte und nicht einmal nach dem Rollstuhl.
»Danke«, sagte ich nochmal.
Als Francesco bereits in der Tür stand, drehte er sich zu mir um, ging in die Hocke und sah mich an.
»Buon Apetito, Stella! Ich freue mich, dass du wieder da bist. Einen schönen Abend wünsche ich. Chiao!«
»Danke, das wünsche ich dir auch. Chiao, Francesco!«
Er ging. Ich schloss die Tür. Oh, ich hatte vergessen ihm zu sagen, dass ich wieder verreisen würde.
Ach, nicht so wichtig, dachte ich.
Mein Abendessen schmeckte scheußlich, obwohl ich mich den ganzen Tag auf die Pizza gefreut hatte. Im Fernsehen kam nichts, das mich begeistern konnte. Also suchte ich mir eine DVD aus. Ich trank ein Glas Wein, als wäre es Wasser. Mehr als die Hälfte der Pizza ließ ich auf dem Teller liegen. Den Film kannte ich bereits. Ich ertappte mich dabei, wie meine Gedanken immer wieder abschweiften. Noch bevor der Film zu Ende war, schaltete ich meine Geräte ab und beförderte mich in mein Bett. Meine Wut hatte mich verlassen. Meine Freude auch. Was blieb, war eine unentschlossene Leere. Ich griff nach dem Roman, der auf meinem Nachtschrank lag, und las eine Seite. Schließlich schlug ich das Buch zu, ohne zu wissen, was ich gelesen hatte.

Zu meinem Glück holte der Schlaf mich in eine traumlose Nacht. Als meine Blase mich am nächsten Morgen weckte, zeigte mein Wecker erst sechs Uhr. Vergeblich versuchte ich noch einmal einzuschlafen. Heute war Sonntag.

*****

Ich hatte mich gerade angekleidet und saß am Frühstückstisch, als es klingelte. *Wer das wohl ist?*, fragte ich mich.

»Lasst mich doch einfach alle in Ruhe«, murmelte ich.

Doch es klingelte unnachgiebig. Also entschloss ich mich widerwillig dazu, die Tür zu öffnen.

»Hey, Stella. Du lebst also noch«, vernahm ich Peters fröhliche Stimme.

Er grinste.

Ich traute meinen Ohren und meinen Augen kaum.

»Peter!«, rief ich.

Mehr ging nicht. Ich war einfach sprachlos. Peter hatte sein Versprechen tatsächlich gehalten!

»Was ist? Störe ich?«

»Nein... nein!«, antwortete ich verdattert. »Komm rein, ich habe Kaffee.«

»Okay, ich liebe Kaffee. Aber ich bin nicht allein. Was dagegen, wenn noch jemand reinkommt?«

Ich spürte ein unangenehmes Kribbeln in meinen Körper. Schlagartig wurde mir heiß und kalt. Peter war vergeben und heute war Sonntag. Hatte er etwa seine Freundin mitgebracht? Wirre Gedanken schossen durch meinen Kopf.

»Klar, warum nicht.«

Jetzt sei nicht so zickig, Stella, schalt ich mich selbst.

Peter pfiff. Jetzt hörte ich jemanden die Stufen heraufkommen. Sekunden später starrten meine Augen auf einen großen, schwarzen Hund.
»Keine Angst, Stella. Darf ich vorstellen, das ist Lilly.«
Lilly wedelte mit dem Schwanz, während sie mich beschnüffelte. Ich war erleichtert.
»Benimm dich, Lilly«, mahnte Peter.
Ich streichelte Lilly und spürte die Freude tief in mir. Was für eine schöne Überraschung! Ich rollte voran. Peter und Lilly folgten mir.
Wir saßen gemeinsam in der Küche und scherzten. Ich stellte Peter meinen Freund Hugo vor. Er fand die Idee super.
»Habt ihr zwei Lust auf einen Spaziergang?«, fragte Peter unverblümt. »Die Sonne scheint, die Blumen blühen und in der Stadt gibt es eine wirklich gute Eisdiele.«
Sein Angebot war mehr als verlockend.
»Schon, aber...«
»Nichts aber!«, schnitt Peter mir entschieden das Wort ab. »Etwas frischer Wind wird dir ganz guttun. Ich könnte wetten, dass du in den letzten Tagen nicht aus deiner Wohnung gekommen bist. Du bist schon ziemlich blass um die Nase.«
»Aber die Treppe«, warf ich kleinlaut ein.
Peter verzog das Gesicht und lachte.
»Zieh dich warm an! Draußen ist`s kalt«, sagte er.
Ich tat, was Peter sagte. Als wir meine Wohnung verließen, konnte mich kaum noch bewegen.
»Hände verstecken und nicht erschrecken, Stella! Ich kippe Hugo nach hinten und bringe euch so die Treppe runter.«
»Okay.«

Bevor ich noch darüber nachdenken konnte, was er mit Hugo und mir vorhatte, waren wir unten und standen vor dem Haus. Die grelle Sonne blendete meine Augen und ein kühler Wind wehte in mein Gesicht. Ich zog die Kapuze meiner Daunenjacke noch über meine Mütze auf den Kopf und zog die Handschuhe an. Schließlich konnte ich mich nicht warmlaufen, wie Peter und Lilly, die ungeduldig um Hugo herumsprang. Ich warf einen Blick zu dem Haus, in dem ich wohnte. Nichts hatte sich verändert. Die Farbe wirkte etwas frischer und das kleine Blumenbeet war voller bunter Frühlingsblumen.
»Auf geht`s!«, rief Peter.
Doch er machte keine Anstalten, mich zu schieben. Also brachte ich Hugo selbst zum Rollen, während Peter neben mir ging und Lilly ein Stück vor uns trabte.
»Was für eine Rasse ist das?«, fragte ich.
»Labrador.«
Ich nickte mit einem *Aha.* Mir wurde schnell warm und ich schob die Kapuze von der Mütze. Peter fragte, wie es mir in den letzten Tagen ergangen war. Ich erzählte ihm nicht alles. Peter lachte leise.
»Ich freue mich, dass du mich heute besuchst. Wirklich«, gestand ich Peter abschließend.
»Du hast nicht angerufen, deshalb war ich neugierig. Ich musste einfach wissen, ob du dich aus Versehen die Toilette runtergespült hast, in der Badewanne ertränkt oder die Treppe hinabgestürzt bist.«
Ich musste lachen.
Ohne dass ich es gemerkt hatte, waren wir bereits im Nordpark. Dort waren viele Spaziergänger mit noch mehr Hunden unterwegs. Die Hunde tobten sich aus, jagten nach Stöcken oder Enten. Ich genoss es hier zu sein. Ich fror nicht mal. Peter blieb stehen und be-

obachtete das Treiben um uns herum. Die Pause war mir sehr willkommen. Das Drehen an Hugos Rädern war anstrengender, als ich gedacht hatte. Meine Arme schmerzten, ohne dass ich es zugeben wollte. Mit Sicherheit würde ich morgen mit einem deftigen Muskelkater zur Reha fahren. Ein Fahrradfahrer kam direkt auf uns zu. Vor uns stoppte der junge Mann und stieg ab. Er war wenig größer als Peter, trug einen Vollbart und musterte mich auffällig, während er Peter begrüßte. Es schien, als würden er und Peter sich schon lange gut kennen. Peter stellte uns vor.

»Das ist mein Freund Lutz und das ist Stella.«

Lutz begrüßte mich freundlich.

»Du bist also Stella.«

Ich sagte einfach *Hallo* zu Peters Freund.

»Schön, dich mal kennenzulernen.«

Ich lächelte.

»Du brauchst einen Rollstuhl mit Motor«, sagte Lutz.

Ich lächelte weiter.

»Den bekommt sie«, antwortete Peter. »Ist in Arbeit.«

Wieso weiß ich nichts davon?, fragte ich mich.

»Darf ich dich schieben, Stella?«, fragte ausgerechnet Peter.

Das hatte er noch nie getan!

»Ja, ausnahmsweise«, willigte ich in Anbetracht meiner Schmerzen in den Armen ein.

»Das Ding ist nur für die Wohnung zu gebrauchen. Für draußen bekommst du einen Geländewagen mit Allradantrieb, groben Profil und Automatikgetriebe. Habe ich selbst ausgesucht«, triumphierte Peter.

»Das Ding ist Hugo! Und weshalb sagst du mir das erst jetzt?«, fragte ich nicht unbedingt freundlich.

»Ich hatte Angst, dass du den Ausflug mit uns ablehnst«,

meinte Peter.
»Quatsch!«
»Immerhin gibt es noch eine Überraschung«, erwähnte Lutz.
»Ich liebe Überraschungen«, antwortete ich vorschnell. Ich bemerkte sehr wohl, dass Peter seinem Freund einen tadelnden Blick zuwarf.
»Na los schon, raus mit der Sprache!«, forderte ich.
»Einen überraschend gigantischen Eisbecher«, antwortete Peter rasch.
Ich grinste ihn unverfroren an.
»Okay. Und jetzt die Wahrheit«, forderte ich.
Peter holte tief Luft, während Lutz hintergründig grinste.
»Schämst du dich etwa?«, fragte er.
»Nein!«, knurrte Peter. »Lutz ist mein Freund, Stella.«
Ich ahnte, was mir Peter damit sagen wollte. Ich war zwar auf den Kopf gefallen, aber mein logisches Denkvermögen funktionierte mittlerweile wieder besser denn je. Oh, ich genoss es, ihn auf die Folter zu spannen.
»Werde ich zur Hochzeit eingeladen?«, fragte ich schließ-lich trocken.
»Natürlich, Stella«, antwortete Lutz eifrig. Seine Augen leuchteten.
»Und das macht dir nichts aus?«, fragte Peter.
»Nein. Weshalb denn?«
Erleichtert zuckte Peter mit der Schulter.
»Gehen wir Eis essen! Ich liebe Eis! Vanille und Schokolade mag ich am liebsten, Pistazie, Cappuccino, Nuss und schwarze Johannisbeere...«, zählte ich auf.
»Okay, dann mal los«, sagte Peter, pfiff nach Lilly und schob den Rollstuhl an. Ich kniff die Augen zusammen und ließ die Aprilsonne auf mein Gesicht scheinen. So war das also. Dass Peter vergeben war, wusste ich ja.

Aber damit hatte ich dann doch nicht gerechnet. Die Überraschung war den beiden buchstäblich gelungen. Warum mussten ausgerechnet die nettesten Männer andersrum sein? Ich hatte kein Problem damit, wirklich nicht. Ich war schon immer sehr tolerant und akzeptierte andere Meinungen und Gepflogenheiten.
Aber verstehen...?
Je mehr ich darüber nachdachte, um umsomehr verwirrten sich meine Gedanken und das große Fragezeichen am Ende blieb. Ich mochte Peter nach wie vor. Er war mein Freund und das würde er immer bleiben. Ich hatte ihm viel zu verdanken. Er hatte mich nie hängen lassen. Dass Peter mich jetzt mit Lutz bekannt-gemacht hatte und sein Geheimnis vor mir gelüftet hatte, war ein unschätzbarer Vertrauensbeweis. Und Lutz war mir auf Anhieb sympathisch.
Der Rollstuhl ratterte unsanft. Ich öffnete die Augen, um zu sehen, was los war. Lilly lief direkt vor meinen Füßen und Lutz schob sein Rad rechts neben mir. Peter schob mich gerade über einen Plattenweg, an dem der Frost mehrerer Winter genagt hatte.
Die italienische Eisdiele am Domplatz war ziemlich voll, doch Lutz fand einen Platz für uns drei. Auch Lilly kam mit und rollte sich gelangweilt unter dem Tisch zusammen. Man brachte uns große Eiskarten, deren Angebot unglaublich war und keine Wünsche offenließ. Allerdings hatte ich das Problem, mich nicht entscheiden zu können.
»Ich glaube, ich fange vorn an und futtere mich bis zur letzten Seite durch«, sagte ich.
»Das möchte ich sehen«, grinste Lutz.
Ich grinste zurück. Ich hatte ja nicht gesagt, in welchem Zeitraum.

Die Eisbecher waren allesamt gigantisch. Als ich schließlich vor meinem saß, kam ich mir vor wie ein Zwerg vor einem Berg. Der langstielige Löffel ragte über meine Blickhöhe hinaus.
»Könnte vielleicht jemand die Tischbeine kürzen?«, fragte ich.
Peter und Lutz lachten.
Ich war ihren Blicken regelrecht entschwunden. Lutz entpuppte sich als wahrer Scherzkeks. Ich fragte ihn, ob er Komiker, Kabarettist oder etwas ähnliches war.
»Nein«, antwortete er.
»Gelernter Kraftfahrzeugmechaniker. Heute habe ich eine eigene Kreativwerkstatt«, berichtete er nicht ohne Stolz. »Also wenn dein geländegängiger Rollstuhl dann nicht deinen Vorstellungen entspricht, kommst du damit zu mir. Ich baue ihn nach deinen Wünschen um.«
»Vorsicht, Stella! Er könnte ein Flugzeug daraus machen, einen Elefanten oder einen Schaufelraddampfer«, gab Peter zu bedenken.
Er lachte.
Lutz lachte.
Und ich lachte schließlich auch.
Wir lachten überhaupt sehr viel an diesem Tag. Wir waren albern. Ich hatte Tränen in den Augen und Bauchschmerzen. Wir landeten anschließend im Kino und schließlich zum Pizzaessen bei meinem Nachbarn Francesco. Der traute seinen Augen kaum, als er mich mit Hugo und meinen Begleitern sah.
Ich konnte es nicht glauben, aber ich war glücklich. Mir ging es so gut wie lange nicht mehr. Ich trank ein Glas italienischen Wein und dann noch ein zweites. Mir war alles egal. Der Tag war viel zu schnell vergangen. Ich hatte nicht nur die Zeit vergessen, sondern auch meine

Probleme und meine Schmerzen. Ich konnte schon jetzt nicht mehr sitzen. Wir versumpften bei Francesco bis kurz vor Mitternacht. Lutz wirbelte Hugo herum, sodass mir schwindlig wurde, und Peter fing mich lachend in seinen Armen auf. Francesco sang die italienischen Lieder aus seiner Musikbox mit. Er hatte eine wundervolle Stimme. Ich lachte und lachte. Ich tanzte mit drei jungen, hübschen Männern, die mich mochten. An diesem Abend hätte ich mich glatt in alle drei gleichzeitig verlieben können. Ich konnte mir jeden einzelnen als meinen Mann vorstellen und ich hätte mich nicht entscheiden können, welcher es sein sollte . Ich liebte sie alle! Ich hatte das Wertvollste, was ich mir wünschen konnte, drei wahre und ehrliche Freunde. Da ich wusste, dass ich niemanden der drei heiraten konnte, war ich froh darüber, dass diese Freundschaften nicht kaputtgehen konnten.

*****

Eine halbe Stunde nach Mitternacht landete ich in meinem Bett. Ich kicherte nur, als Peter mir die Jacke und meine Schuhe auszog. Schließlich warf er meine Decke über mich. Das hätte er in der Klinik nie getan! Aber heute Abend war ich wirklich zu nichts mehr fähig. Ich hatte eindeutig viel zu viel Wein getrunken. Allenfalls konnte ich nichts mehr vertragen. Noch immer drehte sich alles ringsum. Ich bekam mit, dass Lutz in meinem Kleiderschrank stöberte und mir allerhand meiner Sachen zeigte. Nun tanzte er mit meinem Kleid umher, als hielte er eine Tänzerin im Arm, und trug meinen Sonnenhut auf seinem Kopf.
Ich kicherte ununterbrochen. Er war so albern! Lutz

lachte sogar sein eigenes Spiegelbild aus. Dann war es plötzlich still. Ich war allein. Peter, Lilly und Lutz hatten sich von mir verabschiedet und waren gegangen. Nur Hugo war bei mir geblieben. Ich grinste seine dunkle Silhouette an. Ich war so aufgedreht, dass ich nicht einschlafen konnte.

»Das war vielleicht ein Tag, Hugo. Total verrückt! Hast du übrigens mitbekommen, dass du bald eine Freundin bekommst? Eine für draußen,«murmelte ich.

Hugo schien zurückzugrinsen.

»Aber keine Angst, ich werde dir nicht untreu werden.«

Ich seufzte und starrte die Zimmerdecke an. Meine Augen hatten sich inzwischen an die Dunkelheit gewöhnt, sodass ich die Holzpaneele erkennen konnte. Ich begann, sie zu zählen. Bei Nummer sechs hörte ich auf. Die Paneele waren schwer zu erkennen. Ich hatte mich verzählt.

»Kannst wohl auch nicht schlafen?«, fragte ich nach einer ganzen Weile.

Hugo schlief nie. Ich kicherte leise. Es war so schön, albern zu sein. Ich schwelgte in Erinnerungen an diesen Sonntag und versuchte mir auszumalen, wie ich morgen in der Kurklinik ankommen würde. Obwohl ich meine Augen geschlossen hatte und mein Körper längst schlief, konnte ich meine Gedanken nicht zum Schweigen bringen. Am Morgen würde ich ganz schön in den Seilen hängen. Vielleicht auch verschlafen. Doch der Wecker war gestellt! Ich sah zur Sicherheit noch einmal nach. Es war genau elf Minuten nach zwei. Irgendwann war ich endlich eingeschlafen, ohne dass ich es bemerkt hatte.

*****

Ich hasste meinen Wecker, wenn er mich gnadenlos aus

dem Tiefschlaf riss! Ich drückte ihn aus und drehte mich mühsam auf die andere Seite. Nur noch ein paar Minuten. Bleierne Müdigkeit gab mir das Gefühl, mindestens einhundert Kilo zugenommen zu haben. Gefühlte dreißig Sekunden später ratterte das Ding wieder. Ich schaltete das Licht an und kniff reflexartig die Augen zu. Zeitgleich hörte ich mein eigenes, widerwilliges Murren. Doch es nutzte nichts, ich musste aufstehen. Gerade jetzt musste ich daran denken, wie sehr ich mir noch vor einiger Zeit gewünscht hatte, aufstehen zu können. Ich verzog das Gesicht, denn ich wusste selbst nicht, ob daraus ein Grinsen werden sollte. Heute durfte ich nicht nur aufstehen, ich musste! Blinzelnd blickte ich mich um und sah mein vertrautes Schlafzimmer. Ich war keineswegs beruhigt. Ich war aufgeregt, neugierig und traurig zugleich. Ein gemeines, flaues Gefühl breitete sich in meiner Magengegend aus. Ich schob die Decke weg und beförderte mich aus dem Bett.
»Morgen Hugo«, murmelte ich so leise, dass mir nicht klar war, gesprochen zu haben.
Hugo rollte mich direkt vor meine Kommode. Ein kleiner, rosaroter Elefant aus Stoff hockte auf meinen Sachen. Der Koffer stand offen. Ein Zettel lag darauf. Ich musste schmunzeln. Er war von Peter.

»Guten Morgen, Prinzessin Stella!
Die Sonne ist aufgegangen. Schwing dich auf dein schwarzes Pferd und erobere die Welt. Sie ist wunderschön und bunt.
Viel Glück dabei – Peter, Lutz und Lilly!!!«

Ich seufzte tief. Mein Herz schlug vor Freude schneller.

Ich griff ich nach dem Elefanten. Der brüllte, sobald ich ihn drückte. Wie herrlich albern! Ich musste grinsen. Von dieser Sekunde an wurde das Ding zu meinem Begleiter und Glücksbringer. Ich war gerührt.
Plötzlich wurde mir jedoch bewusst, dass die Zeit lief. Ich musste mich beeilen. Und das tat ich. Ich schwitzte. Nichts klappte. Das Adrenalin schoss durch meinen Körper. Ich fühlte mich wie ein gehetztes Tier. Zeit zum Nachdenken blieb nicht. Ich hatte mein Badezimmer gerade verlassen, als es klingelte.
»Oh, Mann!«, fluchte ich und sah auf die Uhr.
So früh? Es war erst 9:20Uhr! Der Transport war für zehn Uhr bestellt. Nicht mal mehr Zeit für einen Kaffee. Ich rollte zunächst zur Tür, drückte den Öffner, ohne zu fragen, und zog die Wohnungstür auf. Die Postfrau kam die Treppe herauf.
»Ein Einschreiben für Sie, Frau Fröbel«, sagte sie bereits auf den Stufen. »Guten Morgen«, lächelte sie und reichte mir den Brief.
»Guten Morgen«, antwortete ich erstaunt und suchte nach dem Absender.
»Anwaltskanzlei Roth«, las ich hörbar.
»Würden Sie bitte hier unterschreiben«, forderte die Zustellerin mich auf.
»Natürlich.«
Meine Hand zitterte. Das war das Adrenalin. Meine Unterschrift erschien schier unlesbar.
»Danke«, sagte sie, während sie mir alles wegschnappte.
»Schönen Tag noch«, fügte sie hinzu, während sie bereits wieder eilig die Treppe hinablief und verschwand.
Ich atmete tief durch. Jeder hatte es eilig. Ich hatte es auch eilig. In aller Eile war ich mit dem Fahrrad durch die

Dunkelheit gefahren. In aller Eile war auch das Auto gewesen, das mich aus seinem Weg geschleudert hatte. Plötzlich fühlte ich mich ausgebremst. Heute Morgen war alles vergessen. Die Zeit hatte dieselbe Macht über mich wie zuvor. Nun raste ich mit einem Rollstuhl durchs Leben, ohne zu wissen, wohin und weshalb.

Ich schüttelte den Kopf und schlug die Tür zu. Der Brief in meinen Händen weckte meine Neugier. Mir fiel es schwer, zuerst den Wasserkocher zu füllen und anzustellen. Heute gab es ausnahmsweise *Stellas Spezialpott* für Notfälle. Also füllte ich drei gehäufte Teelöffel voll Kaffeepulver in meine Tasse. Mit dem Löffelstiel öffnete ich den Brief. Ich musste zugeben, ich war aufgeregt. In Windeseile überflog ich den Text. Meine Gedanken rotierten.

Die polizeilichen Ermittlungen waren abgeschlossen. Gegen meinen Unfallgegner war ein Verfahren wegen fahrlässiger Körperverletzung eingeleitet worden.

»Friederich Vandervald heißt der Idiot also. Hast du das gehört Hugo? Was für ein abgefuckter Name!«

Weder Hugo noch ich kannten ihn. Mehr stand dazu nicht. Allerdings stand da nichts von Schmerzensgeld oder Schadenersatzansprüchen. Ich atmete tief ein und schnaubte schließlich.

Das Wasser kochte. Ich übergoss meinen Kaffee und rührte um.

Nein! So kommst du mir nicht davon, Friederich Vandervald!

Und nein! So konnte man das Gebräu nicht trinken. Nicht mal ich. Der Kaffee schmeckte scheußlich bitter und würde mir mit Sicherheit Löcher in die Magenwand fressen. Schlagsahne war meine Geheimwaffe.

Tatsächlich! Damit schmeckte der umgangssprachlich

türkisch Gebrühte wie Cafe Crema und das Fett der Sahne ließ das Gebräu an der Magenwand abrutschen. Schadensbegrenzung nannte ich das. Die gewünschte Wirkung setzte sofort ein. Das allein zählte. Er war zu heiß. Noch zwanzig Minuten bis zehn. Ich las den Brief noch einmal langsam zum Mitdenken.

Okay, der Kerl war also schuldig. Er wurde bestraft. Auch Okay. Ohne mich! Nicht okay.

Ich wollte mehr!

Ich war wütend auf diesen Vandervald. Ich wollte ihn nackt ausziehen. Er sollte bezahlen, bereuen und seines Lebens nicht mehr froh werden, genau wie ich.

Ich wollte Rache!

Ich musste ihn verklagen. Ich selbst.

Schnaufend schlurfte ich vorsichtig vom Kaffee. Ich war wach, aber sowas von munter. Ich hätte auf die Straße rennen können. Ich trank meinen Kaffee aus, spülte die Tasse ab und ließ sie in der Spüle stehen. Die Uhr zeigte zwei Minuten vor zehn. Es klingelte.

»Ich komme!«, rief ich.

Niemand konnte das hören. War mir egal. Ich öffnete die Tür und drückte den Summer. Dann rollten Hugo und ich ins Schlafzimmer, um den Koffer zu holen. Ich warf den Brief hinein zu allem anderen. Anschreiben der Versicherungen, Fragebögen zum Unfallhergang, zu meinen Verletzungen und Behandlungen und Anträge über Anträge auf eventuelle Leistungsansprüche nahmen allerhand Platz ein. Ich hatte nicht mehr geschafft, mich vor meiner Abreise darum zu kümmern. Also schloss ich kurzerhand den Koffer ohne weiter darüber nachzudenken und damit schloss ich auch den Poststapel ein. Dann zog ich das schwere Ding mit einem Ruck von der Kommode. Der Koffer polterte auf den Boden.

Ich fluchte. Im selben Augenblick sah ich mich von zwei fremden Männern in orangeroten Anzügen umzingelt.
»Guten Morgen«, grüßte ich mit einem unschuldigen Lächeln.
»Guten Morgen«, entgegneten die beiden sichtlich erleichtert und schenkten mir ebenfalls ein Lächeln.
»Können wir?«, fragte einer der beiden.
»Wir können«, antwortete ich.
Der eine Mann sah die Unterlagen durch und fand den Transportschein, während der andere mit meinem Koffer verschwand.
»Rehazentrum Silbertal«, nickte er beeindruckt.
»Kennen Sie das?«, fragte ich hoffnungsvoll, um vielleicht eine Bewertung zu erhaschen.
Er nickte, ohne mich anzusehen.
»Ich weiß, wo ich Sie absetzten muss.«
Ich verzog das Gesicht. »Am Arsch der Welt«, murmelte ich.
Der Mann grinste. »Haben Sie alles?«
»Ja«, antwortete ich knapp und rollte hinaus in den Flur. Mit Jacke, Handtasche und Schlüssel verließ ich meine kleine Wohnung, ohne mich umzusehen. Die beiden Männer packten Hugo und bugsierten uns gemeinsam die Treppenstufen hinab ins Freie.
Kalter Wind brachte mein Haar durcheinander und sprühte mir feinen Regen in mein Gesicht. Mich fröstelte. Graue Wolken wanderten über mich hinweg. Ein Tag wie geschaffen für eine depressive Verstimmung. Bevor ich zum Nachdenken kam, waren Hugo und ich im Krankenwagen, wo man uns festzurrte. Diese Prozedur kannte ich bereits. Obwohl ich an diesem Montagmorgen nicht unbedingt depressiv verstimmt war, standen mir die Tränen in den Augen, als ich einen

letzten Blick auf das Haus warf, in dem ich wohnte. Mein Zuhause. Das war immerhin ein Abschied und die Abschiedsstimmung hatte sich gerade in diesem Augenblick in mein Bewusstsein gekämpft. Ich zwinkerte tapfer, als das Auto anfuhr.
Niemand hatte auf der Straße gestanden. Niemand hatte mitbekommen, dass ich fortfuhr. Niemand hatte sich von mir verabschiedet. Wenn ich in dieser kurzen Zeit bereits erste Erfahrungen machen musste, so waren sie oft bitter. Eine davon war, dass die Menschen um mich herum entweder kein Mitgefühl hatten, oft dumme Fragen und Ratschläge parat hatten oder dass sie einen Bogen um mich machten. Die zweite Erfahrung war, dass ich mich nicht nur allein fühlte, nein, ich war es auch. Wenn ich nicht traurig war, war ich wütend. Das wollte niemand sich antun. Ich schlussfolgerte also: Wenn es dir gut geht und du gut drauf bist, sind alle da. Wenn es dir aber mal richtig beschissen geht und du gar nicht funktionierst, will keiner dich haben. Meine Freundin Steffi, Peter, Lutz und Lilly natürlich ausgenommen. Dass ich an sie dachte, baute mich auf und gab mir die Kraft, die ich brauchte. Ich brauchte einen neuen Sinn für mein Leben. Noch wusste ich nicht, wohin mein Weg mich führen würde. Ich machte keine Pläne. Ich musste nur geduldig auf den Sonnenaufgang warten.

Kapitel 4

Stella trifft Freddy

Nach gefühlten drei Stunden stoppte der Krankenwagen vor dem Rehazentrum in Bad Berka. Eine eigenartige Gleichgültigkeit hatte während der Fahrt Besitz von mir ergriffen. Nein, mir war nicht mehr alles egal, im Gegenteil. Ich stellte Ansprüche! Der wichtigste von allen war: Ich wollte kein Mitleid und niemand sollte mich anfassen, wenn ich das nicht wollte! Tatsächlich gab es Leute, die meinten ihr Mitgefühl zeigen zu müssen, indem sie mich ungefragt streichelten. Egal wo, ich mochte das nicht, auch wenn es vielleicht gut gemeint war. Jedes Mal stellten sich mir die Nackenhaare auf, manchmal sogar schon, wenn ich nur daran dachte. In der ganzen Zeit gab es nur einen einzigen Menschen, der gefragt hatte, ob er mich umarmen durfte. Das war Professor Winter gewesen. Und er durfte das. Er hatte das aus tiefstem Herzen getan und er war aufrichtig. Auch Peter durfte es. Wir waren inzwischen richtige Freunde geworden. Vielleicht war er der einzige wahre Freund, den ich je hatte. Peter war nicht hier, aber er hatte mir sehr viel mit auf den Weg gegeben. Und er hatte mir versprochen, mich zu besuchen. Vielleicht brachte er auch Lutz und Lilly mit. Ich freute mich schon jetzt darauf, obwohl ich noch nicht mal ausgestiegen war.
Die Türen meiner Kutsche öffneten sich wie von Geisterhand und kurz darauf stand ich mit Hugo auf einem Asphaltweg im Grünen. Kalter Wind empfing mich und ich sah mich um. Die Klinik lag tatsächlich am anderen Ende der Welt. Zumindest für mich. Der Weg führte im Bogen zum Eingang, über dem in großen Buchstaben *»Rehabilitationszentrum Silbertal«* stand.

Das Gebäude war eine völlig weiße, dreistöckige Villa mit vielen Fenstern. Ich musste aber zugeben, dass sie auf mich einladend wirkte. Ringsum standen viele Bäume auf zartgrünem Rasen, hübsch angelegte Blumenbeete, auf denen sich unzählige bunte Frühlingsblumen im Wind bewegten. Immerhin hatte das Sonnenlicht einen Weg durch die Wolkendecke gefunden. Im Hintergrund stand wie eine dunkelgrüne Wand der Wald.
Ja, ziemlich außerhalb gelegen, dachte ich. *Von der Stadt keine Spur.*
Ich verglich die Bäume mit Riesen, wie es sie in meinen Märchenbüchern gegeben hatte. Sie erschienen mir wie lebendige Wächter, deren Kronen sich im Wind wiegten. Ich vernahm ihr rauschendes Lied sanft und leise in meinen Ohren. Ich glaubte, zu träumen. Meine Fantasie bekam Flügel. Das alles erinnerte mich tatsächlich an ein Märchen aus meiner Kinderzeit. Ich stand vor meinem Märchenschloss mit vielen Türmen und smaragdgrünen Dächern. Ich musste schmunzeln.
»Sind Sie sicher, dass wir hier richtig sind?«, fragte ich zweifelnd. Meine Zähne klapperten bereits aufeinander. Ich konnte es nicht verhindern.
»Ja, Frau Fröbel, genau diese Adresse steht in ihren Papieren«, vernahm ich die Stimme des Fahrers, der mit meinem Koffer neben mir und Hugo stand.
Ich fror und zitterte, deshalb beeilte ich mich, hineinzukommen. Meine beiden Chauffeure stellten den Koffer neben Hugo ab und gingen mit meinen Papieren zum Empfang, um mich anzumelden. Danach verabschiedeten sie sich und wünschten mir alles Gute und viel Erfolg. Ich erwiderte ihre Grüße freundlich.
Da standen wir nun, Hugo, ich und mein Koffer. Verloren blickte ich auf den kleinen rosa Elefant aus Stoff, den ich

fest in den Händen hielt.
Niemand aus meiner Familie würde mich besuchen. Mir wurde schmerzlich bewusst, dass ich keine hatte. Ich wartete. Inzwischen war Mittag und mich begann der Hunger zu quälen, unerbittlich und unnachgiebig. Wie zur Bestätigung, knurrte mein Magen, unüberhörbar. Noch immer stand ich wie bestellt und nicht abgeholt hier, mitten im Foyer. Ich wurde wütend. Gerade in dem Augenblick, als ich mich mit Hugo von meinem Koffer entfernen wollte, kam eine junge Frau zu mir. Sie war auffallend klein und hatte einen Stapel Papiere bei sich. Als sie sich vorstellte, standen wir uns förmlich Auge in Auge gegenüber.
»Guten Tag. Mein Name ist Angelika Winzer. Sie müssen Stella Fröbel sein«, stellte sie richtig fest.
Ich rang mir ein Lächeln ab und nickte.
»Ja, das bin ich. Guten Tag. Gibt es hier vielleicht irgendwo eine Toilette?«
»Natürlich. Darf ich ihren Koffer nehmen?«
Sie durfte. Ich hätte das schwere Ding ohnehin nicht bewältigen können. Ich musste schmunzeln, denn Frau Winzer war nur wenig größer als mein Rollkoffer. Dennoch packte sie ihn resolut und zerrte ihn ohne Probleme hinter sich her.
»Bitte folgen Sie mir, Frau Fröbel.«
Ich war ihr bereits auf den Fersen und ließ mich nicht abhängen. Als wir durch eine weitere Glastür in einen mit Teppichboden belegten Flur landeten, fragte ich:
»Gibt es irgendwo auch etwas zu essen. Ich habe Hunger.«
Die winzige Frau Winzer stoppte vor der Tür eines Aufzuges und drehte sich zu mir um. Sie lächelte nachsichtig, während sie auf den Knopf drückte.

»Bitte verzeihen Sie uns die kleine Verzögerung. Ich bringe Sie jetzt auf Ihr Zimmer. Dort haben Sie ein eigenes Badezimmer, in dem Sie sich kurz frisch machen können. Danach begleite ich Sie gern zum Speisesaal, in dem Sie auch Ihre Mahlzeiten bekommen.«
Die Tür öffnete sich. Unwillkürlich rümpfte ich meine Nase. Wir gingen hinein und fuhren aufwärts.
»Später möchte ich Ihnen unser Haus vorstellen, damit Sie sich fürs Erste zurechtfinden«, lachte sie. »Wir haben für ein wunderschönes Zimmer mit Balkon im obersten Stockwerk für Sie reserviert.«
Meine Gedanken hingegen gingen eigene Wege. Sie waren bereits mit mir am Tisch beim Essen. Ich träumte von Schnitzel, Pommes und Salat. Das Wasser lief mir buchstäblich im Mund zusammen und verlangte meiner Selbstbeherrschung alles ab. Schließlich öffnete sich die Zimmertür vor mir und ich rollte mit Hugo hinein. Ein zarter, blumiger Duft durchzog den Raum und schmeichelte meinen Sinnen. Nichts, aber auch gar nichts erinnerte mich daran, dass ich mich in einer Klinik befand.
»Wow!«, staunte ich.
Ich musste zugeben, dass ich in der Tat sprachlos war. Das Zimmer war größer, als ich es mir jemals vorgestellt hatte.
Das Penthouse oder die Fürstensuite, schoss es mir durch den Kopf.
Nein, die Gemächer der Prinzessin Stella!
Ich kicherte in mich hinein. Oh mein Gott! Ich hatte mich nie für eine Prinzessin gehalten und ehrlich gesagt wollte ich auch gar keine sein. Ich war eher der Typ Abenteurer, Pirat oder Robin Hood. Erst seit ich mich im Krankenhaus bedienen lassen musste und Peter mich scherzhaft in

den Adelsstand erhoben hatte, war ich auf dieses amüsante Spiel eingegangen. Und schließlich war da ja noch Hugo, mein Thron und Diener. Der rollte gerade mit mir quer durch das Zimmer geradewegs zur großen Fensterfront. Schneeweiße Gardinen reichten bis zum Boden. In der Mitte waren sie nicht ganz zugezogen. Die Schiebetür war einen Spalt offen. Ich spürte den kalten Luftzug und atmete tief durch. Für einen Augenblick vergaß ich fast meinen Hunger. Sechs Wochen hatte ich nun Zeit, um mir das alles ganz genau anzusehen und auszuprobieren. Die Eindrücke, die im Augenblick auf mich einstürmten, überschlugen sich einfach und überforderten meine Sinne.
»Es gefällt Ihnen?«, fragte Frau Winzer erfreut.
»Ja, sehr. Viel mehr als ich erwartet hatte«, gab ich zu.
»Das freut mich. Ich möchte, dass Sie sich bei uns richtig wohlfühlen.«
Ich drehte mich zu ihr um und lächelte sie an. Sie tat ja nur ihren Job. Jetzt setzte ich den Elefanten auf meinen Bett und suchte das Badezimmer auf. Ungehindert passten Hugo und ich ganz ohne Tricks gleichzeitig durch den Türrahmen. Ich traute meinen Augen kaum. Fassungslos öffnete ich den Mund und schloss ihn wieder, ohne etwas gesagt zu haben.
Wow, dachte ich.
Dieses Badezimmer ist ja beinahe halb so groß wie meine ganze Wohnung! Frau Winzer drängte nicht. Geduldig wartete sie an der Eingangstür auf mich. Im Anschluss folgte ich der freundlichen Frau an alle Orte, die sie für wichtig genug hielt, um sie mir zu zeigen. Im Speisesaal brachte sie mich zu meinem Platz.
»Ihr Essen kommt sofort und wenn Sie Fragen haben stehe ich, oder ein anderer Mitarbeiter, Ihnen gerne zur

Verfügung.«
Mit diesen Worten verabschiedete sie sich zunächst von mir und ging. Ich sah mich um. Ich saß tatsächlich allein hier. Ein Junge, der vermutlich noch zur Schule ging, brachte mir das Essen. Endlich! Ich war schon drauf und dran, den Hunger übergangen zu haben. Aber nun konnte ich das Essen riechen und sehen.
»Putengeschnetzeltes mit Curryreis und Salat. Zum Nachtisch gibt es Wackelpudding mit Vanillesoße. Ich wünsche der Dame einen guten Appetit.«
Ich musste grinsen. Der Bengel war ein Schlitzohr. Er grinste und machte tatsächlich einen Diener, bevor er verschwand. Ich hätte vor Lachen vom Stuhl fallen können. Doch das vermied ich. Er hätte es ja für eine Beleidigung halten können. Der Hunger überfiel mich sofort. Ich aß wie ein Löwe, der sich nach langer Jagd endlich über seine Beute hermachen konnte. Es dauerte einige Zeit, bevor mein Hungergefühl verschwand. Zeitverzögert setzte mein Sättigungsgefühl ein. Der Teller war leer. Ich konnte mich darin spiegeln.
Erst als ich in meinem Zimmer ankam, machte sich die Wölbung meines Magens unangenehm bemerkbar. Ich streckte mich auf dem Bett aus und strich über meinen vollen Bauch. Das fühlte sich an wie eine Scheinschwangerschaft an.
Ich musste lachen, denn unwillkürlich kam mir gerade der kleine Teufel in den Sinn, der Omas Geburtstagspfannkuchen alle alleine aufgegessen hatte. Er hatte einen furchtbar dicken Bauch bekommen und jammerte über Bauchschmerzen. Die hatte ich zum Glück nicht. Ich war einfach nur überfressen. Mit einem Grinsen auf den Lippen schlummerte ich ein.

*****

Noch am selben Nachmittag hatte ich meinen Aufnahmetermin beim Chefarzt Hagedorn persönlich. Eine junge Schwester, mit dem schönen Namen Yasmina, weckte mich zum Glück rechtzeitig und begleitete mich dorthin. Mein Wecker steckte noch immer unberührt im Koffer, das hoffte ich zumindest.
Doktor Hagedorn saß am Schreibtisch und richtete den Blick zu mir, als ich mit Yasmina und Hugo den Raum betrat. Er wirkte, trotz seiner Silberstreifen im dichten schwarzen Haar relativ jung, sportlich und vor allem sympathisch. Das hieß, dass ich keine Angst spürte. Ich, Stella Fröbel, hatte schon seit meiner Kindheit immer Angst vor Ärzten in weißen Kitteln gehabt. Hagedorn trug zwar eine weiße Hose, aber keinen weißen Kittel, sondern ein knallrotes Poloshirt. Er lächelte mich offen an, während er sich vorstellte und mich begrüßte. Ich tat das ebenfalls. Dann plauderte er mit mir über das Wetter und das Essen, schwärmte von seiner Stadt Bad Berka. Er berichtete von Ausflugszielen und Sehenswürdigkeiten, als wäre er ein Fremdenführer.
Ich amüsierte mich insgeheim, während ich ihm aufmerksam zuhörte. Das, was ich erfuhr, überraschte mich ehrlich. Bis eben dachte ich noch, an einem Ort am Ende der Welt gelandet zu sein. Schwester Yasmina bestätigte seine Ausführungen eifrig. Irgendwann fragte er mich so ganz nebenbei nach meinem Befinden. Nun war ich an der Reihe zu berichten. Ich kam nicht umhin und wagte es, ihm von Hugo zu erzählen. Hagedorn grinste, musterte Hugo und sagte tatsächlich: »Hallo, Hugo.«
Damit war das Eis endgültig gebrochen. Nun begann

Hagedorn mir einige notwendige Untersuchungen zu erklären und stellte endlose Fragen zu meinem Leben von der Geburt an. Das war für das Aufnahmeformular wichtig, sagte er. Alle Vorerkrankungen, Behandlungen, Allergien, Medikamente und vieles mehr trug er darin ein.
»Keine Angst, Frau Fröbel«, bemerkte die Schwester. »Sie bekommen von allem Kopien .«
Im Anschluss daran stellte Doktor Hagedorn mit mir gemeinsam meinen ganz persönlichen Trainings- und Behandlungsplan zusammen. Ich war begeistert, denn ich hatte ein echtes Mitspracherecht. Damit hatte ich ehrlich gesagt nicht gerechnet. Als alles nach dem medizinischen Bedarf und meinen Wünschen fertig war, stellten wir beide fest, dass mein Programm tagtäglich von Morgens bis Abends voll war.
»Wir sollten nun doch alles etwas reduzieren, Frau Fröbel. Viel hilft viel ist nicht immer optimal. Weniger ist hier mehr. Schließlich brauchen Sie auch etwas Zeit zum Luftholen, denn Ihr Aufenthalt bei uns wird anstrengend werden. Ganz sicher. Außerdem wird Ihnen Schwester Yasmina auch noch unser Veranstaltungsprogramm vorstellen. Wir bieten sehr interessante Vorträge an, Lesungen, Tanzabende und so weiter. Was meinen Sie?«
Ich nickte unschlüssig, denn ich wusste wirklich nicht, auf was ich verzichten wollte. Dennoch leuchtete mir ein, was Doktor Hagedorn sagte.
Nach einigen Abwägungen einigten wir uns. Schwester Yasmina hatte bei mir inzwischen den Blutdruck gemessen. Alles war im grünen Bereich. Ich lächelte zufrieden. Mir ging es wirklich gut. Als ich das Büro des Chefarztes der Kurklinik verließ, dämmerte bereits der Abend. Er hatte sich wahrhaftig viel Zeit für mich ge-

nommen, alle meine Fragen beantwortet und meine letzten Zweifel aus dem Weg geräumt. Natürlich war ich stolz auf eine Chefarztbehandlung und war mir darüber bewusst, dass ich das wahrscheinlich dem netten Professor Winter zu verdanken hatte. Ich war mir ziemlich sicher, dass die beiden bereits vor meiner Anreise über mich geplaudert hatten.
Ich fuhr direkt zum Abendessen. Diesmal war der Speisesaal voll und ich hatte tatsächlich Mühe, meinen Platz wiederzufinden. Ich entdeckte ein Buffet, dass kaum Wünsche offenließ. Und ich spürte einen Appetit wie lange nicht mehr. Deshalb stürzte ich mich in das bunte Getümmel, in dem ich mit Hugo nicht auffiel. Manch einer machte uns Platz, während andere sich an uns vorbeidrängelten. Mit meiner Beute auf dem Schoß rollte Hugo mit mir zum Tisch. Der war rund und jetzt mit zwei weiteren Rollstuhlpiloten besetzt. Ein Stuhl, der am Tisch stand, war frei. Ich grüßte freundlich und parkte ein. Fremde Gesichter musterten mich. Eine Dame mit grauem Haar, sie hätte meine Großmutter sein können, schlürfte gut hörbar an ihrer Teetasse.
»Oberschenkelhalsbruch«, sagte sie schließlich mit einer so tiefen Stimme, dass ich mich erschreckte.
»Stella Fröbel«, antwortete ich.
»Freut mich«, sagte der ältere Herr neben mir. Er war gut beleibt und schätzungsweise um die sechzig.
»Hugo Schmitt, Verkehrsunfall.«
Ich prustete los und versuchte krampfhaft, mich nicht zu verschlucken. Ich hatte vor Lachen Tränen in den Augen. Auf dem Gesicht des Mannes erschien ein verständnisvolles Lächeln. Er aß weiter.
»Entschuldigen Sie«, begann ich und rang noch immer nach Luft. »Ich... ich...«, stammelte ich. »Hugo ist ein

wirklich außergewöhnlicher Name. Er gefällt mir sehr«, konnte ich mich endlich erklären.

»Keine Sorge. Sie sind nicht die Erste, die darüber in Gelächter ausbricht«, meinte er tonlos.

»Nein, nein, so war das nicht gemeint. Wie Sie sehen, habe ich einen Rollstuhl. Er ist mein bester Freund und ich gab ihm den Namen Hugo.«

Der Herr namens Hugo sah mich eine Weile verständnislos an, bevor er schließlich grinste.

»Ach so.«

Ich kaute weiter. Die Dame mit dem Oberschenkelhalsbruch wirkte eher teilnahmslos. Sie verzog keine Miene. Nicht mal ansatzweise. Ihre Teetasse hatte sie inzwischen leer geschlürft.

»Ich bin mit meinem Motorrad einem Wildschein ausgewichen und dabei ziemlich böse gestürzt. Und Sie, Stella?«, fragte Hugo.

Ich grinste ihn mit vollem Mund an und kaute zunächst weiter. Auch er aß weiter, ließ mich aber mit seinem erwartungsvollen Blick wissen, dass er auf eine Antwort wartete.

»Ich bin mit dem Fahrrad einem Auto ausgewichen. Das hatte ich zumindest versucht. Das Auto war allerdings schneller und stärker.«

»Und? Haben sie den Fahrer wenigstens geschnappt?«

Ich nickte nur, während ich mir Salat in den Mund stopfte, nur um nicht antworten zu müssen. Ich ließ mich nicht gerne ausfragen. Das hasste ich! So kaute ich den Salat außergewöhnlich langsam und gründlich durch. Die Dame mit dem Oberschenkelhalsbruch, deren Name ich nicht kannte, hielt sich zurück. Sie schien in ihrer eigenen Welt zu sein. Auch sie kaute außergewöhnlich langsam.

»Schöner Shit. Von einer Minute auf die andere ist dein

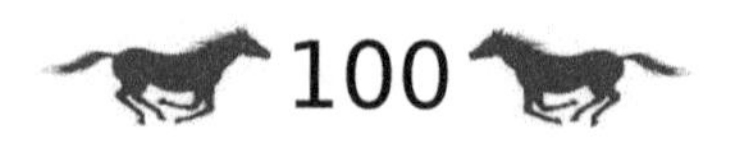

Leben futsch«, sinnierte Hugo Schmitt. »Hätte ich das Vieh umgefahren, wäre es nicht anders ausgegangen. Ich werde mir einen Lastzug kaufen und es plattfahren, wenn ich hier raus bin«, gluckste er leise.
Ich schüttelte entschieden den Kopf.
»Ein Gewehr ist besser. Dann können Sie es braten und haben Stück für Stück mehr davon«, grinste ich.
»Wie heißen Sie?«, fragte ich die Dame, die mir gegenüber saß, um das Thema in andere Bahnen zu lenken. Sie sah tatsächlich zu mir. In ihre Augen kam etwas Lebendiges. Sie schienen mich jetzt anzulächeln.
»Rosa Jäger, geboren am 8.Februar 1934 in Siebengrün. Oberschenkelhalsbruch vor drei Jahren, Frau Doktor.«
»Vor drei Jahren?«, fragte ich erstaunt.
»Vor drei Wochen«, stellte Herr Schmitt richtig. »Sie vergisst es nur ständig.«
»Oh...« Ich war sprachlos.
Eine Frau setzte sich auf den freien Stuhl neben mir. Sie trug eine Jogginghose sowie ein gelbes Shirt und schien vielleicht ein wenig älter als ich selbst zu sein. Ich war erleichtert.
»Guten Appetit«, grüßte sie fröhlich in die Runde. »Ich bin die Henrietta«, sagte sie zu mir gewandt und streckte mir ihre Hand entgegen.
»Stella«, schlug ich ein.
»Ist dir doch recht, wenn wir du sagen?«
»Ja, warum nicht«, nickte ich.
»Und ich bin der...«
Weiter kam Herr Schmitt nicht. Henrietta und ich antworteten gleichzeitig, wie aus einem Munde: »Hugo!«
Nun lachten wir alle. Selbst Rosa. Henrietta entpuppte sich als wahre Quasselstrippe und unterhielt uns den

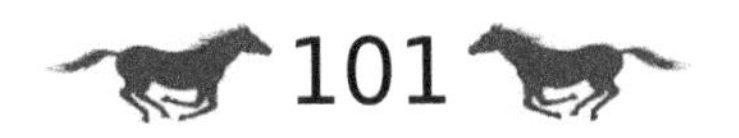

ganzen Abend lang mit lustigen Geschichten. Sie hieß Henrietta dalla Rosetti und behauptete tatsächlich von einer alten italienischen Adelsfamilie abzustammen. Ich war beeindruckt. Doch Henrietta kicherte selbst, als sie uns berichtete, was das bedeutete. »Henrietta von den Lippenstiften!«
Ich hatte Bauchschmerzen vom Lachen. Henrietta war eine Kanone und ich hoffte inständig, dass sie mindestens genau so lange hier blieb wie ich. Wir waren die Letzten, die den Speisesaal verließen. Später als geplant kam ich auf meinem Zimmer an. Als ich endlich im Bett lag, spürte ich deutlich die Erdanziehungskraft. Ich konnte kaum noch mein Buch halten und legte es nach einer Seite weg, ohne wirklich zu wissen, was ich gelesen hatte.

*****

Die Nacht war ziemlich kurz. Um 7.30 Uhr startete mein Tagesprogramm, deshalb riss mein Wecker mich eine Stunde vorher aus meinen Träumen. Ich stöhnte leise. Nach der üblichen Morgentoilette startete ich sofort durch. Der Termin für die erste physiotherapeutische Behandlung war vor dem Frühstück. Das störte mich nicht weiter, nur der Kaffee fehlte mir jämmerlich. Aber ich hatte Glück, denn ich bekam eine Massage mit anschließender Naturmoorpackung. So konnte ich langsam in den Wachmodus hochfahren. Als ich später in den Speisesaal fuhr, stieg mir der herrliche Duft von Kaffee und frischgebackenen Brötchen in die Nase. Jetzt war ich hellwach. Henrietta dalla Rosetti war die Einzige, die mit mir am Frühstückstisch saß. Darüber freuten wir uns beide. Ich fand es schön, nicht allein frühstücken zu

müssen. Die Zeit flog dahin, während wir schnatterten, als wären wir alte Bekannte und hätten uns seit langem nicht gesehen. Plötzlich sprang Henrietta auf.
»Du meine Güte! Jetzt muss ich aber...«
Bevor ich fragen konnte, wohin sie wollte, war sie auch schon weg. Sie hatte es wirklich eilig. Henrietta konnte erstaunlich schnell laufen. Darum beneidete ich sie.
Auch ich musste zum nächsten Termin. Zwei Stunden Muskelaufbautraining in der Folterkammer erwarteten mich. Das hatte ich so gewollt und ich war total motiviert. Auch der Kaffee hatte inzwischen seine Wirkung entfaltet.
Also grüßte ich in die Runde, als ich zur Tür herein kam. Einige fremde Gesichter nickten mir zu. Andere hatten meine Ankunft gar nicht mitbekommen, weil sie in ihre Übungen vertieft waren und die Trainingsgeräte einen gewissen Geräuschpegel hatten. Ein Therapeut kam zu mir. Er hatte graue Haarstoppeln auf dem Kopf und im Gesicht. Auf dem bildeten sich gerade unzählige Fältchen, als er mir entgegen lächelte. Er begrüßte mich freundlich, stellte sich vor und fragte nach meinem Behandlungsplan. Jona hieß er. Ich wusste nicht mal, ob das sein Vor- oder Nachname war. Jona warf nur einen kurzen Blick auf das Blatt und nickte.
»Wir beginnen mit der Muskelerwärmung. Danach zeige ich Ihnen ein Gerät nach dem anderen und die jeweilige Trainingseinheit daran, bis wir nach und nach durch sind. Danach dehnen wir Ihre Muskeln und schon haben Sie es für heute geschafft, Stella.«
Oh ja. Ich wollte Muskeln, Kraft und meine Normfigur. Ich brauchte das, um vorwärtszukommen. Das Aufwärmen am Ergometer war hart. Jona hatte meine Beine festgeschnallt. Die wirkliche Arbeit allerdings übernah-

men meine Arme. Während ich sie trainierte, bewegte ich meine Beine mit. Ich stemmte mich in die Pedalen, fauchte kurze Zeit später und begann zu schwitzen. Bereits nach fünf Minuten spielte ich mit dem Gedanken, aufzuhören. Jona stand die ganze Zeit neben mir.

»Langsamer, Stella. Ruhig und gleichmäßig. Wir sind hier nicht bei den Olympischen Wettkämpfen.«

Ich grinste gequält und hielt tapfer durch. Nach weiteren zehn Minuten war ich wohl auf Betriebstemperatur. Jetzt ging es fast wie von selbst. Ich war erstaunt, als Jona mich befreite.

»Auf geht's«, nickte er aufmunternd und begleitete mich zum zweiten Gerät.

Ich war neugierig und erstaunt, was man mit solchen Geräten alles anstellen konnte. Schließlich hatte ich meinen Spaß daran. Ich konnte es nicht glauben, als Jona mit mir gemeinsam zur Muskeldehnung überging. War die Zeit tatsächlich schon um? Ich fühlte mich gut und leicht wie eine Feder.

»Übermorgen sehen wir uns wieder, Stella«, verabschiedete er sich und gab mir meinen Trainingsplan zurück.

»Ja. Auf Wiedersehen, Herr Jona«, trällerte ich.

Jona grinste.

»Sagen Sie einfach Jona ohne Herr. Wir sind hier ziemlich unkompliziert und locker. Ich hoffe, damit haben sie kein Problem.«

»Nein, nein«, lachte ich. »Da gibt es wirklich andere Dinge, die mir Probleme bereiten. Also bis Übermorgen«, antwortete ich und rollte davon, meiner nächsten Herausforderung entgegen.

Psychologin, Bewegungsbad, weitere physiotherapeutische Behandlungen und eine Ernährungsberatung

warteten auf mich. Der Tag verging wie im Flug. Ich fühlte mich dennoch gut. Am Abend musste ich zugeben, dass es schon etwas anstrengend gewesen war, aber ich hatte alles geschafft. Nach dem Abendessen verschwand ich sofort auf meinem Zimmer. Das nahm mir niemand übel. Henrietta war mit mir hinauf gegangen. Auf dem Flur verabschiedeten wir uns bis morgen. Ich freute mich auf mein Bett. Endlich die Beine hochlegen, einen schönen Film ansehen und an nichts weiter denken. Schließlich kuschelte ich mich in Kissen und Decke. Das fühlte sich gut an. Zum ersten Mal seit langem war ich im Hier und Jetzt. Durch die Fensterscheiben, vor die ich die gelben Vorhänge gezogen hatte, drang gedämpftes Licht. Hugo stand, wie immer, neben meinem Bett. Der alte Film gefiel mir. Eine Komödie. Ich lachte bis in den Schlaf.

*****

Am nächsten Morgen stand ich mit neuem Schwung auf. Ich freute mich auf das Frühstücksbuffet, den Kaffee, Rosa, Hugo und Henrietta. Doch als ich zwischen meinen Sachen kramte, bevor ich ging, erschrak ich heftig. Die Briefe! Oh mein Gott! Die hatte ich total vergessen. Ich hatte nicht mal Briefpapier mitgenommen. Wann sollte ich die nur beantworten? Versicherungen und Behörden hatten mir Fristen eingeräumt und die waren in ein paar Tagen vorüber. Das war schließlich wichtig. Sehr wichtig, vor allem für mich. Ich wollte etwas. Ich wollte diesen... diesen Van..., wie hieß er doch gleich? Jedenfalls wollte ich ihn verklagen. Er sollte bezahlen und das sollte diesem Irren wehtun. Ich wollte Schmerzensgeld oder wie immer das hieß, auch wenn es nichts rückgängig machen konnte. Zumindest würde es mir über verschiedene Umbaumaßnahmen, Anschaffungen und Therapien hinweghelfen. Ich legte die Briefe so auf den Schreibtisch, dass ich sie nicht übersehen konnte und entschloss mich zunächst, erst einmal zum Buffet zu rollen, bevor es leer sein würde. Und der wirklich gute Kaffee würde meinen Kopf klarer machen.

Ich war diesmal tatsächlich die Letzte am Tisch. Rosa, Hugo und Henrietta hatten mich schon vermisst und fragten, ob ich heute verschlafen hätte. Ich lächelte nachsichtig.

»Nein. Ich habe zwei unheimlich wichtige Briefe in meinem Zimmer liegen, die dringend beantwortet werden müssen. Das hätte ich gestern schon tun sollen. Doch ich hatte sie total vergessen. Ich weiß nicht mal was ich schreiben und wo ich die Kreuze setzen soll, ohne mir ein Eigentor zu schießen. Außerdem habe ich nicht mal Briefumschläge«, berichtete ich und seufzte.

»Frage doch mal am Empfang. Die netten Damen haben einen PC, stapelweise Papier und können dir vielleicht dabei helfen. Schließlich haben sie Erfahrung mit Behördenpost«, meinte Herietta prompt.

»Ja, oder Frau Winzer. Sie ist vom sozialen Dienst und nimmt sich sicher gern Zeit für dich, Stella«, sagte Hugo.

Rosa hob die Augenbrauen und nickte.

»Stimmt! Sie hat mich am Montag in Empfang genommen und mir alles gezeigt. Sie war sehr nett. An Frau Winzer hatte ich gar nicht mehr gedacht.«

Der Stein, der mir auf dem Herzen lag, verlor etwas an Gewicht. Erleichtert atmete ich auf. Wie gut, dass ich meine Sorgen auf den Frühstückstisch geworfen hatte. Dankbar blickte ich in die Runde meiner neuen Freunde.

»Danke! Wie schön, dass es euch gibt!«

Rosa, Hugo und Henriette lächelten geschmeichelt. Das fühlte sich gut an. Wir redeten, lachten und stellten fest, dass Hugo mit mir gemeinsam zur Folterkammer musste, Rosa zur Massage abgeholt wurde und dass Henrietta und ich zur gleichen Zeit im Bewegungsbad plantschen würden. Ich freute ich mich auf mein Tagesprogramm, war voller Elan und entwickelte mich zum Streber in eigener Sache.

Erst am späten Nachmittag hatte ich Gelegenheit, nach Frau Winzer zu suchen. An der Rezeption erfuhr ich schließlich, dass sie ausgerechnet heute früher gegangen war. Niedergeschlagen nickte ich.

»Kann ich Ihnen vielleicht helfen, Frau Fröbel?«, fragte die Dame, die ein Namensschild mit dem Aufdruck *J.Sander* trug, freundlich.

Ich schöpfte neue Hoffnung und trug ihr mein Anliegen vor.

»Kein Problem. Haben Sie Ihre Schreiben dabei?«

»Nein, die sind oben, auf meinem Zimmer«, antwortete ich hastig.

»Kommen Sie doch gleich mit Ihren Briefen zu mir. Wir machen das gemeinsam am PC. Aber nehmen Sie sich Zeit. Ich bin bis 21.00 Uhr im Haus und die Post für heute wurde bereits abgeholt.«

»Danke«, flötete ich mit glühenden Wangen und machte mich eilig auf den Weg zu meinem Zimmer. Ich war aufgeregt, unruhig und im Bauch kribbelte es. Nichts ging mir schnell genug. Ich wollte es endlich hinter mich bringen. Schließlich stürmte ich in meinem Badezimmer zur Toilette, frischte mich etwas auf und tauschte mein verschwitztes Shirt gegen ein frisch gewaschenes. Dann schnappte ich die Briefe und eilte davon. Im Rausch der Geschwindigkeit übertraf Hugo sich selbst. Als plötzlich

jemand aus einer der Zimmertüren kam, übten wir unsere erste Vollbremsung, denn ein Ausweichen war unmöglich. Auch meinen Schreckensschrei konnte ich nicht zurückhalten. Dann spürte ich den dumpfen Aufprall.
»Ohlala!«
Beschämt blickte ich in die dunklen Augen des Chefarztes, der sich unwillkürlich zu mir gekrümmt hatte und mir erschrocken in die Augen starrte.
»Brennt es?!«, stöhnte Dr. Hagedorn erstaunt.
»Ah...n..nein...«, stammelte ich.
»Alles okay mit Ihnen, Stella?«
»Ja. Entschuldigung, das wollte ich nicht.«
Dr. Hagedorn richtete sich auf. Als er mich eingehend betrachtete, erschien ein Lächeln auf seinem Gesicht. Dann atmete er tief durch. Ich wagte weder mich zu rühren noch zu atmen.
»Die Therapien haben also bereits vollen Erfolg gebracht. Sie starten ja durch, wie ein Düsenjet, Stella«, meinte er.
»Zu Risiken und Nebenwirkungen fragen Sie Ihren Arzt, nicht den Apotheker«, schmunzelte ich in einer Scherzanwandlung.
Dr. Hagedorn lachte tatsächlich.
»Habe ich Ihnen sehr wehgetan?«, fragte ich kleinlaut.
»Oh ja! Es fühlt sich an, als wären beide Beine gebrochen.«
Ich wünschte mir mehr denn je sofort im Erdboden zu versinken.
»Es tut mir so leid«, hörte ich mich selbst jammern. »Ich, ich komme natürlich für den Schaden auf.«
Nun hörte ich Hagedorn eindeutig belustigt lachen. Ich war verwirrt.

»Haben Sie die Anträge bereits dabei?«, fragte er, indem er auf meine Briefe deutete, die ich krampfhaft festhielt.»Nein. Die hier sind vom Gericht und einem Anwalt und müssen dringend beantwortet werden. Aus diesem Grund bin ich gerade auf dem Weg zur Rezeption, zu Frau Sander.«
»Aha«, nickte Hagedorn. »Den Anwalt sollten Sie sich warm halten, bei Ihrem Fahrstil.«
»Das war eine Ausnahme«, murmelte ich.
Hagedorn grinste hintergründig.
Oh oh, dachte ich und wagte noch immer nicht, mich vom Fleck zu rühren.
»Dann will ich Sie lieber nicht länger aufhalten. Passen Sie auf sich auf, Stella und fahren Sie ein wenig vorsichtiger. Zu rasen, um schneller am Ziel zu sein, ist ein Trugschluss.«
Wie recht er doch hatte! Ich hätte längst unten an der Rezeption sein können.
»Das stimmt. Vielen Dank. Auf Wiedersehen und nochmal Entschuldigung«, antwortete ich und rollte weiter zu den Aufzügen.
Ich konnte nicht sehen, dass Hagedorn mir hinterherblickte. Ich wagte auch nicht, mich noch einmal umzusehen. Vorwärts fahren und zugleich rückwärts sehen hatte ich in schlechter Erinnerung. Einen weiteren peinlichen Zusammenstoß wollte ich unbedingt vermeiden.
Frau Sander erwartete mich und lächelte mir bereits entgegen.
»Kommen Sie«, bat sie mich hinter den Tresen, hinter dem die Tür zu einem Büro offenstand. Wir fuhren hinein und platzierten uns nebeneinander am PC. Frau Sander bat mich zunächst darum die Briefe lesen zu

dürfen. Sie durfte. Anschließend nickte sie. Die beiden Antwortschreiben aufzusetzen bereitete ihr keinerlei Schwierigkeiten. Innerhalb weniger Minuten war das erste Antwortschreiben eingetippt. Frau Sander bat mich, das durchzulesen. Ich nickte erleichtert, denn ich war damit einverstanden. Das zweite Schreiben war ebenso schnell fertiggestellt. Frau Sander faltete die Blätter und steckte sie in die Briefumschläge. Nun füllten wir gemeinsam den Fragebogen aus, der aus ganzen dreiundzwanzig Blättern bestand. Jetzt erschien mir das gar nicht mehr so schlimm. Zuletzt kam noch der Antrag auf die Kostenübernahme zum Einbau des Treppenliftes an die Reihe. Nach einer Stunde war alles erledigt.
»Das sind zwar die Umschläge mit dem Absender der Klinik, aber so kommen eventuelle Nachfragen gleich hierher und Sie können rechtzeitig reagieren. Ihre Heimatanschrift ist ja im Schreiben angeführt, wie auch der derzeitige Klinikaufenthalt. Damit sind wir auf der sicheren Seite.«
Ich nickte dankbar.
Sie hatte *wir* gesagt. Das gab mir neuen Mut, mich jederzeit wieder an sie wenden zu dürfen.
»Vielen Dank. Ich bin ehrlich erleichtert. Das Geld für die Briefmarken...« Ich kramte in meiner Hosentasche.
»Das können Sie gerne auf das Zimmer anschreiben lassen. Sie sind bestimmmt noch einige Tage bei uns«, schmunzelte sie.
»Danke!«
»Jederzeit gerne, Frau Fröbel. Ich wünsche Ihnen einen schönen Abend!«
»Danke gleichfalls. Dank Ihrer Hilfe kann ich heute Nacht bestimmt auch ruhig schlafen.«
Sie rümpfte die Nase und lachte.

*****

Der Tag war schnell vergangen. Schon wieder war der Abend angebrochen. Langeweile kannte ich nicht, obwohl ich von einer Kur bisher immer andere Vorstellungen gehabt hatte. Ich war von morgens bis abends beschäftigt und hatte keine Zeit mehr, über mein Schicksal nachzudenken. Das war auch ganz gut so. Besonders freute ich mich auf die täglichen Treffen am Esstisch. Wir erzählten uns so ziemlich alles und lachten gemeinsam viel. So verging Tag für Tag wie im Flug. Am Freitagabend schwänzten Henrietta und ich das Abendessen. Sie hatte mir am Donnerstag gebeichtet, dass sie am Samstag abreisen würde. Das stimmte mich traurig. Aber wir wollten in Verbindung bleiben und tauschten unsere Adressen und Telefonnummern. Henrietta hatte mir seit vorgestern etwas von einem guten Restaurant vorgeschwärmt. Ich konnte dieser Verführung nicht widerstehen. Wir fuhren dorthin. Ich fuhr! Sie ging neben mir.
Es war kühl, aber es regnete nicht. Drinnen war es warm und gemütlich. Das Ambiente weckte in mir ungeahntes Fernweh, denn ich war noch nie in Italien gewesen. Die Bilder an den Wänden waren wunderschön. Das Essen war super. Wir schwatzten, kicherten und tranken viel roten Wein. Eine ganze Flasche zu zweit! Der Abend war so herrlich, dass wir wahrscheinlich beide die Welt um uns herum vergaßen. Als wir schließlich auf dem Trockenen saßen, bestellten uns eine zweite Flasche Wein und allmählich wurden wir albern. Doch an den Rückweg dachten wir beide noch immer nicht. Es wurde immer später. Erst kurz vor Mitternacht machten wir uns

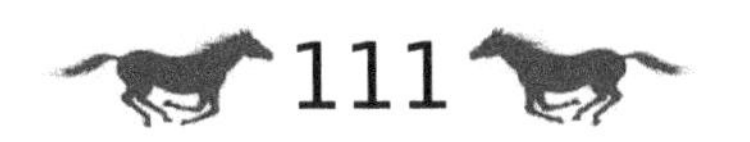

auf den Rückweg. Die Nacht war kühl. Frischer Wind pustete mir ins Gesicht. Henrietta schob Hugo. Ich glaubte, dass sie nur etwas brauchte, um sich festzuhalten, denn Straße und Fußweg drehten sich plötzlich um uns herum. Ich hörte unser Kichern, das durch die Nacht schallte.
»Kannst du dich vielleicht an den Weg erinnern?«, fragte Henrietta mich.
»Nein. Du hast uns doch zum Restaurante geführt.«
»Aber das war in die andere Richtung. Da sah das alles ganz anders aus, hicks«, lallte Henrietta.
Im Handumdrehen wendete sie den Rollstuhl, in dem ich saß und zog mich im Rückwärtsgang weiter. Ich kicherte.
»Du bist ja verrückt, Henrietta von den Pippenliften.«
»Beschwipst! Hicks«, verbesserte sie mich.
»Vielleicht sollten wir ein Taxi rufen«, fragte ich, denn ich begann daran zu zweifeln, dass meine neue Freundin tatsächlich zurückfinden würde.
»Taxiii«, rief sie laut durch die Nacht.
Ich kicherte und machte: »Pscht!«
»Taxi«, flüsterte sie. »Taxiii«
»Im Zweifelsfall immer gerade aus«, meinte ich. »Aber dreh mich um Himmelswillen wieder in Fahrtrichtung, mir wird übel.«
Henrietta drehte mich mit Hugo tatsächlich. Allerdings drehte sie uns mehrmals um die eigene Achse herum, bis ich völlig orientierungslos war. Plötzlich stand ich still. Aber alles um mich herum drehte sich gnadenlos weiter. Mir war so übel! Ich wollte nur noch in mein Bett. Henrietta schob mich weiter vorwärts. Ich war mir aber nicht sicher wohin.
»Ich will nach Hause«, jammerte ich.
»Wo wohnst du denn?«
»Henri hicks etta! Dort, wo du auch wohnst! Folgt dem

gelben Backsteinweg, hicks.«
Henrietta kicherte erbarmungslos.
»Gleich da, Prinzesschen«, murmelte Henrietta.
Ja, das Gebäude am Ende des Weges kam mir auch bekannt vor. Erleichtert atmete ich auf. Zum Glück war die Tür noch offen. Wir kicherten leiser, als wir uns durch das Foyer kämpften. Im Aufzug hatte ich das Gefühl zu fliegen. Oben herrschte eine eigenartige Stille im Flur. Henrietta baute sich vor mir auf. Grinsend legte sie den Zeigefinger vor ihren Mund. Ich grinste zurück, nickte und winkte, bevor ich meine Zimmertür aufschloss. Das Schlüsselloch auf Anhieb zu finden, war nicht ganz einfach. Aber ich bekam es hin. Ein letztes Mal vernahm ich Henriettas leises Kichern. Dann fiel die Tür hinter mir ins Schloss. Ich nahm den kürzesten Weg zur Toilette und von dort aus ins Bett. Meine Sachen warf ich irgendwo zu Boden. Mit Mühe zog ich mein Nachthemd über, bevor ich rücklings auf die Matratze fiel. Ich schaffte es gerade noch, die Decke über mich zu ziehen. Das Letzte, was mir bewusst wurde, war, dass sich das Zimmer um mich herum drehte.

*****

Am nächsten Morgen kam ich als Letzte an den Frühstückstisch. Henrietta erwartete mich mit einem strahlenden Lächeln. Unsere Zeit zum Abschied nehmen war kurz. Wir umarmten uns und versprachen uns, miteinander zu telefonieren, uns zu besuchen und uns zu schreiben. Henrietta fuhr nach Hause zu ihrer Familie. Ich blieb mit Rosa und Hugo Schmitt allein am Tisch zurück. Mein Kopf fühlte sich schwer an. Der Wein zeigte noch immer seine Nachwirkungen. Außerdem war ich müde und hatte heute zu nichts Lust. Mir war gerade so, als hätte die Sonne sich hinter hässlichen, grauen Wolken versteckt. Rosa schenkte mir tatsächlich ein Lächeln und Hugo fragte mich nach meinem Tagesprogramm. Ich lächelte tapfer und nickte Rosa zu. Dann begann ich, mich mit Hugo zu unterhalten. Der Freitag war vollgestopft mit Training und Therapie, sodass ich nicht zum Nachdenken kam. Das Wochenende stand vor der Tür. Mein erstes Wochenende in der Kurklinik. Dem sah ich mit gemischten Gefühlen entgegen. Ich freute mich auf die Verschnaufpause und auf genug Zeit, um spazieren zu fahren, zu lesen und fernzusehen. Es fanden auch einige Veranstaltungen statt, die mich interessierten. Besuch hatte ich allerdings keinen zu erwarten. Darüber machte ich mir auch keine falschen Hoffnungen. Ich würde nicht nur dieses Wochenende, sondern auch mein restliches Leben allein sein. So ungefähr stellte ich mir das Rentnerleben vor, in dem nichts Großartiges mehr passieren würde. Ich aber war jung, hatte vielleicht noch ein langes Leben vor mir und wollte nicht allein sein. Ich hatte Wünsche, Träume und Ansprüche. Wieder einmal biss ich hart die Zähne zusammen und spürte, wie die Schutzmauer um mich herum stärker und höher wurde.

*****

Schließlich war Samstag, der erste Tag, an dem ich am Nachmittag frei hatte. Ich freute mich wie ein kleines Kind. Allerdings währte meine Freude nicht lange, denn ich hatte Post bekommen. Die Krankenkasse schickte mir einen Stapel Papiere, die ich umgehend auszufüllen hatte. Mir wurde auch dafür nur eine kurze Frist

eingeräumt. Missmutig überflog ich diesen Fragebogen, der meine bevorstehende Beschäftigungstherapie darstellte. Ich sollte den genauen Unfallhergang mit eigenen Worten schildern, um eventuelle Ansprüche und Leistungen gegenüber dem Unfallverursacher geltend zu machen. Sowohl Frau Sander als auch Frau Winzer hatten am Wochenende frei. Alles im allem war das eine Überprüfung meiner Behandlungskosten, deren Übernahme die Kasse von sich weisen wollte. Ob der Unfallgegner eine Versicherung hatte, die für mich die Kosten übernahm, war die nächste Frage. Ich hörte mich selbst murren und warf den Brief auf den Schreibtisch.
Bloß weg hier!, dachte ich.
Ich wollte das Wochenende nicht hier drin verbringen. Auf keinen Fall! Ich musste raus. Ich musste an die frische Luft. Wütend knallte ich die Zimmertür hinter mir lauter zu, als ich vorgehabt hatte. Ich zuckte selbst erschrocken zusammen. Zum Glück schien es niemand bemerkt zu haben.
Die Sonne strahlte vom blauen Himmel und draußen tummelten sich viele Spaziergänger. Auch mich zog es hinaus. Ich hatte mich vorsichtshalber angekleidet, als plante ich einen Ausflug zum Nordpol. Ich war die geborene Frierkatze und mein Immunsystem arbeitete zur Zeit nur mit halber Kraft. Außerdem hatte die Erfahrung mich gelehrt, dass die Sonne zu dieser Zeit oft nur Wärme vorgaukelte und die Luft noch klirrend kalt und windig war. Doch heute belehrte mich die Sonne eines Besseren, als Hugo und ich zur Glastür hinaus ins Freie fuhren.
Ich spürte die Sonnenstrahlen warm auf meinem Gesicht und musste blinzeln. Der erste wirklich warme Frühlingstag! Der Geruch nach frischem Gras lag in der Luft. Die

Knospen an Bäumen und Sträuchern waren bereits aufgesprungen. Mir war so warm, dass ich die Mütze vom Kopf nahm und die dicke Steppjacke auszog.
»Herrlich«, seufzte ich.
Ich spürte den Anflug von Glück. Vielleicht waren das Frühlingsgefühle? Der Ärger über den Brief war vergessen. Ich hatte ihm förmlich den Rücken gekehrt.
»Auf gehts«, flüsterte ich Hugo zu und musste schmunzeln.
Wir fuhren ein Stück den gepflasterten Weg entlang. Das glich einem Ausflug durch die Rushhour. Da ich keine Besucher hatte, steuerten wir beide allein in den Park. Der schien geradezu überfüllt von Menschen und war von einem Maschendrahtzaun umgeben. Ich fühlte mich plötzlich wie im Großstadtgetümmel. Ich war allein unterwegs, doch ich suchte etwas anderes. Hugo schien sich hier ebenfalls nicht wohlzufühlen. Bereitwillig wendete er mit mir und fuhr in die andere Richtung. Vorbei am Parkplatz landeten wir bald auf einer Asphaltstraße. Links waren in der Ferne die ersten Hausdächer zu sehen. Dieser Weg führte in die Stadt. Das wusste ich noch von meinem Ausflug mit Henrietta. Ich grinste und bog rechts ab. Vor mir lagen Wald und Wiese. Rechts der Straße führte ein Waldweg direkt in die Wildnis.
Das roch nach Abenteuer! Hugo ratterte über die Unebenheiten. Das holperte ordentlich. »Von wegen, nicht geländegängig. Hugo, du bist echt super!«
Hier gefiel es mir wesentlich besser, auch wenn Hugo und ich wieder allein waren. Doch allein unter vielen fremden Menschen zu sein, die uns nicht kannten und uns ignorierten, war schmerzlicher. Nach einiger Zeit führte der Weg stetig bergan und vorwärtszukommen war mühsam. Ich kämpfte, schwitze und fand es schließ-

lich vernünftiger, zu pausieren. Auf einer Lichtung entdeckte ich zwischen den Bäumen erste Veilchen und Gänseblümchen. Ringsum standen vereinzelt alte, dicke Buchen. Das frische Gras hatte eine magische Anziehungskraft. Ich konnte nicht anders. Hugo brachte mich auf diese märchenhafte Lichtung, holperte quer über die Rasenfläche und blieb stehen. Hier war es so unbeschreiblich schön. Die Sonne schien direkt auf die Lichtung und kitzelte meine Nase. Die Lichterstreifen zwischen den Bäumen bewegten sich wie tanzende Fabelwesen. Langsam ließ ich mich zu Boden gleiten, streckte mich auf meiner Jacke aus und versicherte mich, dass ich Hugos Bremsen richtig arretiert hatte. Ich dachte nicht darüber nach, wie ich allein wieder hinaufkommen sollte oder konnte. Ich schloss einfach die Augen.
Genau hier, in diesem Augenblick, stand die Zeit plötzlich still. Die Gedanken, die mich hin und wieder noch quälten, hüllten sich in eine Nebelwolke und flogen auf und davon. Vor meinen geschlossenen Augen bildeten sich Lichtspiralen. Leise summend schwirrten Insekten umher. Ich konnte sie hören. Ich konnte nicht beschreiben, wie der Frühling roch, aber sein Duft lag klar in der Luft. Das Leben konnte schön sein! Sogar ein Leben mit Hugo. Ich lächelte zufrieden in mich hinein. Ich wusste nicht, wie lange ich dort gelegen hatte, als ich ein eigenartiges Geräusch direkt neben mir hörte. Ein Schnauben ließ mich aufschrecken. Ich öffnete sofort die Augen, um zu sehen, was das war. Als ich schließlich wieder klar sehen konnte, erschrak ich noch mehr, als ohnehin schon. Flüchten konnte ich allerdings nicht. Ein großer brauner Kopf befand sich direkt neben dem meinen! Irgendetwas beschnüffelte mich. Ich zuckte

merklich zusammen. Mein Schreckensschrei erstickte im Ansatz. Samtweiche Lippen tasteten meine Wange ab. Ich hielt die Luft an. Jetzt hörte ich ein amüsiertes Lachen. Eine dunkle Gestalt stand mit dem Rücken zur Sonne, sodass ich nur schwarze Umrisse erkennen konnte.

»Mein Pferd hat sich vor dir erschreckt! Mit deinem pinkfarbenen Pullover passt du nicht zum Grün des Rasens. Der leuchtet wie ein Signal in die Ferne«, vernahm ich eine männliche Stimme.

Ich schnippte förmlich hoch.

Das Etwas neben mir war tatsächlich ein Pferdekopf. Auge in Auge blickten wir uns an. Das Pferd schien sich daran nicht zu stören. Ich nahm die Hand über meine Augen, um das blendende Sonnenlicht zu ertragen und verzog das Gesicht. Die Gestalt trat neben mich und legte den Kopf schräg. Immerhin konnte ich den jungen Mann nun erkennen, der mich unverfroren anlächelte. Er trug Jeans, Stiefel, ein kariertes Hemd und eine dunkelrote Steppweste.

»Darf ich?«, fragte er und wies mit der Hand auf das Stück Rasen neben mir.

»Ja. Ist gerade noch frei«, antwortete ich, während ich krampfhaft überlegte, ob ich ihn schon mal irgendwo gesehen hatte.

Wieder vernahm ich das dunkle Lachen, während der Fremde sich neben mir niederließ.

»Schönes Wetter heute«, begann er.

»Hmhm«, murmelte ich gelangweilt. Ich hatte etwas Einfallsreicheres erwartet.

»Ich bin Freddy«, stellte er sich vor.

»Stella.«

»Was für ein schöner Name.«

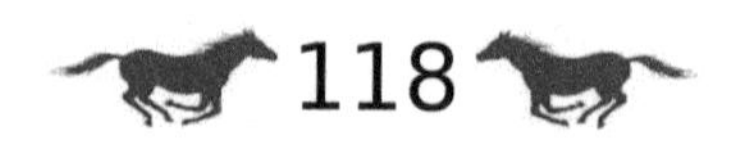

Ich atmete tief durch. Der Typ war aus dem letzten Jahrhundert.
»Dafür kann ich nichts «, antwortete ich sarkastisch.
Ich hörte sein dunkles Lachen. Okay, er war nett und hübsch und ich konnte ihn nicht einfach stehen lassen und gehen. Selbst wenn ich gewollt hätte. Ich sah mich um. Hugo parkte gemeinsam mit dem Pferd etwa einen Meter hinter mir. Ein eigenartiges Paar. Ich musste grinsen.
»Und? Gefällt es dir hier?«, fragte der Freddy.
Ich wandte mich zu ihm und wagte, ihn direkt anzusehen.
»Nein. Ich bin gerade auf der Flucht und mache hier eine Pause.«
Freddy musterte mich. Ich hoffte inständig nicht rot zu werden. Eigenartig. Ich hatte tatsächlich das Gefühl ihm schon mal begegnet zu sein.
»Auf der Flucht scheinst du oft zu sein. Wovor flüchtest du?«
Uhh...ertappt! Ich brach in Sprachlosigkeit aus und spürte mein Schutzschild bröckeln. Rasch wendete ich meinen Blick von ihm ab. Freddy blieb ebenfalls schweigend neben mir sitzen. Er schien mit mir in eine Richtung zu blicken, irgendwo zum fernen Horizont, als würde dort die Antwort stehen. Wir saßen eine ganze Weile einfach nebeneinander und schwiegen. Hinter uns vernahm ich deutlich das Pferd, das Gras zupfte und mit seinen Zähnen zermalmte. Pferd müsste man sein! Schließlich wurde mir doch kühl. Ich angelte nach meiner Jacke.
»Darf ich dir helfen?«, fragte Freddy.
»Das geht schon. Aber wenn du mir helfen willst... Ich habe keine Ahnung, wie ich wieder in meinen Rollstuhl

kommen soll.«
Freddy erhob sich wortlos und beugte sich zu mir herab.
»Leg deinen Arm um meine Schulter und halte dich fest.« Bevor ich protestieren konnte, fand ich mich auf Freddys Armen wieder. Unwillkürlich steifte meine Hand lange Haare, die über seine Schulter zum Zopf gebunden waren. Er trug mich zu Hugo und setze mich vorsichtig hinein.
»Danke«, sagte ich.
»Gern geschehen. Fährst du weiter?«
»Ja. Es wird kühl.«
Als Freddy direkt vor mir stand und auf mich herabblickte, war es wie ein Stromstoß, der meinen Körper wie ein Blitzeinschlag durchfuhr. Plötzlich wusste ich, wo ich diesem Freddy schon begegnet war. Im Krankenhaus! Ich war bei meinem ersten Ausflug gegen seinen Körper geprallt. Oh mein Gott! Ich fühlte mich peinlich berührt. Der Kerl hingegen grinste mich frech an.
»Na, ist es dir wieder eingefallen?«
Ich spürte die Schamesröte in mein Gesicht aufsteigen. Das war nicht zu verhindern. Ich nickte.
Freddy stieg auf sein Pferd und trabte ohne ein weiteres Wort davon. Er sah sich nicht einmal mehr nach mir um. Der Mann auf dem Pferd erinnerte mich an einen der Cowboys, die ich im Fernsehen gesehen hatte und ein Hauch von Abenteuer streifte meine Sinne. Nur etwas Geheimnisvolles blieb zurück. Die beiden sahen wundervoll aus. Mein Blick folgte ihnen, bis sie hinter den Sträuchern verschwunden waren. Dieses Bild brannte sich in meinen Kopf ein und begleitete mich zurück in die Kurklinik und bis in mein Zimmer.

*****

Die Zeit zum Abendessen war bereits heran. Ich kam gerade pünktlich zum Buffet. Der Nachmittag war viel zu schnell vergangen. Nach dem Abendessen gab es im großen Foyer eine Veranstaltung. Ein Vortrag mit Bildern aus Natur und dem Wildlife Nordamerikas war angekündigt. Da alle meine Tischnachbarn dorthin wollten, schloss ich mich nicht aus. Okay, das Thema interessierte mich tatsächlich und ich freute mich sehr auf einen abwechslungsreichen und interessanten Abend. Schließlich war heute Samstag.

Auf den Tischen flackerten unzählige Kerzen, die eine romantische Stimmung verbreiteten. Das war perfekt, um den Alltag einfach auszublenden und sich auf eine Abenteuerreise zu begeben. Wir bestellten uns Wein und Salzgebäck, während unsere große Reise begann. Bereits nach zwei Minuten landeten wir in Los Angeles, der Stadt der Engel. Der Tierfilmer und Fotograf stellte uns die Stadt von Hollywood bis Vanice Beach mit einigen Fotos vor.

Plötzlich packte mich das Fernweh.

»Dorthin möchte ich auch mal«, raunte meine Tischnach-barin mir zu, als hätte sie meine Gedanken gelesen.

»Ich auch«, schwärmte ich.

Nun ging es ostwärts zu den südlichen Ausläufern der Rocky Mountains, in das Wüstengebiet Arizonas. Ich war hin und weg, sodass ich den heißen, trockenen Wüstenwind förmlich in meinem Gesicht spürte. Nördlich des Grand Canyon machte sich die Wirkung des zweiten Weinglases bemerkbar, das ich inzwischen getrunken hatte. Als wir auf unserer imaginären Reise die kanadischen Rocky Mountains durchquerten, bekam ich einen Schluckauf. Ich versuchte es mit Luftanhalten und prus-

tete schließlich mitten in den Vortrag, denn nichts half.
»Tschuldigung«, hickste ich.
Meine Reisegruppe schien dafür Verständnis zu haben. Mir war das schlichtweg peinlich. Plötzlich stand ich im Mittelpunkt und ich glaubte, die Blicke aller Anwesenden auf mich gezogen zu haben. Ich wehrte mit den Händen ab. »Alles in Ordnung, es geht wieder.«
Wir setzten unsere Reise fort und verabschiedeten uns nach etwa drei Stunden in den weißen Weiten Alaskas. Um mich herum drehte sich das Geschehen im Zeitlupentempo. Alle Leute klatschten. Ich auch. Dann kicherte ich mit meiner Tischnachbarin um die Wette. Drei Gläser Wein waren wohl doch zu viel für mich gewesen. Ich vertrug überhaupt nichts mehr. Doch das war mir in diesem Augenblick völlig egal. An diesem Tag spürte ich das erste Mal seit langem, wie sich das Leben anfühlte. Es war einfach herrlich! Als ich weit nach Mitternacht rücklings auf meinem Bett lag, als hätte man mich erschossen, drehte sich das Bett mit mir. Zum Glück nur in eine Richtung. Ich kicherte, denn ich war zu aufgedreht, um gleich einschlafen zu können. Meine Gedanken wanderten zu Freddy. Die seltsame Begegnung beschäftigte mich noch eine ganze Weile. Weshalb hatte er sich nicht zu erkennen gegeben? Er hatte im Gegensatz zu mir ganz genau gewusst, wo wir uns das erste Mal begegnet waren! Und er war viel hübscher, als ich ihn in Erinnerung hatte, stellte ich gerade fest. Wie konnte er so plötzlich auftauchen? Sein dunkles Lachen schlich sich in meine Gedanken. Weshalb ausgerechnet zu mir? Mit Sicherheit war er vergeben, verheiratet und hatte bestimmt vier Kinder. Wer war dieser Freddy? Er hatte im Krankenhaus nach seinem Vater gesucht. Er hatte Peter nach ihm gefragt. Wohnte Freddy vielleicht

zufällig hier? Er hatte mich gar nicht gefragt, was mir passiert war, dass ich im Rollstuhl saß. Irgendwann verlor sich mein Gedankenkarussell im Nebel. Ich war eingeschlafen.

*****

Ein unnachgiebiges Klopfen riss mich aus dem Tiefschlaf. Das Sonnenlicht schien streifenweise durch die Sperre der Rollläden, als ich wach wurde. Ich blinzelte um mich. Nur langsam kam ich zu mir und realisierte, dass das Klopfen real war.
»Ja!«, rief ich, so laut ich in der Lage war.
Ein flüchtiger Blick zum Wecker bestätigte mir, dass ich verschlafen hatte.
»Oh Shit«, wisperte ich.
Die Schwester kam herein. Ihr Kopf erschien beinahe vorsichtig an der Zimmerecke am Bettende.
»Guten Morgen. Ist alles okay, Stella?«, vernahm ich Yasminas leise Stimme.
»Hmhm, ja«, murmelte ich verschlafen.
»Brauchst du Hilfe?«
»Habe ich das Frühstück verpasst?«, fragte ich.
»Nein«, lachte Yasmina. »Heute ist Sonntag. Das heißt Frühstückszeit bis elf Uhr.«
Ich atmete erleichtert auf. Es war dreiviertel neun und schließlich mein erster Sonntag hier. Die erste Woche in der Rehaklinik hatte ich also geschafft.
»Na ja, wenn das so ist, könntest du mich ausnahmsweise in das Badezimmer bringen und mir etwas Passendes zum Anziehen heraussuchen. Schließlich ist ja Sonntag!«
»Gerne. Na dann, auf!«, trällerte Yasmina und liftete die

Rollläden. »Das Wetter ist super und verwöhnt uns an diesem Wochenende.«
»Das ist schön. Ich war gestern schon draußen im Park.... ehm... ja «, sagte ich, während ich die Bettdecke zurückschlug.
»Dann pass bloß auf, dass du dir nicht gleich den ersten Sonnenbrand einfängst. Deine Nase ist übersät mit Sommersprossen. Aber die stehen dir gut.«
»Echt?«, fragte ich erstaunt.
Ich hatte mich gestern Morgen um sieben Uhr das letzte Mal im Spiegel gesehen. Yasmina lachte.
»Echt«, bestätigte sie.
Als ich mich kurz darauf in dem großen Spiegel betrachtete, der über dem Waschbecken hing, erschrak ich tatsächlich vor mir selbst. Nicht nur wegen der Sommersprossen. Eine kreidebleiche Fratze mit dunklen Ringen unter den Augen starrte mich aus dem Spiegel an.
»Ich glaube, ich verkrieche mich besser für den Rest des Tages im Bett«, flüsterte ich.
Aber das war auch keine Lösung. Erstens freute ich mich auf das Frühstück und dazu musste ich unter Leute. Zweitens freute ich mich schon auf meinen nächsten Ausflug. Wer konnte schon wissen, wie das Wetter morgen sein würde. Meinen dritten Gedanken versuchte ich erfolglos zu verdrängen.
Vielleicht würde der Cowboy mit seinem Pferd wieder auftauchen?
Ohne dass ich es wollte, spürte ich, dass mein Herz schneller schlug. Mir wurde warm. Endlich geriet mein Kreislauf in Schwung, brachte mir etwas Farbe ins Gesicht und machte mich endgültig wach. Oh ja, es hatte Tage gegeben, an denen ich nach einem guten Grund gesucht hatte, um aufzustehen. Heute hatte ich dafür

gleich drei gute Gründe. Guter Dinge schrubbte ich mein Gesicht und meinen Körper.
»Wer hat denn deine Sachen gepackt«, fragte Yasmina amüsiert, als sie mit einem Stapel Shirts auf dem Arm in der Badezimmertür erschien.
»Wieso?«, fragte ich unbekümmert, während ich mich abtrocknete.
Ich hörte Yasmina kichern.
»Drei Jogginganzüge, ein Sweatshirt, fünf Sportshirts, vier alaskataugliche Rollkragenpullover, zwei Abendkleider und eine weiße Bluse. Ach... und eine rote Weste. Die ist übrigens sehr schick.«
»Keine Jeans?«, fragte ich enttäuscht.
»Keine Jeans.«
Nein, ich war nicht enttäuscht. Die beiden Jungs hatten es ja gut gemeint und ich hatte die Sachen, die sie für mich eingepackt hatten, nicht mehr durchsehen können. Etwas niedergeschlagen fühlte ich mich schon, denn ohne Jeans konnte ich nicht hinaus. Ich hatte nur eine einzige und die war inzwischen ein Fall für die Waschmaschine.
Mit einer Jogginghose? Auf gar keinen Fall! Nicht zum Sonntag.
»Eine von meinen könnte dir passen«, vernahm ich Yasminas rettende Idee. »Die ist allerdings weiß.«
Oh, wie egal mir das war!
»Und das würdest du für mich tun?«, fragte ich erfreut, denn ich zweifelte nicht an ihren Worten.
»Warum nicht? Bin gleich wieder da.«
Schwester Yasminas Farbpalette hielt sich in Grenzen. Die weiße Jeans passte mir wie angegossen und sah zu meiner roten Steppweste wirklich super aus. Yasmina hatte mir auch ein weißes Langarmshirt mitgebracht,

dass ich problemlos unter meiner weißen Bluse tragen konnte. Da ich nach dem Frühstück einen Ausflug in den Park geplant hatte, war ich so notfalls vor Frost und auch vor Sonnenbrand geschützt. Ich war mehr als zufrieden, als ich mich schließlich im Spiegel betrachtete.

»Schick siehst du aus! Darf ich dir einen hübschen Zopf flechten?«, fragte Yasmina.

»Ich bitte darum«, redete ich wie eine Blaublütige und musste kichern.

Yasmina machte sich den Spaß, mir etwas Make-up und Lippenstift aufzutragen. Dann band sie mir ihren geblümten Chiffonschal um und schob mir ihre Sonnenbrille auf die Nase. Ich kam mir tatsächlich gerade wie eine Prinzessin vor und erkannte mich selbst kaum.

Yasmina ging zwei Schritte zurück, betrachtete mich und verzog kritisch ihr Gesicht. Schließlich schüttelte sie entschieden den Kopf. Keine Ahnung, was sie nun noch an meinem Outfit auszusetzen hatte. Wortlos schob sie mir die Sonnenbrille nach oben auf den Kopf.

»Jetzt ist alles okay. Was sagen Sie, Prinzessin Stella?«, fragte sie mich.

»Ich bin keine...«, begann ich prompt.

»Ich weiß. Und?«

»Danke«, antwortete ich glücklich. »Und du musst eine Zauberin oder eine gute Fee sein, Yasmina«, schwärmte ich.

»Oh ja. Und nun fehlt nur noch der Märchenprinz auf seinem weißen Pferd.«

Spontan prustete ich los, lachte und lachte, dass ich mir den Bauch hielt. Das war wohl sehr ansteckend, denn Yasmina lachte mit mir, ohne eigentlich zu wissen, weshalb. Ich schnappte nach Luft. Irgendwann, als ich wieder sprechen konnte, fragte ich sie: »Kennst du viel-

leicht einen Freddy?«
Yasmina schien zu überlegen. »Nein. Jedenfalls nicht auf unserer Station. Wie heißt er denn weiter?«
»Keine Ahnung.«
»Wo hast du ihn getroffen? Hier?«
»Gestern im Park. Na ja, um ehrlich zu sein, ein Stück den Hang hinauf in Richtung Wald. Er war plötzlich dort, mit einem Pferd.«
Yasmina grinste mich hintergründig an.
»Der Prinz«, stellte sie fest.
Ich zuckte mit den Schultern.
»Also deswegen willst du nachher wieder dorthin«, sagte sie.
Ich grinste.
»Falls er dich mit auf sein Pferd nimmt und mit dir davon reitet, schicke mir bitte den Chiffonschal zurück. Es ist mein Lieblingsschal.«
Jetzt lachten wir beide.
Yasmina öffnete die Tür und schob mich hinaus. Wir lachten noch im Flur, im Aufzug und im Foyer. Yasmina brachte mich im Eilzugtempo zum Frühstück, damit ich rechtzeitig hinaus kam. Ich fühlte mich leicht, wie eine Feder.
Nach einer knappen Stunde rollte Hugo mit mir zur Tür hinaus. Ich fühlte mich unendlich frei. Die Sonne strahlte. Ich auch. Mein Herz pochte schneller, als wir in Richtung Straße fuhren. Hugo schien sich ebenso zu freuen wie ich. Wir nahmen denselben Weg wie am Tag zuvor. Ich hielt bereits Ausschau. Ein Jogger kreuzte unseren Weg. Auf dem Rasen der Waldlichtung blieben wir stehen. Ich zog Hugos Bremsen fest an. Wir warteten. Die Sonne schien wahrhaftig stark. Ich schob die Sonnenbrille auf den Nasenrücken. Eine Familie

wanderte den Waldweg hinauf. Ich hörte ihre fröhlichen Stimmen und ihr Lachen. So gern ich mich wieder auf den Rasen gelegt hätte, ich tat es nicht. Ich war mir nämlich nicht sicher, ob mein Retter wieder erscheinen, würde, um mich in meinen Rollstuhl zu heben. Und Yasmina sollte unter allen Umständen keine grüne Jeans zurückbekommen. Ich wartete also geduldig.
Eine Stunde lang hielt ich aufmerksam Ausschau nach jeder sich bewegenden Gestalt. Mein Glücksgefühlspegel sank langsam aber sicher, als sich auch in der zweiten Stunde kein Reiter zeigte. Meine Hoffnung schlich sich davon. Ich musste zurück zum Mittagessen. Hunger hatte ich allerdings nicht. Aber ich wollte auch nicht, dass sie mich suchen mussten. Immerhin hatte ich ja gelogen, als ich behauptet hatte, dass ich im Park sei. Noch ein paar Minuten gestand ich mir zu.
»Das war ja auch ein blöder Gedanke«, schalt ich mich leise selber.
Wirklich blöd, Stella!
Es gab keinen einzigen Anhaltspunkt dafür, dass Freddy wieder hier auftauchen sollte, könnte oder wollte.
Vielleicht würde ich so dumm sein, zu glauben, dass er wahrhaftig erschien und deshalb jeden Tag hier auf ihn zu warten. Ich schnaufte wie ein angriffslustiger Stier.
»Mach dir keine falschen Hoffnungen«, murmelte ich.
Nur Hugo konnte mich hören.
Das kommt dabei heraus, wenn man zu lange allein unterwegs ist und sich mit einem Rollstuhl unterhält.
Bei diesem Gedanken musste ich spontan schmunzeln. Inzwischen war es höchste Zeit für mich, zur Klinik aufzubrechen. Ein letztes Mal ließ ich meinen Blick suchend umherschweifen, bevor ich die Bremsen löste.
»Na dann, auf zur Raubtierfütterung, Hugo«, sagte ich

tonlos. Langsam machten wir beide uns schließlich auf den Rückweg.
Über Mittag lag ich auf dem Bett und faulenzte. Ich genoss es, denn kein Mensch konnte den ganzen Tag auf einem Stuhl sitzen. Auch ich nicht. Schlafen konnte ich allerdings nicht. Ich hatte bald alle Fernsehsender durch, aber nirgendwo fand ich das, wonach mir jetzt zumute war. Ich schaltete den Ton aus und nahm mein Buch. Der Fernseher wurde im Hintergrund zur buchstäblichen Flimmerkiste. Das gab mir immerhin das Gefühl nicht ganz allein zu sein. Ich tauchte in der Fantasiewelt meines Buches ein und las das Kapitel zu Ende. Dann stand ich auf und richtete mich für meinen zweiten Ausflug in den Frühling her. Schließlich wanderte die Sonne ihrem Untergang entgegen, oder besser gesagt, die Erde drehte sich weiter.
Peter hatte es auf den Punkt gebracht. Die Sonne ging nie unter und die Welt verlor ihre Farben nicht, nur weil über uns gerade Nacht war. Meine Haare waren etwas durcheinandergeraten, aber ich konnte mich nicht kämmen, weil der Zopf bleiben sollte. Ich grinste mich an und war zufrieden. Hugo und ich nahmen schließlich zum dritten Mal denselben Weg. Wir kannten uns aus, kannten jeden Baum und Stein, der am Wegrand lag. Im Wald gab es nichts Neues. Der Rasen war genau so grün wie zuvor und weit und breit war kein Pferd zu sehen. Inzwischen strich eine sanfte Brise Frühlingsluft über mein Gesicht. Das war angenehm. Ich schloss für einen Moment die Augen, sog die laue Luft tief in meine Lungen und träumte von meinem Märchenprinz. Das Sonnenlicht flirrte vor meinen geschlossenen Lidern. Es fühlte sich so gut an, dass ich mich weigerte, meine Augen wieder zu öffnen. Kein Wecker, keine Termine

und keine Aufgabenliste störten meine Idylle. Ich verließ mich vollkommen auf meine Sinne, roch den Frühling, das Gras, die Blumen und hörte Vögel zwitschern. Menschliche Stimmen mischten sich nur leise, wie aus weiter Ferne, ein. Dann glaubte ich ein Schnauben vernommen zu haben. Schlagartig rannte mein Herz, als wollte es einen Sprint gewinnen. Vielleicht war das Schnauben aber auch nur ein Hirngespinst meiner Fantasie, das ich mir so sehr herbei gewünscht hatte. Dennoch beschloss ich, die Augen zu öffnen und mich zu überzeugen. Direkt vor mir stand ein Pferd. Ich lächelte und streckte die Hand nach ihm aus. Doch das Pferd schien mich längst erkannt zu haben.

»Du schon wieder!«, vernahm ich Freddys Stimme.

Dann hörte ich sein Lachen. Er saß auf dem Pferd.

»Hallo«, sagte ich nur.

Freddy ließ sich vom Pferd gleiten und ließ es fressen. Die frischen, zarten Grashalme mussten für ein Pferd eine Delikatesse sein.

»Hübsch siehst du aus. Ich hätte dich fast nicht erkannt.«

Solch ein Kompliment hatte ich lange nicht gehört. Zumindest nicht von einem Mann. Mir fiel es ehrlich schwer, das zu glauben. Statt mich zu freuen oder stolz zu sein, fühlte ich mich hilflos ausgeliefert.

»Kommst du oft hierher und erschreckst die Leute?«, fragte ich also und schob die Sonnenbrille auf den Kopf.

»Außer dir hat sich noch niemand vor uns erschreckt. Und du? Bist du jeden Tag hier?«

»Nein«, antwortete ich vorschnell. »Na ja, ab Montag habe ich wieder volles Trainingsprogramm. Da komme ich sicher erst raus, wenn die Sonne weg ist«, fügte ich hinzu, denn ich wollte Freddy ja nicht verjagen.

Freddy setzte sich neben mich auf den Boden, pflückte

ein Gänseblümchen und steckte es in den Mund.
»Dann sehen wir uns ja vielleicht mal zur Hippotherapie.« Freddy musterte mich aufmerksam.
Seine Augen funkelten mich an. Sie waren so braun, wie sein Haar. Sein Gesicht wirkte schmal, aber dieser Eindruck entstand vielleicht nur durch sein langes Haar, das er im Genick zusammengebunden hatte. Ein paar davon hatten sich aus dem Zopf gelöst und der Wind spielte damit. Er ließ sie hin und her über sein Gesicht wandern. Freddys Lächeln wirkte ansteckend. Einige Bartstoppeln glitzerten im Sonnenlicht. Ich konnte den Blick kaum von ihm abwenden, als wäre ich einem geheimnisvollen Bann verfallen. Doch ich wollte mir keine falschen Hoffnungen machen. Ich war an den Rollstuhl gefesselt und daran würde sich kaum etwas ändern. Vielleicht würde ich eines Tages Hugo heiraten. Bei diesem Gedanken musste ich spontan kichern. Oh Mann, war ich weit mit meinen Gedanken abgedriftet.
»Lachst du mich etwa aus?«, fragte Freddy.
»Nein. Was ist Hippotherapie?«
»Reiten«, lautete seine knappe Antwort.
Ich gab einen glucksenden Laut von mir. War das ein Scherz oder tatsächlich sein Ernst?
»Ja, es gibt kaum etwas Besseres«, erklärte er und begründete seine Anwesenheit damit, dass er geschäftliche Verbindungen knüpfen wollte, da er ein Trainer für Pferde und für Reiter war, der das Angebot seines Ponyhofes auf die sogenannte Hippotherapie, also das therapeutische Reiten, erweitern wollte.
»Das ist meine Vision, Stella. Dabei werden alle Muskeln angeregt, diverse Reize gesetzt, die Durchblutung und der Gasaustausch in unserem Körper angeregt. Du bekommst ein neues, besseres Gefühl für den eigenen

Körper. Du kannst Gleichgewicht und Koordination entwickeln, was dir am Boden schwer fällt. Und ganz nebenbei stärkt es ungemein das Selbstbewusstsein und sogar das Immunsystem! Psychotherapie wird dann oft überflüssig und natürlich auch viele der Pillen. Wahrscheinlich tun sich die Krankenkassen deshalb so schwer, weil die Pharmakonzerne ihnen einreden, das alles sei Humbug. Hippo ist der lateinische Begriff für das Pferd. Die Hippotherapie ist eine gezielte Reittherapie für Menschen mit physischen und psychischen Problemen oder Handicaps. Das Wissen darum gibt es schon, seit Menschen und Pferde zu Partnern wurden.«

Freddys Augen leuchteten. Ich sah, er war überzeugt von dem, was er sagte und er schien davon auch tatsächlich viel Ahnung davon zu haben.

»Bist du etwa ein Physiotherapeut?«, fragte ich beeindruckt. Wieder vernahm ich sein dunkles Lachen, das ich so mochte.

»Nein, Stella, ich bin Assistenzarzt. In meiner Freizeit gehört mein Herz den Pferden. Aber ich suche nach einem Weg, meinen Beruf sinnvoll mit meinem Hobby, meiner Leidenschaft zu verbinden. Das versuche ich zumindest gerade. Pferde geben uns so viel, vor allem das Gleichgewicht in uns selbst, Gelassenheit und Selbstvertrauen. Ein Pferd kann ohne *Wenn und Aber* der beste Freund an deiner Seite sein! Pferde machen keine Unterschiede, ob du im Rollstuhl kommst, eine Warze auf der Nase hast oder bunte Haare. Pferde sind von Grund auf ehrlich. Wenn du auf einem Pferd sitzt, Stella, dann bist du frei. Dann bist du nicht behindert, in keiner Weise. Und du wirst es auch nicht.«

Freddys Augen leuchteten mich an.

Ich legte den Kopf leicht schräg und kniff die Augen ein

wenig zusammen, sodass ich ihn gerade noch erkennen konnte.
»Und wie sollte ich mich auf einem Pferd festhalten?«, zweifelte ich.
»Gleichgewicht! Dann wird das Pferd dich halten.«
Ich lachte spontan auf. Das konnte ich dann doch nicht ganz glauben. Doch Freddy war ehrgeiziger, als ich geglaubt hatte. Vielleicht war er auch hartnäckig. Ein seltsamer Gedanke beschlich mich.
Will er mich etwa als Versuchsobjekt benutzen? Als Vorzeigeprojekt seiner Visionen, um die anderen Ärzte und die Krankenkassen von seinem Vorhaben zu überzeugen?
»Hast du Angst?«, fragte er grinsend.
Ich blickte mit Respekt auf den großen, braunen Kopf neben mir. Schwarze Augen blickten mich sanftmütig an.
»Nein!«, antwortete ich prompt und ohne zu überlegen. Natürlich hatte ich Schiss, aber das wollte ich nicht zugeben. Niemals! Jedenfalls nicht diesem Freddy gegenüber. Vielleicht war das ein Fehler. Ein sehr großer Fehler sogar, denn Freddy schnappte mich und bevor ich protestieren konnte, fand ich mich auf dem Rücken seines Pferdes wieder. Reflexartig griff ich nach dem Sattelhorn und schnappte nach Luft, während Freddy erwartungsvoll zu mir blickte.
Wow, dachte ich, *das erste Mal seit langer Zeit, dass jemand zu mir heraufsieht.*
Bisher hatte ich oft zu den anderen hochsehen müssen und war mir dabei oft sehr klein vorgekommen. Aber jetzt war ich groß. Ich war größer als alle und hoch beflügelt. Ich musste zugeben, dass es sich gut anfühlte, obwohl ich Angst hatte.
»Und?«, fragte Freddy schließlich.

»Das fühlt sich gut an«, gab ich zu und lächelte sogar.
»Kannst du mich jetzt bitte wieder absteigen lassen?«
Freddy tat so, als hätte er nur meine Antwort verstanden. Meine Bitte ignorierte er vollkommen. Er führte das Pferd vorwärts. Als sich das Tier unter mir bewegte, ergriff mich plötzlich die alte Unsicherheit. Ich wagte jedoch nicht zu jammern. Ich hatte nicht das Gefühl, dass Freddy mir etwas Böses antun wollte. Also beschloss ich, mich den beiden anzuvertrauen. Mit jedem Schritt vorwärts fühlte ich mich tatsächlich besser, leichter und stärker. Als Kind hatte ich in Westernfilmen Indianer und Cowboys bewundert, die mit ihren Pferden über die Prärie galoppiert waren. Das hatte sich mir eingeprägt und bei jeder Gelegenheit, die sich ergab, hatte ich auf einem Pony gesessen, um mich im Kreis herumführen zu lassen. Alles andere war nur ein Traum geblieben. Ein unrealistischer Traum. Irgendwann hatte ich dann nicht mehr geträumt. Aber gerade jetzt tat ich es! Ich kniff die Augen soweit zusammen, dass ich nur den Himmel verschwommen sah. Das Sonnenlicht flimmerte. Auf meiner Haut spürte ich den frischen Wind. Präriewind... Ich lächelte zufrieden in mich hinein und wünschte mir, dass die Zeit stehen bleiben würde.
»Wie heißt dein Pferd, Freddy?«, fragte ich.
»Kasper«, antwortete er, ohne mich anzusehen.
Ich lachte.
»Machst du dich darüber lustig?«
»Kasper ist ein lustiger Name, das musst du zugeben.«
»Stimmt.«
Freddy hielt vor Hugo an und wandte sich zu mir um.
»Er hat seinen Namen zurecht, denn er ist ein Kasper«, grinste Freddy. »Erzähle mir etwas von dir, Stella.«
»Oh da gibt es nicht viel zu erzählen. Schule, Fachschul-

studium zur Laborgehilfin und dann wurde ich im Crashkurs zur Floristin. Nach dem Tod meiner Eltern habe ich ihr kleines Blumengeschäft in Erfurt übernommen. Inzwischen ist das Geschäft aus gesundheitlichen Gründen und auf unbestimmte Zeit geschlossenen.«
»Wegen des Rollstuhles?«, fragte Freddy betroffen und zeigte mit dem Finger auf Hugo.
»Das ist Hugo. Und ihn trifft überhaupt keine Schuld. Er kann nichts dafür, dass er mich überall hinrollen muss, wohin ich will oder eben auch muss«, antwortete ich ernster, als ich das beabsichtigt hatte. In meinen Ohren klang es fast zickig.
»Hallo Hugo«, meinte Freddy. »schön dich kennenzulernen. Ich bin Freddy.«
Nein, es klang ganz und gar nicht so, als wollte Freddy sich über mich lustig machen. Eine Familie, die vorbeispaziert kam, stoppte bei uns.
»Die Kinder würden das Pferd gern streicheln. Dürfen sie das?«, fragte die Frau, die möglicherweise die Mutter der Kinder war.
»Fragen Sie das Pferd. Ich habe nichts dagegen«, schmunzelte Freddy.
Ungläubig starrte die Frau zu Freddy, während die Kinder das Pferd tatsächlich fragten. Das Pferd streckte ihnen den Kopf entgegen und ließ sich von den beiden Kindern geduldig streicheln. Ich grinste Freddy an, während er mir verschwörerisch zuzwinkerte. Einen Augenblick lang hatte ich das Gefühl, wir seien alte Freunde. Die Kinder liebkosten das ihnen fremde Pferd regelrecht, erzählten ihm allerlei Dinge und schienen dabei zufrieden und glücklich zu sein. Irgendwann ging die Familie weiter.
»Verstehst du jetzt, was ich meine?«, fragte Freddy.

»Ja. Aber das Wort Hippotherapie klingt furchtbar.«
»Stimmt. Hast du eine bessere Idee?«
»Ich überlege mir was.«
»Ich bin gespannt«, meinte Freddy und holte Schwung. Mit einem Satz saß er hinter mir auf dem Pferd und hielt die Zügel in der linken Hand. Vorsichtig legte er den rechten Arm um mich.
»Hast du denn außer diesem Platz schon mehr von der wunderschönen Landschaft hier gesehen?«
»Nein, aber...«
Weiter kam ich nicht. Kasper trabte an.
»Ist das überhaupt erlaubt?«, fragte ich Freddy.
»Nein«, antwortete er prompt und schnalzte mit der Zunge.
Kasper galoppierte mit uns beiden über die Rasenfläche. Ich konnte es nicht fassen! In meinem Bauch kribbelte es furchtbar. »Du bist verrückt!«, rief ich.
»Ja«, vernahm ich Freddys Stimme direkt an meinem Ohr.
Mein erneuter Anflug von Angst verflüchtigte sich schnell wieder. Ich ließ mich einfach auf die Bewegungen des Pferdes ein und lehnte mich an Freddys Körper. Das erste Mal seit unbeschreiblich langer Zeit glaubte ich meinen Körper wieder fühlen zu können. Und noch viel mehr. Ich empfand tiefes Vertrauen zu den beiden, auch wenn ich sie überhaupt nicht kannte. Schließlich war das erst unsere zweite Begegnung. Meine Gefühle fuhren mit mir Achterbahn. Doch ich war schlichtweg glücklich. Erst als Freddy mich wieder zurück in den Rollstuhl setzte, kam ich wieder zu mir. Die Realität war grausam. Doch das war mir in diesem Augenblick egal. »Danke«, sagte ich und blinzelte Freddy an.
Ich blinzelte meine Tränen weg. Aber dieses Mal waren

es Freudentränen.
»Alles okay, Stella?«, fragte er besorgt, als er sich vor Hugo und mich hockte.
Ich konnte sein Gesicht direkt vor mir sehen, wenn auch etwas verschwommen.
»Ich... ich...«, stammelte ich. »Ich war lange nicht mehr so glücklich. Ich hatte fast alles vergessen«, gab ich schließlich zu.
Freddy lächelte. Er schien erleichtert zu sein. Vorsichtig strich er mir einige Haare aus dem Gesicht.
»Ich auch«, sagte er leise.
Wir verharrten beide im Schweigen. Ich wusste nicht, was ich sagen sollte. Freddy wahrscheinlich auch nicht. Er war mir so nahe, dass ich seinen Atemzug auf meiner Haut spüren konnte. Ich wagte kaum noch Luft zu holen. In den meisten Liebesfilmen kam jetzt normalerweise der Kuss an die Reihe. Doch Freddy tat das nicht und ich hatte nicht den Mut dazu. Vielleicht war es besser so.
»Darf ich dich wieder besuchen kommen?«, brach er das Schweigen leise .
Mein Herz pochte schneller. *Natürlich!,* dachte ich. Ich spürte förmlich, wie mein Mund sich zu einem ausgeprägten Lächeln formte. Ich konnte es kaum glauben. Tapfer blickte ich Freddy an.
»Das wäre schön. Ich würde mich freuen. Ich kann...«
Weiter kam ich nicht. Freddy hatte mir seinen Zeigefinger auf den Mund gelegt.
»Wäre? Würde?«, fragte er und legte den Kopf etwas schräg. »Ich will es!«
Ich schnappte nach Luft, denn ich litt wahrscheinlich bereits unter Sauerstoffmangel.
»Ich auch«, antwortete ich.
Ich war längst kein Teenager mehr, aber in diesem

Moment fühlte ich mich gerade so. Ich konnte nicht zuordnen, ob daran die Frühlingssonne schuld war oder Freddy. Aber egal. Das war ein wunderschönes Gefühl. Ich vergaß meine Vorurteile, meine Bedenken und mein logisches Denkvermögen.
»Ich kann nur am Wochenende, wollte ich sagen. Die Woche über habe ich volles Programm.«
»Okay. Ich auch, Stella. Also, bis später. Kasper und ich haben noch ein Stück Weg vor uns.«
»Wo wohnst du?«, fragte ich.
»In Erfurt.«
Verwirrt blickte ich ihn an. »Du bist von Erfurt aus bis hierher geritten!?«, fragte ich ungläubig.
Grinsend schüttelte Freddy den Kopf. »Kasper wohnt allerdings in Hetschburg.
»Wo ist das?«
Freddy richtete sich auf und wies mit ausgestrecktem Arm in eine bestimmte Richtung.
»Dort ungefähr.«
»Weit?«
»Eine knappe Stunde durch den Wald. Den Rückweg schaffen wir in der Hälfte der Zeit«, grinste Freddy.
Spaßvogel, dachte ich. *Jetzt weiß ich genau so viel wie vorher.*
Freddy musste meine Gedanken gelesen haben.
»Ich zeige es dir mal. Du bist eingeladen!«
»Oh, danke«, erwiderte ich spontan.
Ich war neugierig und ich freute mich darauf, etwas Neues kennenzulernen. Ich spürte förmlich, wie mein alter Weg hinter mir zerbröckelte und das Sonnenlicht einen neuen, fremden Weg vor mir beschien. Ich konnte nicht sehen, wohin dieser Weg mich führen würde und ich wusste nicht, ob das der richtige Weg war, der Weg,

den ich gehen wollte. Obwohl ich die alte Angst noch in meinem Bauch spüren konnte, bemerkte ich doch schon das Kribbeln der Neugier darin. Ich musste einfach erkunden, wohin dieser neue Weg mich führte und ob der nun der richtige war. Ich musste! Und wenn es schiefgehen würde, war ich auch nicht schlechter dran, als jetzt.
Aber ich durfte nicht auf der Stelle treten und das wollte ich auch nicht.
»Auf Wiedersehen, Stella«, sagte Freddy, der mich damit in die Realität zurückholte.
Wieder sah ich sein lächelndes Gesicht direkt vor meiner Nase.
»Auf Wiedersehen, Freddy. Bis bald und kommt gut nach Hause, ihr zwei«, lächelte ich zurück.
Freddy drückte mir einen Kuss auf die Stirn, wandte sich sofort um und stieg auf sein Pferd. Von Weitem betrachtete er mich noch einmal und hob lässig die Hand zum Gruß. Dann wendete er das Pferd und ritt davon. Ich blickte ihnen nach. Ich musste sicher gehen, dass ich das nicht geträumt hatte. Deshalb kniff ich mich selbst in den Arm. Das tat weh. Freddy und Kasper waren verschwunden. Doch sie hatten Spuren hinterlassen.

*****

Der Montag war furchtbar. Ich war todmüde, denn ich hatte die halbe Nacht wach gelegen. Die andere Hälfte der Nacht hatte ich von Pferden geträumt. Von vielen Pferden. Sie waren auf einer großen Koppel und fraßen Gras, während ich mit Hugo vor dem Zaun stand und sie beobachtete. Wir beide waren allein, abgesehen von den Pferden natürlich. Auch von Freddy keine Spur. Dafür geisterte der den ganzen Morgen in meinem Kopf herum, sodass ich kaum noch einen klaren Gedanken fassen konnte. Ich war unkonzentriert und das musste wohl weder meinen Mitstreitern noch meinen Therapeuten entgangen sein.

»Stella?«, vernahm ich eine Stimme aus weiter Ferne.

»Stella! Alles okay mit dir?«

Die Stimme hatte mich in die Realität zurückgeholt. Die Stimme gehörte Jona. Jona, der nette Trainer in der Folterkammer, der mein Vater hätte sein können. Er hatte graue Haarstoppeln auf dem Kopf und im Gesicht und trug eine moderne Hornbrille. Unzählige Falten durchzogen sein Gesicht. Jona lächelte mich an.

»Ja«, rief ich. »Geht schon. Ich bin nur noch nicht auf Betriebstemperatur.«

Nun hörte ich leises Kichern und blickte in viele grinsende Gesichter. Ich grinste tapfer zurück. Vielleicht hatten sie ja etwas von meinem Sonntagsausflug mitbekommen und reimten sich etwas zusammen. Und wenn schon! Ich stemmte mich mit aller Kraft gegen die Gewichte. Jona nahm ein Gewicht von meinem Trainingsgerät, das sich Butterfly nannte. Schon ging es etwas leichter. Mit diesem Gerät sollte ich meine Arm-, Schulter- und Brustmuskulatur aufbauen und stärken.

»Langsamer und gleichmäßiger, Stella«, gab Jona seine Anweisungen.

»Okay.«

Ich strengte mich an, stieg von einem Gerät zum anderen, während mir immer wieder Teile von Jonas Anweisungen verloren gingen. Meine Gedanken kreisten um Kasper und Freddy. Ich saß nicht auf dem lederbezogenen Sitz eines Trainingsgerätes, sondern auf dem Sattel des Pferdes. Was für ein Traum! Eine Illusion, die für mich niemals in Erfüllung gehen würde. Hippotherapie vielleicht, aber nichts darüber hinaus. Außerdem hatte ich überhaupt keine Ahnung vom Umgang mit Pferden. Ohne fremde Hilfe würde ich nichts tun können. Vielleicht könnte ich ein Shetlandpony vor Hugo spannen. Dann wären wir schneller unterwegs. Bei dieser Vorstellung musste ich lachen. Nein. Vielleicht wäre ein Hund eher etwas für mich. Den könnte ich überallhin mitnehmen, auch in meine Wohnung. Das durfte ich allerdings nicht, denn das war mir per Mietvertrag ausdrücklich verboten. Diese Tatsache deprimierte mich postwendend. Ich atmete tief durch und kehrte zu meinem Training zurück. Jona grinste noch immer.

In den Therapiepausen beschäftigte ich mich mit dem ungeliebten Formularstapel der Krankenkasse. Tapfer kämpfte ich mich hindurch. Schließlich ging es um mich! Die Fragen, die ich beantworten musste, machten mich wütend.

Sollen die doch zusehen, woher sie das Geld für meine Therapien bekommen! Mir doch egal! Ich hab das nicht gewollt und nicht verursacht.

Ich schnaufte mehrmals und raufte meine Haare. Erschrocken stellte ich fest, dass ich meine Schwimmtherapie verpasst hatte. Gerade darauf hatte ich mich so sehr gefreut. Stunden waren vergangen, bis ich endlich mit dem Papierstapel zur Rezeption fuhr. Frau Sander war so freundlich, alles in einen großen Briefumschlag zu stecken.

»Danke!«, sagte ich. »Das Porto bitte wieder aufs Zimmer. Das ist mit Sicherheit nicht das Letzte.«

Frau Sander nickte und lächelte.

»Moment mal!«, hielt ich inne. »Wieso bezahlt die Krankenkasse nicht das Porto? Die wollen den Kram

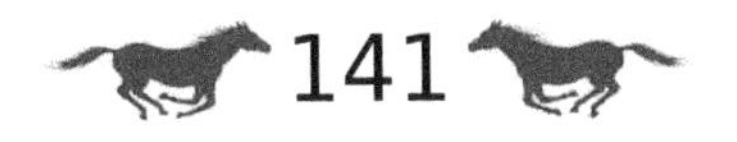

doch schließlich haben und obendrein noch deshalb, um Geld an mir zu sparen. Geht nicht auch: Porto zahlt der Empfänger?«, fragte ich.
»Ich kann es versuchen.«
»Danke, das wäre schön«, antwortete ich.
Und schon eilte ich zur nächsten Therapie. Ich wollte nicht noch eine weitere versäumen. Ich ärgerte mich immer noch über die verpasste Schwimmstunde. Ich war schon immer gerne Schwimmen gegangen. Ich liebte es geradezu! Und heute hatte ich unfreiwillig darauf verzichten müssen. Ich schnaufte. Schon wieder war ich mit Hugo viel zu schnell unterwegs. Im Vorbeifahren rief der zweibeinige Hugo mir zu: »Stella! Du brauchst eine Hupe!«
»Besser ein Blaulicht!«, rief ich zurück und lachte.
Ich war froh, als der Montag um war und ich relativ früh in meinem Bett landete. Meine Glieder waren schwer und schmerzten. Ich hatte das Gefühl, als hätte ich den ganzen Tag im Steinbruch gerackert. Einige Muskeln und Knochen machten sich bemerkbar, von deren Existenz ich bisher nichts gewusst hatte.
Tapfer kämpfte ich mich auch durch den Dienstag. Ich schaffte sogar, mich voll auf meine Übungen zu konzentrieren. Das war nachweislich effektiver. Nicht nur Jona war mit mir zufrieden. Auch ich war es.
Frau Winzer brachte mir persönlich gleich drei Briefe auf mein Zimmer. Dicke, große Umschläge, die nichts Gutes vermuten ließen. Meine Selbstzufriedenheit hatte Grenzen. Deshalb wollte ich sie nicht öffnen. Zumindest nicht während der Therapiepausen. Schließlich überwog doch meine Neugier und ich öffnete sie. Nacheinander überflog ich die verwirrenden Sätze, bis mir davon schwindlig wurde.

»Hör dir das an, Hugo!«, rief ich empört. »Die müssen doch denken, ich habe hier den ganzen Tag nichts zu tun! Wenn das so weitergeht, brauche ich ein eigenes Büro.«
Ich warf die Blätter achtlos auf den Schreibtisch.
»Eingang außerhalb meiner Bürozeit«, knurrte ich.
Ich hatte mir geschworen, nie wieder eine meiner Therapien zu verpassen. Nicht wegen solchem Unfug!
Ich seufzte tief. Doch ob ich nun wollte oder nicht, ich musste die Schreiben beantworten. Also würde nur der Abend oder das Wochenende dafür infrage kommen. Ich schnaufte, denn für das Wochenende hatte ich andere Pläne.

*****

Am Mittwochnachmittag wartete ich auf Anweisung des Chefarztes, Professor Doktor med. Hagedorn, im Foyer auf eine neue Therapiestunde. Schwester Yasmina hatte mich hier abgestellt. Dabei hatten wir uns ein wenig verplaudert. Dann wurde sie abgerufen. Bevor sie ging, wünschte sie mir mit einem Augenzwinkern viel Spaß bei der Hippotherapie. Ich schnappte nach Luft. Doch bevor ich etwas sagen konnte, war Yasmina verschwunden. Mein Herz schlug plötzlich schneller. Ich rollte mit Hugo in Richtung Glastür. Nichts zu sehen. Ich wartete. Würde ich gleich Freddy und Kasper wiedersehen? Ich war gespannt und natürlich furchtbar aufgeregt. Mein Unterbewusstsein wühlte meine Gedanken durcheinander, ließ mich auf meiner Unterlippe herumnagen und meine feuchten Hände über die Jeanshose reiben. Wie gebannt starrte ich durch die Glastür und wagte nicht den Blick von ihr zu wenden. Ich platze förmlich vor Neugier.

Schließlich hielt ich es nicht mehr aus. Okay, ich sollte im Foyer warten, doch eine unsichtbare Kraft ließ mich hinausrollen. Ich musste! Ich konnte nicht anders. Oh mein Gott! Kein Freddy war zu sehen und weit und breit kein Pferd.
Ein Taxi fuhr zum Eingang. Der Kleinbus, der wie ein Krankentransporter aussah, hielt direkt vor mir. Der Fahrer, ein junger Mann, stieg aus und eilte an mir vorbei. Ich wandte mich um. Wenige Sekunden später stand der Fahrer wieder vor mir. Die Gläser seiner Sonnenbrille ließen mich seine Augen nicht erkennen. Hugo und ich spiegelten uns darin.
»Stella Fröbel?«, fragte er mich.
»Ja«, nickte ich verwundert.
»Ihr Taxi ist da!«
»Ich habe keins bestellt.«
Der junge Mann grinste mich an.
»Zur Hippotherapie. Die Klinik hat Ihr Taxi bestellt«, nickte er.
Tief im Inneren war ich ehrlich erschrocken. Ich bemerkte geradezu, wie ich ihn anstarrte.
Wer soll das alles bezahlen?
Bei dem Gedanken wurde mir schwindlig. Spontan dachte ich an den Brief der Krankenkasse. Nichts war geregelt und genehmigt. Die Klage gegen meinen Unfallgegner hatte ich gerade erst eingereicht und ein Rechtsstreit konnte sich über einige Jahre hinschleppen. Meine finanzielle Situation sah momentan mehr als traurig aus und hatte mir schon oft den Schlaf geraubt. Und der Kerl, der mir das alles eingebrockt hatte, war nicht mal auf die Idee gekommen, nach mir zu fragen!
Es war gerade so, als hätte der junge Mann meine Gedanken gelesen, denn er sagte: »Ich habe hier einen

Transportschein. Darauf steht eindeutig Ihr Name und die Verordnung: Zweimal pro Woche Fahrt zur Hippotherapie auf ärztliche Verordnung.«
Ich verstand das immer noch nicht. Aber ich war auch nicht in der Lage weiter darüber nachzudenken und das wollte ich auch gar nicht.
»Na dann«, lächelte ich schief. »Auf gehts!«
Ich erfuhr, dass der junge Mann Robert hieß, während er mich samt Hugo tatsächlich professionell in sein Taxi verfrachtete und vorschriftsmäßig sicherte. Dann fuhren wir davon. Ich sah etwas von der Stadt und staunte nicht schlecht, wie groß die war. In meiner Ahnungslosigkeit hatte ich sie ja für ein kleines Nest am Ende der Welt gehalten. Auch die Landschaft ringsum war wunderschön. Die Sonne schien. Das Licht flirrte zwischen den Bäumen. Meine Augen begannen zu tränen, deshalb schloss ich sie für einen Augenblick. Das Auto schaukelte. Robert fuhr sehr rücksichtsvoll. Nach einigen Kurven tauchten wieder Häuser auf.
»Wo sind wir hier?«, fragte ich.
»Noch immer in Bad Berka«, hörte ich ihn lachen.
»Wie weit müssen wir denn noch fahren?«
»Etwa fünf Minuten. Ist alles okay?«, fragte er besorgt.
»Ja, alles okay. Ich war nur noch nie hier.«
Robert nickte. »Woher kommen Sie denn?«
»Ich wohne in Erfurt.«
»Na das ist ja nur ein Katzensprung.«
»Hmhm«, machte ich.
Robert fuhr langsam, weil die Straßen holprig waren. Ich lächelte und blickte verträumt zum Fenster hinaus. In meinem Bauch kribbelte es. Lampenfieber? Ja das hatte ich. Dazu gesellte sich ein wenig Schiss, den ich mit aller Macht zu verbergen versuchte. Doch vor wem? Vor mir

selbst! Das funktionierte gerade nicht.
Irgendwann erblickte ich am Straßenrand Koppelzäune. Dann sah ich eine Handvoll grasende Pferde. Mein Herz schlug schneller. Wieder wischte ich den Schweiß meiner Hände an der Jeanshose ab. Ich redete mir ein, dass ich ja gar keine Angst haben musste. Außerdem hatte ich mich so sehr auf das Wiedersehen mit Freddy und Kasper gefreut. Als das Taxi stoppte war mir schwindlig.
»Holen Sie mich nach der Therapie auch wieder hier ab, Robert?«, fragte ich den jungen Mann, der mich auslud.
»Nein. Zurück müssen Sie reiten«, entgegnete er trocken. Erst als er meine Verzweiflung bemerkte, grinste Robert. »Natürlich fahre ich Sie auch wieder zurück.«
Erleichtert atmete ich auf.
Mein Humor schien gerade eingefrostet zu sein und zwar tief unter einer Schicht aus Angst, Zweifel und Spannung vor dem, was mich gleich erwarten würde. Mir war sogar egal, dass Robert mich mit Hugo ein Stück über den Schotterweg schob und wie der Postbote ein Paket auf dem Hof ablieferte. Die Eindrücke, die gerade auf mich einstürzten, überforderten meine Sinne. Ich stand sozusagen neben mir und schwieg mich aus. Während Robert die Bremsen meines Rollstuhles anzog, damit ich auf dem abschüssigen Gelände nicht ungewollt weiterrollte, sprach er mit einer jungen Frau. Einen Moment später begrüßte die junge Frau mich freundlich und streckte mir ihre Hand entgegen.
»Hallo, ich bin Sylvia, deine Reitlehrerin.«
»Hallo, ich bin Stella. Freut mich«, antwortete ich ebenso freundlich aber abwesend, denn mein Blick suchte nach Freddy.
»Freddy hat mir schon von dir erzählt.«

»So?«, fragte ich.
Ich hörte Sylvias Lachen. Ich nahm all meinen Mut zusammen und fragte: »Wo ist er?«,
»Er ist zu einer Weiterbildung. Ich soll dich aber von ihm grüßen«, antwortete Sylvia fröhlich.
Ich hingegen konnte meine Enttäuschung darüber nicht verbergen. Hilfesuchend sah ich mich nach Robert und dem Taxi um. Doch die waren längst verschwunden.
Wie sollte diese kleine, zarte Person mich denn auf ein Pferd bugsieren können? Ich bezweifelte das nicht nur, ich hielt es für schlichtweg unmöglich. Sylvia jedoch schien darin kein Problem zu sehen. Freundlich forderte sie mich auf, dem mit Platten belegten Weg bis unter das Dach zu folgen. Dort stand es: Ein gesatteltes hellbraunes Pferd mit goldener Mähne, das mir entgegenblickte. Skeptisch, wie mir schien. Vielleicht genauso skeptisch, wie ich das Pferd gerade musterte. Für einen Augenblick hatte ich das komische Gefühl in einen Spiegel zu sehen. Hugo stoppte in gebührendem Abstand, denn obwohl das Pferd in etwa so groß wie Freddys Kasper zu sein schien, hatte ich Respekt. Okay, das war in diesem Augenblick wohl ein anderes Wort für meine Angst. Und ich hatte gerade so furchtbare Angst, dass ich Fluchtgedanken hegte. Das Pferd wandte den Kopf unterdessen in eine andere Richtung. Plötzlich grummelte meine Angst so sehr in meinem Bauch herum, sodass ich sofort zur Toilette musste. Ich sah mich um. Doch niemand war zu sehen, auch Sylvia nicht. Meine Unruhe ließ mich schwitzen. Vorsichtig bewegte ich Hugo vorwärts. Vielleicht würde ich die Toilette alleine finden. Ich hörte das Pferd hinter mir schnauben. Auf der linken Seite befand sich eine Stallfront mit fünf leeren Boxen, deren Türen offenstanden. Ich vernahm aus dem Schatten nur

leises Rascheln. Schließlich begrenzte eine Steinmauer den Weg. Auf der rechten Seite stand ein Bungalow, zu dessen Eingangstür allerdings mehrere Stufen hinaufführten. Die Sonne schien. Es war warm und etwas windig. Links vor mir tauchte eine Koppel auf, die originell mit einem alten Holzzaun eingezäunt war. Kein Pferd war da. Ich hörte jemanden kommen und wandte mich um. Ein schwarz- weiß gefleckter Hund schien sich über meine Anwesenheit überaus zu freuen und sprang übermütig an mir hoch.
»Rieke!«, hörte ich Sylvias Stimme. »Aus!«
»Schon okay«, rief ich zurück. Ich hatte keine Angst und streichelte den Hund.
»Sie sucht immer jemanden, der mit ihr spielt und fordert ihre Streicheleinheiten ein.«
Ich lachte, als Rieke meine Hände abschleckte.
»Das mache ich doch gerne. Na Rieke, das gefällt dir.«
Die Hündin ließ mich meine Angst etwas vergessen, doch damit schwand nicht das Gefühl, dass ich zur Toilette musste. Ich vertraute mich Sylvia an. Sie zeigte mir die Toilette und öffnete mir die Tür. Die Hündin begleitete uns. Der Raum war tatsächlich befahrbar und groß genug für Hugo und für mich.
Sylvia stand beim Pferd, als ich zurückkam. Sie wartete bereits auf mich. Rieke war verschwunden.
»Wie soll ich denn dort hinaufkommen?«, zweifelte ich.
»Mit dem Lifter«, antwortete sie lapidar.
»Oh, so was gibt es hier auch?«, staunte ich.
Sylvia lachte.
»Ja und der ist neu. Den haben wir Freddy zu verdanken. Wenn der sich einmal was in den Kopf gesetzt hat, dann boxt er das auch durch. Na ja, und ohne dieses Ding hätten wir die Genehmigung für die Hippotherapie nicht

bekommen. Früher hatten wir mal eine Rampe. Die war aber nur geliehen und ist kaum benutzt worden. Die Kinder haben wir auf die Pferde gehoben oder mit der Aufsteigehilfe hochbugsieren können. Mit dem Lifter sind wir nun perfekt ausgerüstet und auf der sicheren Seite, auch aus Versicherungsgründen.«
Ich staunte offensichtlich und wagte einen zweiten skeptischen Blick zum Pferd. Sylvia schien meine Angst bemerkt zu haben und lächelte.
»Keine Angst, der ist ganz lieb.«
Das sagen sie alle, dachte ich.
»Wie heißt das Pferd?«, fragte ich schließlich.
»Fritz.«
Ich musste lachen. Ich lachte das erste Mal an diesem Tag und das richtig.
»Fritz ist siebzehn Jahre und unser erstes Therapiepferd, erfahren und total lammfromm«, erklärte Sylvia unbeeindruckt.
Jetzt kam noch eine junge Frau zu uns.
»Hallo«, trällerte sie fröhlich und reichte mir die Hand. »Ich bin Christin und gerade in der Ausbildung zur Pferdewirtin«, stellte sie sich vor.
Lockiges, schwarzes Haar umspielte ihr rundes Gesicht, aus dem dunkle Augen mich anstrahlten. Kleine Grübchen zeichneten sich auf ihren Wangen ab, als sie mich angrinste. Christin war nur unscheinbar größer als Sylvia, aber kräftiger gebaut. Sie war mir vom ersten Augenblick an sympathisch.
»Stella Fröbel, guten Tag«, lächelte ich zurück.
»Christin wird uns helfen. Die ersten Therapiestunden müssen aus Sicherheitsgründen immer mit zwei Therapeuten absolviert werden. Also zumindest Freddy und ich haben eine Zusatzausbildung zum Reittherapeuten.

Wir arbeiten in der Einzeltherapie immer mit einem Helfer, in der Gruppe mit zwei bis drei. Ich werde das Pferd am langen Zügel steuern, damit du dich zunächst völlig auf dich selbst konzentrieren kannst. Ich werde dich aufmerksam beobachten und dir eventuell Anweisungen geben. Du musst keine Angst haben, denn Angst verspannt. Lass dich einfach nur auf die Bewegungen des Pferdes ein. Christin geht an deiner Seite und kann sofort eingreifen, falls du Hilfe brauchst.«
Ich nickte nur.
Dann streckte ich die Hand aus, um Fritz zu streicheln. Noch immer hatte ich tief in mir das Gefühl, flüchten zu müssen. Doch ein anderes Gefühl war stärker. Ich wollte nicht ewig auf der Stelle treten. Ich wollte vorwärtskommen. Ich musste! Schließlich war ich nicht der Typ, der vor Problemen einfach wegrannte. Dann lachte ich. Ich konnte ja gar nicht wegrennen!
»Na Fritz, lässt du mich auf deinen Rücken?«, fragte ich leise.
Fritz schielte mich an und zwinkerte. Unendliche Geduld und Ruhe strömten mir entgegen.
»Ich glaube wir beide sind soweit«, grinste ich Sylvia an.
»Okay. Aufsitzen!«
Sylvia und Christin fixierten mich mit dem Liftertuch und hoben mich vorsichtig auf den Pferderücken. Das Pferd trug keinen Sattel, nur eine Decke, die Sylvia *Reitpad* nannte. Ein breiter Gurt, der um den Bauch des Pferdes geschnallt war, hatte zwei stabile Ledergriffe, an denen ich mich festhalten konnte. Ich umfasste sie sofort. Das gab mir die Sicherheit, die ich im Augenblick brauchte. Erleichtert atmete ich auf.
Sylvia lächelte mir aufmunternd zu, als sie meinen Fuß in die dafür vorgesehene Halterung am Reitpad steckte. In

etwas, das einem Reitstiefel ähnelte, der meinem Fuß und Unterschenkel Halt geben sollte, wurden meine Beine angeschnallt.
»Später kannst du dir ja eigene Reitstiefel zulegen, wenn du weitermachen willst. Die geben allen Füßen und Beinen besseren Halt und Schutz. Die Turnschuhe sind hier fehl am Platze und nicht einmal ungefährlich.«
»Aha«, nickte ich, während Christin mein zweites Bein auf der anderen Seite gesichert hatte. Endlich hatte ich meine Angst ablegen können. Sie befand sich jetzt irgendwo dort unten bei Hugo. Christin band Fritz los und führte ihn, mit mir obendrauf, zur Reithalle. Ich schickte einen letzten Blick zu Hugo, von dem wir uns immer weiter entfernten. In die sandige Reithalle drang das Sonnenlicht schräg durch die Wände. Schatten und Licht bewegten sich um mich herum. Ich saß auf einem Pferd, dass von einer jungen Frau geführt wurde. Nach einer Runde im Schritt blieb sie stehen. Das Pferd auch. Christin nahm Fritz den Führstrick ab und zwinkerte mir aufmunternd zu.
»Wir gehen heute nur im Schritt. Ganz relaxt, wie beim Spaziergang.«
»Okay«, stimmte ich zu.
Während Christin neben mir und dem Pferd ging, blieb Sylvia etwas hinter uns zurück. Wieder keimte tief in mir Unsicherheit. Ich umfasste die Griffe fester mit meinen Händen. Hilfesuchend sah ich mich um. Sylvia ging hinter uns. Sie hielt die langen Zügel in der Hand. Fritz hingegen trug mich sanft und vorsichtig, als müsste gerade er auf mich aufpassen. Ich streichelte ihn am Hals. Niemand war vor uns und irgendwann hatte ich tatsächlich das Gefühl zu reiten. Ich bildete mir ein, dass ich das allein konnte. Die Frühlingsluft strich durch meine Sinne und

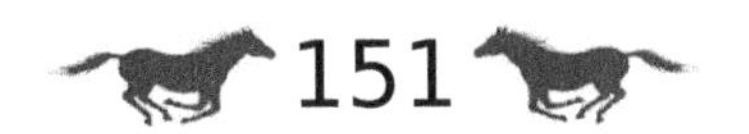

ließ mich tatsächlich alles um mich herum vergessen. Sonne und Schatten wanderten abwechselnd über das braune Fell von Fritz. Sie gaben seiner Mähne einen goldenen Schimmer. Meine Hände hatten sich allmählich von den Griffen gelöst. Ich spürte die gleichmäßigen Bewegungen des Pferdekörpers unter mir und seine angenehme Wärme. Fritz konnte mich überall hin-bringen.
Er ist besser als Hugo, dachte ich. *Doch Fritz kann nicht mit auf mein Zimmer,* dachte ich weiter und schmunzelte.
Plötzlich stoppte Fritz. Fragend blickte ich in Christins rundes Gesicht, während sie den Führstrick am Halfter einhakte.
»Und? Wie war das?«, fragte sie.
»Schon zu Ende?«, fragte ich erstaunt.
Wir hatten doch gerade erst angefangen.
Ich vernahm Sylvias Lachen. »Stimmt. Dreißig Minuten können schnell vergehen, wenn es Spaß macht.«
Ich beobachtete, wie sie die langen Zügel aufrollte.
»Kommst du nächste Woche wieder?«, fragte sie.
»Na klar!«
Ich empfand hier oben auf dem Pferderücken einen Stolz, den ich vorher so nie empfunden hatte. Ich hatte etwas geschafft, das ich für unmöglich gehalten hatte. Sicher war das kein Vergleich zu dem Ausritt mit Kasper und Freddy. Doch in diesem Augenblick beschlich mich ein unheimlicher Gedanke. Vielleicht konnte ich es schaffen, eines Tages wieder mit Freddy auszureiten. Jeder auf seinem Pferd?! Ich spürte mein Herz schneller schlagen. War das vielleicht der Gedanke an Freddy? Wie sehr hatte ich mir gewünscht, dass er doch noch hier auftauchen würde. Bei diesen Gedanken schüttelte ich den Kopf.

Das glaubst du doch selbst nicht, hörte ich meine innere Stimme. *Und mach dir bloß keine falschen Hoffnungen, Stella Fröbel!*
»Glaubst du, dass so jemand wie ich tatsächlich richtig Reiten lernen kann?«, fragte ich meine Therapeutin, die ja Reitlehrerin war.
»Ja, warum nicht. Wenn du etwas wirklich willst, schaffst du das«, sagte Sylvia überzeugt.
Ich wollte!
Und vor allem wollte ich Freddy wiedersehen. Eine Therapiestunde mit ihm war mein nächstes Ziel. Sylvia und Christin waren wirklich sehr nett. Wir unterhielten uns über alles mögliche, während sie mich wieder zurück in den Rollstuhl setzten. Hugo hatte inzwischen wie immer geduldig auf mich gewartet. Ich hörte mich selbst, wie ich mich bei Fritz bedankte. Bedauerlicherweise hatte ich weder ein Stück Brot noch eine Möhre dabei. Nächstes Mal wollte ich aber daran denken. Das versprach ich ihm. Christin verabschiedete sich bereits von mir, da andere Arbeit auf sie wartete. Irgendwann fragte Sylvia mich, was mir passiert war. Ich erzählte ihr von meinem Unfall. Sylvia wahr ehrlich berührt. Ich fügte noch hinzu, dass der Unfallverursacher sich aus dem Staub gemacht hatte. Nicht ein einziges Mal war er zu mir gekommen, hatte sich nie gemeldet oder nach mir erkundigt, erzählte ich ihr. Auch dass ich ihn auf Schadenersatz und Schmerzensgeld verklagt hatte, erzählte ich. Sylvia verzog verständnisvoll das Gesicht.
Kurz darauf tauchte Robert, der nette Taxifahrer, mit der Hündin Rieke an seiner Seite bei uns auf.
»Hey, Sie haben das ja tatsächlich überlebt und das Pferd auch«, grinste er frech. »Bereit für den Rückflug?«

Ich lachte.
»Ja. First Class bitte«, entgegnete ich.
»Was denn sonst? Darf ich bitten, Madame?!«
Ich verabschiedete mich von Sylvia und Fritz.
Nun rollte ich mit Hugo den Plattenweg entlang, an der Reithalle vorbei, zurück zum Taxi. Rieke begleitete Robert und mich noch ein Stück, bis Sylvia sie zurückrief. Die Hündin trottete davon.
Robert lud uns in den Transporter, wo er Hugo und mich sicherte, damit die Ladung nicht beschädigt würde, wie er meinte. Ich grinste. Und schon schaukelte das Taxi, sanft wie eine Sänfte, zurück ins Silbertal. In Gedanken war ich noch immer bei Fritz. Die Rückfahrt erschien mir viel kürzer als der Weg zum Reiterhof. Als Robert mich ordnungsgemäß abgeliefert hatte, bedankte ich mich herzlich bei ihm. Er hatte seine Sache wirklich gut gemacht. Mir war während der Fahrt nicht einmal übel geworden und das wollte etwas heißen.
Ich meldete ich mich an der Rezeption der Klinik zurück. Mal wieder hatte ich Post bekommen. Der Brief war von einer Versicherung, die ich nicht kannte. Ich steckte den Brief in die Jackentasche und fuhr hinaus in den Park. Mitten in der Woche gehörte der mir fast allein. Hier duftete es nach frisch gemähtem Rasen. Ich liebte diesen Duft und sog ihn tief in meine Lungen. Auf der Rasenfläche stoppte ich Hugo und arretierte seine Bremsen. Nachdem ich mich ausgiebig umgesehen hatte, zog ich den Brief heraus. Meine Neugier ließ mir keine Ruhe. Also öffnete ich ihn und las. Irgendwann hätte ich das sowieso tun müssen. Falls er schlechte Nachrichten enthalten sollte, hätte ich mich bis zum Schlafengehen vielleicht wieder beruhigt. Doch die Nachrichten waren weder schlecht noch gut. Der Brief enthielt nur einen

Bescheid, dass besagte Haftpflichtversicherung die Forderungen meiner Krankenkasse zur Zahlungsübernahme erhalten hatte, die derzeit überprüft würden.
»Na hoffentlich«, murmelte ich und steckte den Brief wieder ein.
Zumindest musste ich den nicht beantworten, dachte ich zufrieden.
Ich beobachtete eine Handvoll Menschen, die unten am Weg spazieren gingen. Ihre bunte Kleidung wirkte wie ein wogendes Blumenfeld im Grünen. Doch irgendwann dachte ich an gar nichts mehr. Eine eigenartige Woge der Gleichgültigkeit hatte Besitz von mir ergriffen. Das Einzige, was noch in mein Bewusstsein drang, war der Duft nach frisch gemähtem Gras.

Kapitel 5

Stella auf Abwegen

Der darauffolgende Tag barg nichts Besonderes. Ich war hoch motiviert und die Therapiestunden machten mir viel Spaß. Ich traf alte Bekannte, mit denen ich mich verplauderte, und ich traf einige neue Gesichter.
Insgeheim freute ich mich schon auf das Wochenende. Immerhin hatte Freddy angedeutet, dass er mich wiedersehen wollte. Vielleicht. Doch ich wollte einfach nicht enttäuscht werden. Tatsächlich erlebte ich am Nachmittag eine Überraschung, die mir den Atem verschlug. Ich planschte gerade die letzte Runde im Bewegungsbad. Das war sozusagen die Kür nach meinen Pflichtübungen. Die Therapeutin saß am Beckenrand und ließ mich nicht aus den Augen. Ich genoss es einfach ziellos dahinzutreiben. Das Wasser trug mich davon. Den hässlichen Chlorgeruch konnte ich inzwischen gut ausblenden. Ich hatte nicht mitbekommen, dass jemand zu uns hereingekommen war. Deshalb schreckte ich sichtlich zusammen, als eine mir wohl bekannte Stimme an meine Ohren drang.
»Schwimm nicht zu weit raus, Stella. Dort draußen gibt es Piranhas.«
Schlagartig riss ich die Augen auf und blickte mich um, während ich sein Lachen hörte.
»Peter!«, rief ich laut und voller Freude. »Das gibts doch nicht. Was machst du denn hier?« Schnell paddelte ich zur anderen Richtung, dass das Wasser nur so spritzte.
»Kontrollbesuch. Und wie ich sehe, machst du immense Fortschritte.«
»Da hättest du mich erst mal beim Reiten sehen sollen!«, rief ich stolz zurück.
»Beim Reiten?«, fragte Peter skeptisch, der mich an der

Hand zum Beckenrand zog.
»Ja, natürlich«, nickte ich eifrig.
»Worauf?«, grinste er frech.
Selbst die Therapeutin kicherte leise, während sie den Lifter über mir positionierte. Ich tauchte meine Hand unter Wasser und spritzte Peter nass, der übertrieben nach Luft schnappte.
»Du bist ganz schön frech geworden, Stella!«
»Was sein muss, muss sein«, konterte ich. »Ach Peter! Ich freue mich so, dass du da bist. Hast du etwas Zeit mitgebracht? Wie geht es Lilly? Und Lutz? Und was gibt es Neues aus der Klinik? Sind sie alle noch da? Habt ihr mich vermisst?«
Wieder hörte ich Peters klares Lachen, dass ich so sehr mochte. »Hübscher Badeanzug! Nun komm erst mal raus da, bevor du mir noch total verschrumpelst.«
Die Therapeutin fixierte mich im Sitz des Lifters und schon ging es aufwärts. Das Wasser tropfte an mir herab, als wäre ich ein Walfisch, der aus dem Ozean auftauchte. Ich fror ein wenig, doch mein Tag war gerettet. Mein Herz hüpfte geradezu vor Freude über Peters unerwarteten Besuch. Ich konnte mich gar nicht so schnell abtrocknen und ankleiden wie ich wollte. Das dauerte mir gerade viel zu lange, denn draußen wartete Peter auf mich. Ich kämmte mein Haar, ohne es trockenzuföhnen. Das ging auch so. Schließlich wollte ich nicht zum Schönheitswettbewerb. Ich konnte es kaum glauben. Ich hatte Besuch!
Peter hatte mich nicht vergessen. Ich nahm ihn mit hinauf und zeigte ihm mein Zimmer. Anerkennend nickte er, schob die Gardine zur Seite und blickte zum Fenster hinaus.
»Schön hast du es hier. Natürlich nicht so schön wie bei

uns in der Klinik, aber…« Peter drehte sich zu mir um und fuhr mit zwei Fingern über seine Nase. »Nein«, sagte er dann. »Niemand hat dich vermisst.«
Ich spürte förmlich, wie mein Gesicht sich verzog, ob ich es nun wollte oder nicht. Wirklich glauben konnte ich seine Worte nicht. Dazu kannte ich Peter zu gut.
»Scheusal«, zischte ich.
»Alle werden mich mit Fragen bombardieren, wenn ich morgen zur Arbeit komme. Ich soll dich übrigens von allen grüßen. Sogar vom Professor. Und ganz besonders von Lutz und Lilly.«
»Danke«, grinste ich triumphierend.
»Und du bist wirklich geritten?«
»Natürlich«, antwortete ich, als sei das die natürlichste Sache der Welt. Ich erzählte Peter von der Begegnung mit Freddy und Kasper, meinem ersten Ausritt und von der Hippotherapie. Peter hörte beinahe reglos, aber aufmerksam zu und nickte schließlich anerkennend.
»Das hört sich ja gut an. Du machst wirklich erstaunliche Fortschritte, Stella. Das freut mich, ganz ehrlich.«
»Mich auch.«
»Der erste Sonnenstrahl am Horizont?«
Ich lächelte verlegen. Doch dann nickte ich.
»Ohne dich hätte ich das nie geschafft, Peter.«
»Jetzt übertreibst du aber.«
Ich grinste nur.
»Gehen wir hinunter? Ich möchte dich gern zu Kaffee und Kuchen einladen und wenn du noch etwas Zeit hast, könnten wir in den Park gehen. Du glaubst nicht, wie grün das Gras dort ist.«
Peter grunzte amüsiert. »Oh, vielen Dank. Ich habe Zeit bis heute Abend.«
Gemeinsam fuhren wir hinunter ins Foyer. Kaffee und

Kuchen gab es für uns draußen auf der Terrasse. Wir hatten uns wirklich viel zu erzählen und lachten noch mehr. Peter war ein charmanter Witzbold. Er schaffte es immer wieder, mich zum Lachen zu bringen und manchmal lachte ich, bis mir die Tränen in den Augen standen. Unvermittelt schnappte er Hugo, fuhr Zickzack und drehte uns um die eigene Achse. Ich vernahm mein eigenes, albernes Kichern. Peter stoppte abrupt und tat, als würden wir nun zu einem Rennen starten, das er einfallsreich kommentierte. Ich kicherte pausenlos, schnappte nach Luft und bekam schließlich einen Schluckauf. Einige Leute sahen sich nach uns um. Wir beide waren albern wie kleine Kinder. Aber das war mir sowas von egal.
Es roch nicht mehr nach frisch gemähtem Rasen. Heute roch es nach den duftenden Blüten der Sträucher ringsum, die sich in der Frühlingssonne gerade entfalteten. Die Sonnenstrahlen und die Wärme der letzten Tage hatte sie förmlich herausgelockt. Ich zeigte Peter meine Lieblingsstelle, an der ich Freddy und Kasper das erste Mal begegnet war. Dort setzten wir uns auf den Grasboden. Das war mein Wunsch. Schließlich musste ich mir heute weder Gedanken um eine weiße Hose noch darum machen, wie ich wieder in meinen Rollstuhl kam. Peter half mir.
Wie einfach doch alles ist, wenn man nicht alleine ist, dachte ich.
Wir hatten uns viel zu erzählen. Sehr viel. Und die Zeit verging viel zu schnell. Als die Schatten der Bäume länger wurden, wurde es kühler. Peter nahm mich auf den Arm oder besser gesagt, auf beide und ich schlang meine Arme um ihn, um mich festzuhalten. In dem Augenblick glaubte ich weit hinter Peters Rücken eine Fata Morgana zu sehen. Ein junger Mann mit langem Haar, das zu

einem Zopf gebunden war, huschte hinter den Stamm einer dicken Linde, gerade so, als wollte er sich verstecken. Mir blieb fast das Herz stehen. Ich schüttelte mich, als wollte ich diesen irrsinnigen Gedanken von mir abschütteln.
»Was ist?«, fragte Peter, dem das wahrscheinlich nicht entgangen war.
»Ich weiß nicht. Vielleicht war das eine Sinnestäuschung. Aber dort hinten war gerade ein Mann, der aussah wie Freddy.«
Sofort wandte Peter sich mit mir um. Gemeinsam blickten wir suchend in die Richtung. Aber dort war nichts.
»Manchmal spielt mir mein Unterbewusstsein seltsame Streiche. Das muss wohl daran liegen, dass ich in letzter Zeit zu oft allein mit Hugo und meinen Gedanken war.«
Peter nickte.
Plötzlich erschien er mir unheimlich ernst. Wie erstarrt stand er, mit mir auf dem Arm, da und blickte irgendwo ins Nirgendwo. Peter wirkte, als wäre er mit seinen Gedanken gerade ganz woanders. Mir schien auch, als hätte ich ihn aus diesen Gedanken herausgerissen, als ich sagte:
»Wenn das Freddy gewesen wäre, hätte er sich doch bestimmt nicht vor uns versteckt. Er kennt dich doch.«
»Kennen ist zu viel gesagt«, murmelte Peter, während er mich schließlich in meinen Rollstuhl setzte.
»Der Professor ist sein Vater.«
»Also den hatte er an dem Tag gesucht, als wir das erste Mal mit dem Rollstuhl hinausgefahren sind. Und ich hatte ihn fast überfahren.«
»Hmhm.«
Ich atmete tief durch. Das musste gerade sein und tat

gut. Eines der Rätsel um den geheimnisvollen Freddy war damit für mich gelöst.
»Ich bringe dich zu deinem Auto«, beschloss ich.
Peter hatte sein spitzbübisches Grinsen wiedergefunden.
»Nur zu«, sagte er.
Ich war erleichtert. »Perfekt«, schmunzelte ich und rollte mit Hugo los.
Wir gingen denselben Weg zurück, den wir gekommen waren. Als Peter vor einem der Wagen auf dem Parkplatz stehen blieb, stoppte auch ich.
»Deiner?«
»Ja, das ist meiner«, antwortete Peter nicht ohne Stolz.
»Ich habe ihn letzte Woche bekommen und will ihn noch ein wenig einfahren.«
»Ach deshalb bist du hierher gefahren.«
»Ja«, antwortete er prompt.
»Hübscher kleiner Flitzer.«
Peter strahlte. »Das war Liebe auf den ersten Blick.«
Ich konnte nicht anders, ich musste kichern.
Ein roter Mini! Wie oft schon hatte ich von so einem geträumt. Aber nun war auch dieser Traum völlig unrealistisch für mich. Ich konnte nicht einmal auf die Schnelle für eine Probefahrt zu Peter in den Wagen steigen. Für mich kam höchstens ein Transporter mit Chauffeur in Betracht. Doch auch das war völlig unrealistisch, denn das konnte ich mir niemals leisten.
»Das nächste Mal machen wir eine Spritztour«, holte Peter mich zurück.
»Das nächste Mal?«, fragte ich tonlos.
»Versprochen. Und du weißt, dass ich meine Versprechen halte, Stella.«
Ich blickte in Peters strahlendes Gesicht.
»Ich freu mich jetzt schon drauf!«

Ja, ich wusste genau, dass Peter bisher alle seine Versprechen gehalten hatte. Aber ich wagte nicht, ihn zu fragen, wann das *nächste Mal* sein würde.
»Machs gut Stella und halt die Ohren steif«, sagte Peter und tatsächlich drückte er mich zum Abschied.
»Du bist stark, sogar stärker als du glaubst«, sagte er dabei leise in mein Ohr.
Nun stieg er ein und fuhr langsam davon. Er winkte noch ein letztes Mal aus dem offenen Fenster. Ich blieb reglos stehen, bis ich den Mini nicht mehr sehen konnte. Für mich war jetzt höchste Zeit, zum Abendessen zu fahren. Inzwischen war es ziemlich spät und mit Sicherheit war ich die Letzte.
An diesem Abend war ich ausgesprochen zufrieden mit der Welt und mit mir selbst. Obwohl mein Leben nach wie vor durcheinander war, spürte ich heute zum ersten Mal eine Art Selbstzufriedenheit, die mir vorgaukelte, dass alles in bester Ordnung war. Das war ein schönes, lange vermisstes Gefühl der Harmonie, ohne jeglichen Selbstzweifel und ohne Angst. Ich genoss das einfach. Ich dachte an Freddy und Kasper, an Sylvia, Christin, Rieke und Fritz und natürlich an Peter. Auch der Film, der an diesem Abend im Fernsehen kam, war spannend und mit einer gewissen Prise Humor gewürzt.
Den muss ich mir irgendwann noch einmal ansehen, dachte ich.
Alles was mir jetzt noch zu meinem vollkommenen Glück fehlte war ein Glas Rotwein und meine Lieblingspizza von Francesco. In diesem Augenblick versprach ich mir hoch und heilig, dass genau das meine erste Handlung sein würde, wenn ich wieder zu Hause war. Ich zweifelte nicht im Geringsten daran. Mit dieser Selbstzufriedenheit schlief ich schließlich irgendwann ein.

*****

Auf dem Kalenderblatt stand der vierundzwanzigste April. Das konnte ich kaum glauben. Nur wenig Tageslicht drang durch die großen Fenster in das Zimmer. Jedenfalls war es heute dunkler, als in den Tagen zuvor. Ich rollte mit Hugo direkt vom Bett zum Fenster. Draußen waren dunkle Wolken aufgezogen. Stürmischer Wind bewegte die Baumkronen und es schien zu regnen. Die aufgehende Sonne hatte sich hinter den Wolken versteckt. Nur mühsam kämpfte sich ihr Licht in diesen Freitagmorgen. *Okay*, dachte ich, *ist eben April*.
Den ganzen Tag über wurde es nicht hell in den Räumen, sodass überall das Licht brannte. Nach dem Mittagessen fuhr ich vor die Tür. Inzwischen regnete es in Strömen und es war empfindlich kalt geworden. Ich sog ein paarmal die feuchte Luft tief in meine Lungen und pustete meinen mit Kohlenmonioxid belasteten Atem hinaus. Das vertrieb sofort meine Müdigkeit. Wenige Minuten später begann ich zu frieren, deshalb fuhr ich hinauf in mein Zimmer. Die nächste Behandlung, eine Entspannungsmassage, war erst in vierzig Minuten. Eine Entspannungsmassage. Darauf freute ich mich sehr. Das war bei diesem trüben Wetter genau das Richtige für mich.
Heute Nachmittag stand ein Vortrag von Professor Hagedorn auf dem Programm. Dabei sollte es um verschiedene Krankheitsbilder gehen, um deren diagnostische Sicherung, die Gestaltung von Beruf und Alltag mit Handicap sowie neuen Möglichkeiten in der Therapie. Im Anschluss daran sollte eine Sozialarbeiterin der Kurklinik über Möglichkeiten, Wege und Ansprüche informieren,

die jedem Patienten zustanden. Das interessierte mich sehr, vor allem auch, weil ich die Gelegenheit bekommen sollte, Fragen zu stellen und Hilfe zu erhalten. Das beruhigte mich sehr, denn bisher wusste ich so gut wie gar nichts. Und das hatte mir bereits einige Stunden Schlaf geraubt.
Auch am Nachmittag regnete es. Mit Bangen dachte ich an den morgigen Samstag. Das Wetter würde mir wahrscheinlich einen Strich durch meine Ausflugspläne machen. Ich wurde mürrisch bei diesem Gedanken. Doch das Wetter war eine größere Macht, an der niemand etwas drehen konnte. Auch Stella Fröbel und Hugo nicht. Ich schmunzelte ironisch, als ich am offenen Fensterflügel meines Zimmers meinen Sauerstoffvorrat im Blut auffüllte. Die Regentropfen prasselten auf den Steinfußboden des Balkons, sodass das Wasser bis zu meinen Schuhspitzen spritzte.
Als ich das Fenster schloss, fühlte ich mich gut und vor allem wieder wach. Die Heizkörper waren inzwischen warm geworden. Ich schnappte meine Tasche. Mit Stift und Notizblock ausgerüstet startete ich zum Vortragsraum. Ich wollte nicht die Letzte sein, denn der Raum würde mit Sicherheit wieder sehr voll sein. Ich sicherte mir mit Hugo einen guten Platz und wartete. Bald war mir langweilig. Ich hätte mein Buch mitnehmen sollen. Doch langsam füllte sich der Raum. Mein Tischnachbar Hugo ließ sich auf den Stuhl neben mir nieder und auf der anderen Seite bekam ich eine Platznachbarin mit Rollstuhl. Wir unterhielten uns. Nun verging die Zeit schneller und schließlich begann der Vortrag. Zuerst redete der Chefarzt. Hagedorn hielt seine Rede so locker und verständlich, dass ich alles gut verstehen und begreifen konnte. Anschließend redete eine Dame von

sozial relevanten Ansprüchen, Antragsformularen und Fristen. Nun verstand ich nicht mehr alles und machte mir eilig ein paar Notizen, in der Hoffnung, dass ich mein Gekritzel später noch entschlüsseln konnte.
Hilfesuchend blickte ich zu Hugo Schmitt, der das Gesicht verzog. Ich zuckte mit den Schultern. Der umfangreiche Vortrag hatte uns beide an irgendeinem Punkt überrollt. Ich spürte regelrecht, dass mein Kopf sich voll anfühlte, so voll, als wollte er bald platzen. Dass die Dame uns Hilfe anbot, beruhigte mich, denn die hatte ich dringend nötig.
Bevor ich zum Abendessen ging, steuerte ich noch ein mal zur Eingangstür. Als die Glasscheiben sich öffneten schlug mir kalte, feuchte Luft entgegen. Ich atmete tief durch. Das tat so gut. Der Regen hatte nachgelassen und es nieselte nur noch leise. Meine Gedanken waren verwirrt. Mein Kopf fühlte sich so voll an, dass er tatsächlich zu schmerzen begann, ähnlich wie ein überfüllter Magen nach einer üppigen Mahlzeit.
»Hast du dir wenigstens auch etwas gemerkt, Hugo?«, murmelte ich.
Hugo fühlte sich warm an, etwa wie ein warmgelaufener Motor. Ich schmunzelte. Die Informationsflut hatte mich förmlich erschlagen. So viel interessante und für mich wichtige Dinge waren auf mich eingestürmt. Obwohl ich den Vorträgen mit aller Aufmerksamkeit und auch mit Interesse gefolgt war, um mir so viel wie nur möglich einzuprägen, hatte ich das Gefühl, nur einen Bruchteil behalten zu haben. Ich hatte mir seitenweise Notizen aufgeschrieben. Außerdem hatte ich für nächsten Dienstag einen Beratungstermin mit der Sozialarbeiterin ausgemacht. Doch mir graute vor dem Wust der Formulare und obendrein saßen mir die Versicherungen, Anwälte

und das Klageverfahren gegen den Unfallverursacher unangenehm im Nacken. Das machte mir Angst, wenn ich nur daran dachte. Deshalb schob ich diese Gedanken immer wieder weit von mir und konzentrierte mich stattdessen auf meine Rehabilitation. Schließlich musste ich im Alltag allein zurechtkommen. Der Gedanke an ein behindertengerechtes Auto hatte mich förmlich begeistert und weckte ungeahnte Hoffnungen in mir. Auf den Kopf war ich ja zum Glück nicht gefallen. Frohen Mutes und megahungrig rollte ich mit Hugo zum Abendessen. Das roch verführerisch und ich lud mir den Teller voll.

*****

Der Samstagmorgen erfüllte meine traurigen Befürchtungen. Das Tageslicht drang nur spärlich in mein Zimmer. Der perfekte Tag, um sich im Bett zu verkriechen. Doch auf meinem Vormittagsprogramm stand heute das Bewegungsbad. Das war für mich Motivation genug, um aufzustehen. Ich liebte das Wasser, in dem mein Körper sich völlig leicht und frei bewegen konnte. Ich konnte sogar wieder schwimmen! Darauf war ich stolz. Meine Muskeln waren endlich stark geworden und ich war es mit ihnen geworden. Ich gab alles, war strebsam und galt für manche schon als gutes Beispiel, dass meine Therapeuten gern erwähnten. Mich ließ das gleichgültig, denn ich hatte das alles nur für mich getan. Ich hatte tatsächlich nur an mich gedacht und für meine Zukunft gerackert, da das niemand anderes für mich tat noch tun konnte. Ich war nicht glücklich, immer und mit allem allein dazustehen. Aber ich war eine unverbesserliche Optimistin geworden. Dazu hatte Peter einen großen Teil beigetragen und nun Freddy. Ach, ich geriet jedes Mal

ins Schwärmen, wenn ich an unsere Begegnungen im Wald dachte. Auch gerade jetzt, als ich im Wasser des Schwimmbeckens umherpaddelte und an ihn dachte, schlug mein Herz schneller. Heute war Samstag, damit Wochenende und ich hoffte sehnsüchtig auf ein Wiedersehen mit Freddy und seinem Kasper. Dementsprechend strengte ich mich an, als müsste ich einen Wettbewerb gewinnen. Das fühlte sich gut an. Ich spürte das Leben in vollen Zügen. Ein Glücksgefühl, das nur noch Freddys Besuch toppen konnte. Die Therapeutin lächelte mir zu.
»Bravo, Stella! Tagesaufgabe mit Bravour erfüllt und nun raus aus dem Wasser.«
»Schon?«
Die Therapeutin lachte und nickte.
»Du strahlst heute eine Energie aus, dass ich befürchte, das Wasser könnte gleich zu kochen beginnen.«
Jetzt musste ich ebenfalls lachen.
»Überredet. Außerdem habe ich heute noch etwas anderes vor.«
»Aha«, meinte sie. »Dann wünsche ich dir viel Erfolg und ein wunderschönes Wochenende, Stella.«
»Danke gleichfalls«, grinste ich und ließ mich aus dem Wasser heben. Meine Haut war bereits geschrumpelt, also wurde es höchste Zeit dafür. Ich nahm mir viel Zeit, um mich ausgiebig abzutrocknen, einzucremen und anzukleiden. Die Haare trocknete ich anschließend auf meinem Zimmer. Als ich vor dem großen Spiegel saß, der über dem Waschbecken hing, betrachtete ich mich kritisch. Heute musste die Frisur besonders gut sitzen. Also kämmte, toupierte und sprühte ich. Unzufrieden schüttelte ich den Kopf und korrigierte nach. Schließlich lächelte ich in den Spiegel.
»Spieglein, Spieglein an der Wand«, kicherte ich. »Hugo!

Was sagst du?«
»Stella, du bist die Schönste im ganzen Land.«
Wie albern. Ich prustete vor Lachen. Natürlich war Hugo sehr oft meiner Meinung. Nur selten nicht.
»Na nun übertreib mal nicht«, meinte ich.
»Ob er kommt?«, fragte ich zweifelnd.
»Er hat es versprochen«, legte ich Hugo die richtige Antwort zurecht.
Ich verzog das Gesicht und betrachtete meinen Schmollmund. Nein! Ich wollte nicht zweifeln.
Frohen Mutes rollte ich mit Hugo zum Mittagessen, bei dem ich mich bei belanglosen Tischgesprächen ablenkte. Selbst Rosa, die alte Dame die mir gegenüber saß, war inzwischen lebendiger geworden und redete mit mir. Auch wenn es nicht immer zum Thema passte, erzählte sie hin und wieder aus alten Zeiten, was ich sehr interessant fand. Rosa schien das zu gefallen. Ich mochte sie. Ich blieb heute unten und fuhr vom Speisesaal direkt zum Foyer. Es war so dunkel, sodass alle Lampen leuchteten. Schließlich steuerte ich direkt zur Eingangstür, die sich öffnete. Unter dem Vordach blieb ich stehen. Es war kalt und seit heute Morgen regnete es ohne Unterlass. Mit dem Pferd würde Freddy heute sicherlich nicht unterwegs sein. Ich atmete tief durch und wartete ungeduldig. Der Regen nahm wieder an Stärke zu. Das Wasser prallte vom Boden ab und spritzte mir die Füße nass. Also postierte ich mich im Foyer direkt hinter der Glastür. Während ich hier wartete, starrte ich imaginäre Löcher in das Glas. Ich kam mir wie ein Tiger im Käfig vor. Endlich kam jemand, der mich besuchen wollte. Doch es war nicht Freddy. Es war Gerlinde. Sie nickte mir sofort zu, als sie mich entdeckt hatte. Ich winkte zurück, während sie bereits voll bepackt auf mich und Hugo

zusteuerte. Von ihrem Schirm tropfte das Wasser.
»Na sag mal!«, begrüßte sie mich mit einem strahlenden Lächeln, stellte den Schirm ab und umarmte mich mitsamt dem Blumenstrauß, den sie in der Hand hatte.
»Guten Tag, Gerlinde. Das ist ja eine Überraschung! Wie geht es dir?«
Ihr Besuch war wirklich eine Überraschung, über die ich mich freute. Außer Peter hatte ich hier noch keinen Besuch gehabt.
»Oh mir geht es gut. Ich habe mich ganz allein mit dem Auto hierher gefunden. Der erste Ausflug seit meiner Panne. Du weißt ja«, winkte sie ab.
Ich wusste, auf was sie anspielte. Gerlinde hatte mit dem neuen BMW ihres Mannes einen anderen Wagen gerammt, weshalb ihr Mann ein wenig wütend geworden war. Gerlinde hatte geheult und war seit dem keinen Meter mehr gefahren.
»Guten Tag erst mal, Stella. Gut siehst du aus.«
»Danke«, strahlte ich. »Komm mit rauf. In meinem Zimmer ist es gemütlicher.«
Endlich stellte Gerlinde ihre Tasche ab und versuchte, ihren Schirm zuzumachen.
»Kann ich vielleicht etwas transportieren?«, fragte ich.
Sie drückte mir die Blumen in die Hand.
»Danke! Die sind wunderschön.«
»Ich habe dir eine Vase mitgebracht. Die sind in Kranken-häusern immer Mangelware.«
So war sie.
»Gerlinde! Ich bin doch nicht im Krankenhaus!«, ließ ich sie empört wissen.
Doch das ignorierte sie.
Ich fuhr mit Hugo an. Gerlinde begleitete uns.
»Nicht so schnell, mein Hugo«, flüsterte ich. »Wir haben

Gerlinde abgehängt.«
Hugo nahm Rücksicht auf sie. Ich schmunzelte.
»Du hast ja ein ganz schönes Tempo drauf«, meinte Gerlinde, als sie uns eingeholt hatte.
»Sorry. Ich denke manchmal nicht daran.«
»Genau so, wie mit deinem Fahrrad«, bemerkte sie.
»Hmhm«, murmelte ich und drückte den Fahrstuhlknopf.»Ich wohne ganz oben«, berichtete ich stolz. »Das Pent-house.«
»Da war aber jemand spendabel«, unkte sie.
»Wie meinst du das?«
Die Fahrstuhltür öffnete sich. Leute kamen heraus. Wir gingen hinein.
»Auf gehts«, sagte ich, als das technische Wunderwerk sich in Bewegung setzte.
Gerlinde staunte nicht schlecht, als ich ihr mein Zimmer zeigte.
»Das ist ja wirklich komfortabel. Da hast du aber Glück. Bei mir war das anders. Du weißt ja.«
Ich nickte. »Du bist geflüchtet.«
Gerlinde kramte ihre ausführlichen Erinnerungen hervor, doch sie hatte keine guten. Das wusste ich. Dennoch hörte ich ihr geduldig zu.
»Und erzähl mal, wie geht es dir«, forderte sie mich schließlich auf.
»Ganz gut. Ich komme schon viel besser mit allem zurecht. Stell dir vor, ich kann sogar schon schwimmen und reiten!«, berichtete ich stolz.
»Schwimmen und reiten?«, fragte sie ungläubig.
»Natürlich! Warum nicht?«
Ich berichtete ausführlicher davon. Immerhin hörte sie mir diesmal zu. Erst als ich von meinem unerwarteten Ausflug zum Reiterhof und der ersten Hippotherapie-

stunde zu erzählen begann, fiel sie mir wieder ins Wort. So war sie nun mal, doch ihr Einfall passte perfekt zum Thema. Gerlinde kannte sich wirklich mit fast allem gut aus und musste ihre Erfahrungen und Ratschläge mit allen teilen. Ich glaubte, dass sie das Helfersyndrom hatte. Sie wollte andere Leute nur vor Fehlern bewahren und deshalb gab sie ihre gut gemeinten Ratschläge von ganzem Herzen gern weiter. Gerlinde erinnerte mich gerade jetzt wieder an meine Mutter. Ich hüllte mich in Schweigen und hörte ihr zu, auch wenn ich nicht immer ihrer Meinung war. Heute konnte mich nichts aus der Bahn werfen. Als Gerlinde allerdings begann mich mit Fragen bezüglich meiner Klage und meiner finanziellen Durststrecke zu löchern, geriet ich gefährlich ins Wanken. Ich hasste es ausgefragt zu werden und ich hasste es noch mehr, Fragen beantworten zu müssen, die ich weder beantworten konnte noch wollte. Deshalb gab ich ihr höflicherweise die Gelegenheit selbst Antworten zu finden. Irgendwann steckte ich den Blumenstrauß in ihre Vase und lenkte das Gespräch auf ein völlig anderes Thema.
Etwa zwei Stunden später entschlossen wir uns in die Cafeteria überzusiedeln. Dort gab es am Wochenende leckere Torten und alle nur denkbaren Kaffeevariationen. Als wir uns gerade auf unsere Stücken frischer Erdbeertorte stürzten, kam Steffi auf uns zu.
Wow, noch eine Besucherin, dachte ich und sonnte mich dabei in dem Gedanken, nicht vergessen und bergraben zu sein.
»Hallo! Na das ist ja eine Überraschung!«, freute ich mich total.
Wir begrüßten uns mit einer herzlichen Umarmung.
»Wie geht es dir, Stella? Ich konnte leider nicht eher

kommen. Du weißt ja...«, Steffi verzog entschuldigend das Gesicht.
»Hmhm, das Geschäft«, ergänzte ich.
Schließlich setzte Steffi sich zu uns an den Tisch. Auch sie hatte einen kleinen, sehr hübschen Blumenstrauß für mich mitgebracht. Bei Kaffee und Torte redeten wir drei furchtbar durcheinander. Steffi und Gerlinde kannten sich bereits von meinen Geburtstagsfeiern. Wir hatten alle viel zu erzählen und wir lachten noch mehr. Steffi hatte auch Blumen für mich mitgebracht und natürlich leckeren Kuchen aus der Bäckerei. Der musste weg, wie sie scherzhaft behauptete. Wir waren so in unser Gespräch vertieft und mit uns beschäftigt, dass die Welt um uns herum hätte versinken können, ohne das wir es bemerkt hätten. Die Zeit sauste nur so dahin und bald war der Nachmittag gnadenlos vergangen. Punkt 17.00 Uhr sprang Gerlinde auf und verabschiedete sich. Steffi nutzte diese Gelegenheit ebenfalls zum Aufbruch. Also brachte ich meinen Besuch zur Tür. Nachdem wir uns mindestens fünfmal voneinander verabschiedet und alles Gute gewünscht hatten, gingen die beiden endgültig. Unter Gerlindes großen Regenschirm, erreichten sie Arm in Arm ihre Autos. Ich blieb mit Hugo in der offenen Tür stehen und winkte ihnen noch ein letztes Mal. Dann fuhren die beiden vom Parkplatz und ich im Rückwärtsgang in das Foyer. Tatsächlich rammte ich dabei niemanden und fuhr auch keinem die Füße platt. Hugo und ich waren gemeinsam ein Schwergewicht, dem die Leute oft höflich auswichen. Ich grinste in mich hinein und wendete. Gedankenversunken wollte ich gerade auf mein Zimmer fahren, als mich eine Spur Enttäuschung beschlich. Freddy war nicht gekommen.
»Frau Fröbel!«

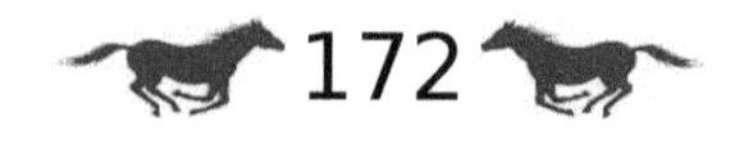

Das war Frau Winzers Stimme. Ich wandte mich zur Rezeption um. Vor mir tauchte ein großer Blumenstrauß auf zwei Beinen auf, bevor daneben ihr Gesicht erschien.»Der wurde für Sie abgegeben«, lächelte sie.
»Wann? Von wem?«, fragte ich überrascht.
»Vor einer halben Stunde von einem jungen Mann.«
Mein Herz pochte so sehr, dass ich jeden einzelnen Schlag in meinen Halsschlagadern spürte. Ich fühlte förmlich, wie sich damit alles Blut in meinen Kopf ergoss und mein Gesicht mit Sicherheit rot färben musste.
»Mit langem Haar?«, fragte ich.
»Ja.«
»Warum hat er mir die Blumen nicht selbst gegeben? Ich saß doch nur dort drüben. Er musste mich doch gesehen haben.«
Ich hörte meine eigenen Worte, als würde eine Fremde sie sprechen. Ich klang verzweifelt.
»Er wollte Sie nicht stören. Sie hatten Besuch.«
Ich war den Tränen nahe. Was für Augen doch Gerlinde und Steffi gemacht hätten, wenn er bei uns am Tisch aufgetaucht wäre.
Dieser Feigling!
Meine Gefühlswelt war total durcheinander.
»Danke«, murmelte ich und fuhr mit Hugo und dem Blumenstrauß langsam in Richtung der Aufzüge.
In meinem Zimmer erwarteten mich bereits zwei wunderschöne Blumensträuße. Die Mitbringsel meiner Freundinnen standen auf dem Schreibtisch. Doch das Zimmer war so unbeschreiblich leer und still.
Ich betrachtete die Blumen in meinen Armen. Sonnengelb und rosarot mit blauen Sternen und ... Gras, langem Gras. Ein bunter Wiesenstrauß, wie ich ihn lange nicht mehr gesehen hatte. Er musste ihn selbst gepflückt ha-

ben. Die Blumen dufteten bezaubernd. Das weckte Kindheitserinnerungen in mir. Als ich nach einer ganzen Weile aus meinen Erinnerungen zurück in die Gegenwart meines Zimmers zurückkam, spürte ich eine magische Ruhe tief in mir. Ich lächelte. Freddy schien mich sehr zu mögen. Mehr gestand ich ihm nicht zu.
Als ich die Blumen, also Freddys Blumen, in das Wasser stellen wollte, suchte ich tatsächlich erfolglos nach einem Gefäß. Ich kicherte, denn ich musste sofort an Gerlindes Worte denken. Sie hatte mir die Vase für ihren Blumenstrauß gleich mitgebracht. Steffis Blumen steckten in einer weißen Klinikvase. Aber Freddys Blumen passten nirgendwo dazu und nirgendwo hinein. Entschlossen griff ich zum Telefon und rief die Rezeption an. Die freundliche Stimme Frau Winzers am anderen Ende der Leitung versprach mir Hilfe. Während ich wartete, saß ich direkt vor dem Fenster und blickte hinaus in das dunkle Grau des angehenden Abends.
Es regnete unaufhörlich. Auch am morgigen Sonntag sollte es nicht anders werden. Ich seufzte bei diesen Aussichten. Der Spaziergang zu meinem Lieblingsplatz war damit auch für morgen gestrichen. Hugos Räder würden nur im aufgeweichten Boden versinken. Das bedeutete für mich Stubenarrest.
Jemand klopfte an die Tür.
Ohne zur Tür zu sehen, rief ich: »Herein!«
»Ihre Vase, Madam«, vernahm ich eine männliche Stimme, die mir sehr bekannt vorkam.
Mit einer Geschwindigkeit, als hätte gerade ein Blitz in meinem Zimmer eingeschlagen, wandte ich mich zur Tür um. Erschrocken öffnete ich den Mund, ohne das ich fähig war, ein Wort herauszubringen. Der Mann, der dort stand, war ganz in Weiß gekleidet. Ich starrte ihn an

und glaubte zuerst an eine Sinnestäuschung. Freddys Augen leuchteten, als er mich verwegen angrinste.
»Hübsche Blumen«, bemerkte er.
Schuft!, dachte ich.
»Darf ich die Blumen in die Vase stellen?«, fragte er.
Ich konnte kein Wort heraus bringen, deshalb nickte ich.
Freddy schloss die Zimmertür, füllte die Vase mit Wasser und stellte sie zu den anderen. Ich ließ ihn keinen Moment aus den Augen.
Als das getan war, wandte er sich mir zu und blickte mir direkt in die Augen. Ich zitterte kaum merklich und wich seinem Blick aus. Freddy nahm mir die Blumen ab und steckte sie in die Vase, die er mir mitgebracht hatte. Noch immer hatte ich kein Wort gesprochen. Schließlich hockte er sich vor mich und musterte mich eindringlich. Wieder versuchte ich, seinem Blick auszuweichen. Das gelang mir nicht wirklich.
»Alles okay mit dir, Stella?«, fragte er besorgt.
»Ja«, krächzte ich steif und räusperte mich.
»Ich will mich nicht aufdrängen. Vielleicht sollte ich lieber wieder gehen. Auf dein Zimmer zu kommen, war eine dumme Idee von mir.«
Jetzt schüttelte ich heftig den Kopf. Plötzlich standen mir Tränen in den Augen und ich wusste nicht ein mal weshalb. Dabei hatte ich mir den ganzen Tag nichts sehnlicher gewünscht, als dass Freddy zu mir kam. Und nun, da er hier war, brachte ich kein Wort heraus.
Freddy berührte mich mit seiner Hand sanft am Kinn und lenkte meinen Kopf so, dass ich seinem Blick auf keinen Fall mehr ausweichen konnte. Wieder spürte ich das leise Zittern, das durch meinen Körper fuhr. Ich schämte mich, denn Freddy musste das bemerkt haben.
»Nun sieh dir das an, Hugo. Prinzessin Stella ist traurig.

Das dürfen wir auf keinen Fall zulassen.«
Ich spürte, wie meine Mundwinkel sich unwillkürlich zu einem Lächeln verzogen.
»Was für ein bezauberndes Lächeln. Mir fällt ein Stein vom Herzen. Ich habe mich nämlich schon den ganzen Tag auf dich und Hugo gefreut.«
Mein Gesicht war eine einzige Frage.
»Wirklich«, beteuerte Freddy.
Ich suchte fieberhaft nach Worten. Es war geradezu ein Bann, der mich fesselte und mir die Stimme raubte. So ähnlich musste Arielle sich im Reich der Menschen gefühlt haben. Freddy ließ seinen Finger von meinem Kinn gleiten und fasste mit beiden Händen nach den meinen. Er schwieg und wartete darauf, dass ich etwas sagte, während er zu unseren Händen blickte.
»Ich auch«, sagte ich schließlich. »Aber weshalb hast du die Blumen für mich an der Rezeption abgegeben?«
»Du hattest Besuch. Ich wollte nicht stören.«
»Das ist doch überhaupt kein Problem.«
»Zu viele Frauen.«
Ich kicherte ungezwungen. »Du hattest Angst, gibs zu!«
»Ja. Auch wenn sie süß aussehen, Frauen sind gefährliche Raubtiere.«
Ich lachte.
Freddy lachte auch. Der Bann war gebrochen.
»Es ist Samstagabend, der schönste Abend der ganzen Woche, auch wenn es draußen regnet und es ist erst kurz vor sechs. Wäre es nicht schade, den ganzen Abend in trauriger Einsamkeit zu verbringen?«
»Bist du denn einsam, Freddy? Hast du keine Familie?«
»Ich bin sehr einsam. Der beste Freund den ich habe, ist ein Pferd.« Freddy schmunzelte.
Er wand sich geschickt um meine Fragen und um Ant-

worten, die er nicht geben wollte. Freddy war und blieb geheimnisvoll. Deshalb nahm ich allen Mut zusammen, um sehr direkt zu werden.
»Ich meine, hast du keine Frau und Kinder, wie das in deinem Alter so üblich ist?«
In meinem Bauch kribbelte es.
»Nein und du?«, fragte er völlig unbeeindruckt.
Ich war von seiner plötzlichen Abgeklärtheit überrascht.
Er lächelte auch nicht.
»Nein. Ich bin Single und gerade im Sonderangebot. Wer braucht schon eine...«
Rasch legte Freddy seinen Finger auf meine Lippen.
»Nein. Sprich es nicht aus.«
Ich schluckte also meine unausgesprochenen Worte herunter. Freddy hatte recht. Wir waren erst seit einer Woche Freunde, und nicht mehr. Freunde können auch im Rollstuhl sitzen. Weshalb nicht. Dass ich glaubte, in Freddy verliebt zu sein, musste mein Geheimnis bleiben!
Ich lächelte tapfer.
»Schon okay.«
Nun erschien das Lächeln auf seinem Gesicht, das ich immer vor mir sah, wenn ich an ihn dachte.
»Schön dass du gekommen bist. Wie geht es Kasper?«
»Gut. Er wäre gern mitgekommen. Er mag dich, aber er ist wasserscheu. Ich soll dich von ihm grüßen.«
Ich grinste breit.
»Danke gleichfalls.«
Freddy erhob sich steif. Er wirkte, als wären seine Beine in der Hocke eingeschlafen. Er ging ein paar Schritte bis zum Fenster und schob die Gardine ganz auf. Ich hörte ihn seufzen.
»Seit letzter Nacht regnet es ununterbrochen«, bemerkte er, ohne zu mir zu sehen.

»Ja.«
»Unseren Mondscheinausflug zur Waldlichtung müssen wir heute wohl streichen.«
»Ja. Schwimmen wäre wahrscheinlich besser.«
Freddy wandte sich zu mir um und grinste hintergründig.
»Du bringst mich glatt auf eine Idee, Stella.«
Ich spürte, wie meine Augen sich sehr weit öffneten und mein Gesicht sich fragend verzog.
Freddy lachte.
»Hast du Hunger?«, fragte er.
»Nicht wirklich«, antwortete ich. »Meine Freundinnen haben mich bis eben mit Kuchen gefüttert.«
»Okay. Dann lass dich jetzt von mir entführen.«
»Wohin?«
Wieder lachte Freddy. »Lass dich überraschen.«
Ich liebte Überraschungen und platzte fast vor Neugier. Die Überraschungen, die ich seit meinem Unfall erlebt hatte, waren nicht unbedingt schöne. Umso aufgeregter war ich jetzt.
»Ich muss nur noch rasch ins Badezimmer. Dann kann es losgehen.«
»Ich warte«, sagte Freddy, lehnte sich gegen den Schrank und verschränkte die Arme.
»Setz dich doch. Dort steht ein Stuhl.«
»Danke.«
Freddy setzte sich tatsächlich auf den Stuhl vor den Schreibtisch. Damit gab er mir das Gefühl, mich nicht beeilen zu müssen. Als ich nach einer Weile aus dem Badezimmer kam, saß Freddy noch immer auf dem Stuhl. Allerdings war er in mein Buch vertieft. Ich wartete. Er sah zu mir, lächelte und schlug das Buch zu.
»Die Indianerhexe. Was für ein eigenartiger Titel, aber die Geschichte scheint spannend und amüsant zu sein.«

»Und ob«, grinste ich. »Das ist das lustigste Indianerbuch, das ich je gelesen habe. Dabei ist es ein spannender Krimi. Wenn du möchtest, kannst du es lesen.«
»Ich bin gespannt«, sagte Freddy und legte das Buch zurück auf meinen Nachtschrank.
Freddy öffnete mir die Zimmertür und ich fuhr mit Hugo an ihm vorbei. Noch immer wusste ich nicht, wohin Freddy mit mir wollte. Hugo steuerte indessen intuitiv zu den Aufzügen. Im Lift drückte Freddy schließlich auf das K, wie Keller.
Was will er denn mit mir im Keller?
Wir waren allein im Lift. Als die Tür sich wenig später aufschob, zögerte ich, hinauszufahren.
Freddy ging voran. »Kommt schon!«, trällerte er fröhlich, als er mein Zögern bemerkte.
Hugo folgte dem weißgekleideten Mann mit dem dunklen Zopf beinahe automatisch. Ich fügte mich und wagte nicht zu fragen. Schließlich hatte Freddy eine Überraschung für mich. Gerade war es mir allerdings alles ein Rätsel. Um diese Zeit schien niemand außer uns hier zu sein.
»Hast du Angst?«, hörte ich Freddys Stimme wie aus weiter Ferne.
»Nein«, log ich.
Das hätte ich nie zugegeben. Ich fühlte mich, wie von ihm auf das Pferd gesetzt und hielt die Luft an. Nein. Weder Freddy noch das Pferd hatten mir geschadet. Im Gegenteil. Ich hatte meine Angst überwunden, mein Leben aus einer völlig neuen Perspektive gesehen und ich war dadurch mutiger, zuversichtlicher und selbstbewusster geworden. Das war wie ein Zauber gewesen. Langsam wurde mir bewusst, dass Freddy mit uns das

Therapiebecken ansteuerte. Wie selbstverständlich öffnete er die Tür an der Front des Kellerganges.
»Darfst du das denn?«, zweifelte ich in dem Gedanken, etwas Verbotenes zu tun.
»Nein«, behauptete Freddy prompt und zeigte mir sein freches Grinsen.
Ich schüttelte den Kopf und fuhr hinein. An den Wänden schimmerte die Notbeleuchtung. Durch das schräge Dachfenster drang das graue Tageslicht herein. Ich hörte, wie die Tür sich hinter mir schloss und ein Schalter knackte. Plötzlich leuchteten die kleinen Unterwasserlampen auf und das Wasser im Becken begann türkisfarben zu leuchten. Ich war wie verzaubert, denn tagsüber, während der Therapie, war das nie zu sehen.
Die Wasseroberfläche wirkte wie ein Spiegel. Leise Musik drang an meine Ohren. Einzig der Geruch nach Chlor störte mich etwas. Suchend blickte ich mich um. Ich konnte Freddy erkennen. Die spärliche Beleuchtung hüllte seine Gestalt in eine geheimnisvolle Aura. Er begann, sein Hemd aufzuknöpfen. Mir stockte der Atem. Ich wollte flüchten, doch ich war wie von einem Bann gefangen, war nicht fähig, mich zu bewegen. Freddy schien sich darüber ein wenig zu amüsieren. Er kam zu mir, hockte sich direkt vor mich und zauberte einen kirschroten Bikini aus seinen Hosentaschen.
»Ich wünsche mir so sehr dich in diesem Ding hier zu sehen. Ich hoffe, er passt.«
Ich bemerkte ein leichtes Vibrieren in seiner Stimme, die mir einen Hauch seiner Unsicherheit offenbarte. Er hatte Angst, ich könnte ablehnen. Damit hatte er mich vom Bann der Unbeweglichkeit erlöst. Ich lächelte nachsichtig.
»Du hast Ideen, Freddy.«

Ich fuhr in die Umkleidekabine. Hier kannte ich mich bestens aus und konnte es genießen, das alles heute Abend ganz für mich allein zu haben. Zugegebenermaßen war ich etwas aufgeregter als gewöhnlicherweise. Der kirschrote Bikini gefiel mir tatsächlich sehr gut und er ließ sich viel besser ankleiden als mein Badeanzug. Er passte wie angegossen!
Woher kennt der Kerl meine Größe?
Als ich aus der Umkleide kam, traf mich fast der Schlag. Freddy lehnte am Lifter und betrachtete mich aufmerksam. Er selbst trug eine schwarze Badeshorts mit je einem breiten, kirschroten Streifen an beiden Seiten und er lächelte zufrieden. Ich spürte, wie ich ihn anstarrte und wahrscheinlich kirschrot im Gesicht anlief. Meine Gefühle fuhren Achterbahn. Stella Fröbel wollte nicht noch einen Freund. Stella wollte mehr. Ich schämte mich meiner Gedanken. Doch sie waren nur zu menschlich.
»Hübsch siehst du aus! Ich hoffe, das Ding gefällt dir auch«, brach Freddy das Schweigen.
»Oh ja. Der Bikini ist super und sitzt perfekt. Aber du kannst mir doch nicht einfach einen Bikini schenken!«
»Nein. Ich schicke dir die Rechnung, ...irgendwann.«
Ich lachte.
»Darf ich bitten, Prinzessin Stella?«, fragte Freddy, während er sich tatsächlich vor mir verneigte.
»Es ist mir eine Ehre, Prinz Freddy«, ging ich auf seine humorvolle Anwandlung ein und reichte ihm die Hand. Er zog mich zu sich heran. Selbst Hugo, mein treuer Diener, spielte mit.
»Gestatten Sie, Sir Hugo, dass ich Ihnen die Prinzessin kurz abnehme?«
Ich schmunzelte.
Wenn ich nun damit gerechnet hatte, dass Freddy mich

in den Lifter bugsieren würde, hatte ich falsch gerechnet. Er neigte sich zu mir und legte meinen Arm um seine Schulter. Dann hob er mich aus dem Stuhl. Mein Herz pochte schnell. Zu schnell. Ich zitterte.
»Ist dir kalt«, fragte Freddy besorgt.
»Nein«, antwortete ich.
Ganz im Gegenteil, mir ist heiß, dachte ich.
Es fühlte sich an, als würde Strom meinen Körper durchfluten. Ich konnte das sogar in meinen Zehenspitzen spüren. Das verwirrte mich. Freddy trug mich die wenigen Schritte zum Beckenrand. Ich spürte seine nackte Haut auf meiner eigenen und ich spürte seine Atemzüge. Mir wurde schwindlig. Wie lange hatte niemand mich so berührt? Wie lange hatte ich mich nach dem Gefühl der Geborgenheit gesehnt und danach, dass das Leben im Lot sei. Wenn mein Blick nicht gerade auf Hugo gefallen wäre, hätte ich alles vergessen können. Mir war zum Heulen zumute. Doch nicht, weil ich traurig war. Nein, ich hätte vor Glück weinen können, und sei es auch nur für heute Abend.
Freddy setzte mich vorsichtig am Beckenrand ab und drehte mich ein Stück zum Wasser, sodass meine Beine untertauchen konnten. Er kniete vor mir und blickte mir direkt in die Augen.
»Alles in Ordnung?«, fragte er.
»Ja«, nickte ich.
Wir waren uns so nah wie am letzten Sonntag. Freddy machte auch diesmal keine Anstalten, die Gelegenheit für einen Kuss zu nutzen. Dabei wünschte ich mir genau das. Aber ich hatte nicht den Mut dazu. Der Wunsch sollte mein Geheimnis bleiben.
Freddy ließ sich vom Beckenrand in das Wasser gleiten, stand vor mir und blickte zu mir herauf. Dann steckte er

beide Arme nach mir aus.
»Komm, Stella.«
Ich hatte keine Angst. Ich wusste, dass Freddy mich auffangen würde und stieß mich mit den Händen ab. Mit dem leisen Geräusch, das ich im Wasser verursachte, landete ich sicher bei Freddy. Ich fühlte mich leicht und vor allem beweglich. Das mochte ich jedes Mal während der Therapiestunden hier drin.
»Hast du denn keine Angst, dass sie uns erwischen?«, fragte ich.
»Ich glaube kaum, dass sich um diese Zeit noch jemand hierher verirrt. Und wenn sie mich verhaften, besuchst du mich dann im Gefängnis, ja?«
Ich kicherte. Dieser Mann hatte ein sonniges Gemüt.
»Und ich backe dir einen Kuchen mit einer Feile drin.«
Freddy lachte leise, während er mich langsam um sich herum bewegte.
»Dann sind wir jetzt Verbündete.«
»Ja. Wie Bonnie und Clyde«, fügte ich hinzu.
Freddy tauchte unter und ich schwamm allein über ihm. Inzwischen war es acht Uhr abends und durch das gleißende Licht unter Wasser schien draußen bereits finstere Nacht zu sein. Ich lauschte der leisen Musik von Meat Love, *I would do anything for love*. Ich war einfach glücklich und konnte kaum fassen, dass das kein Traum war.
Herrlich!
Freddy tauchte am anderen Ende des Beckens wieder auf. Ich paddelte zu ihm. Das Wasserbecken war nur so tief, dass die Patienten und Therapeuten darin stehen konnten. Freddy kam mir ein Stück entgegen und stellte sich vor mir auf die Füße. »Lege dich auf meine Arme, Stella, lass dich einfach fallen.«

Als ich das tat, lachte Freddy amüsiert.
»Andersherum, sonst bekommst du keine Luft mehr.«
Ich drehte mich auf den Rücken. Die Arme, auf denen ich lag, spürte ich nur ganz sanft. Ich glaubte tatsächlich zu schweben. Freddy lächelte mich an.
»Und? Gefällt es dir?«
»Fast so schön, wie unser Ausritt«, grinste ich.
»Dann sollten wir das wiederholen.«
Ich nickte eifrig.
»Bist du vielleicht ein Zauberer, Prinz Freddy?«, fragte ich nach einer Weile.
»Manchmal. Warum?«
»Ich denke, du kannst manchmal Hugo wegzaubern, mit mir fliegen oder die Zeit anhalten.«
Freddy wirkte plötzlich nachdenklich und schien nach passenden Worten zu suchen. Ich setzte noch eins drauf.
»Weshalb tust du das?«
»Weil ich es so will«, antwortete Freddy beinahe trotzig.
Seine Antwort klang so eindeutig und bestimmt, als dulde er keine weiteren Fragen danach. Doch gleich lächelte er versöhnlich in mein erschrockenes Gesicht.
»Keine Angst, Stella. Das ist bestimmt kein Mitleid. Als ich dich das erste Mal gesehen habe, war ich von dir und deinem Lächeln beeindruckt. Vielleicht bist du ja die Zauberin.«
Ich spürte eine ungeheure Erleichterung und ließ die angestaute Luft unmerklich aus meinen Lungen fließen. Noch immer lag ich auf Freddys Armen und schwebte im Wasser um ihn herum. Das war wie ein Traum. Ich schloss die Augen und lächelte breit. Von all den Fragen, die mir unter den Nägeln brannten, wagte ich nicht mehr eine einzige zu stellen. Ich genoss es einfach in Freddys Armen zu liegen. Zeit und Raum verloren ihre Bedeu-

tung, während die leise Musik an meine Ohren drang. Ich glaubte, ich sei in einer anderen Welt. Ich weiß nicht, wie viel Zeit vergangen war, als Freddy leise zu mir sagte: »Ich habe Hunger.«
Als ich die Augen öffnete, sah ich sein Gesicht vor mir. Seine Augen glitzerten in der Dämmerbeleuchtung. Immer wenn er lächelte, bildeten sich an seinen Mundwinkeln kleine Grübchen.
»Wie spät ist es eigentlich?«, fragte ich.
»Gleich neun.«
Ich war sichtlich erschrocken und paddelte mich sofort auf meinen Bauch herum. Mehr als zwei Stunden waren wir schon hier unten! Freddy ließ mich gehen, tauchte unter und kraulte ein paarmal durch das Becken. Ich versuchte es auch. Das war dann doch sehr ungewohnt und anstrengend für mich. Plötzlich tauchte Freddy unter mir auf, hob mich auf seinen Schultern aus dem Wasser und warf mich nach hinten ab. Ich tauchte unter und paddelte mich mit den Armen wieder an die Wasseroberfläche. Von meinem Kopf tropfte das Wasser. Ich lachte. Freddy stieg aus, verabschiedete sich und wandte sich zum Gehen.
»Hey!«, protestierte ich. »Hast du nicht etwas vergessen?«
Freddy drehte sich zu mir um.
»Stimmt. Wirf mir den Bikini heraus. Der gehört mir.«
»Das könnte dir so passen! Du hast ihn mir geschenkt. Schon vergessen?«
»Wie käme ich dazu?«, grinste er frech und stemmte seine Hände in die Hüften.
»Schuft!«
Ich spritze mit reichlich Wasser zu ihm. Er trat einen Schritt zurück. »Komm schon! Raus da, bevor du dich

noch auflöst«, meinte er.
Jetzt kam er zum Beckenrand und reichte mir seine Hand. Darauf hatte ich nur gewartet. Mit einem unerwarteten Ruck zog ich an seinem Arm. Freddy musste damit gerechnet haben, denn er stemmte sich dagegen. Doch im nächsten Augenblick tat er mir den Gefallen und stürzte sich über mich ins Wasser. Als er vor mir wieder auftauchte, schüttelte er seinen Kopf, sodass die Wassertropfen nur so spritzten.
»Was wollen wir essen?«, fragte er mich.
»Pizza?«
»Gute Idee, Stella. Gehen wir Pizza essen.«
Ich verspürte plötzlich Hunger und wollte raus aus dem Becken. So schön es auch war, meine Haut an den Händen hatte sich inzwischen sichtlich gekräuselt und auch meine Blase meldete sich. Freddy nahm mich über seine Schulter und hob mich aus dem Wasser. Meinem Protest zum Trotz transportierte er mich wie einen nassen Sack zu Hugo. In den setzte er mich sanft ab. Ich zitterte und dieses Mal, weil ich fror. Freddy wickelte mich schnell in ein Badetuch und schob mich, ohne zu fragen, in die Umkleidekabine. Dort reichte er mir das Handtuch für die Haare und verschwand.
Abtrocknen, Toilette, ankleiden und Haare föhnen, die ganze Prozedur kam mir heute Abend wie eine Ewigkeit vor. Als ich endlich fix und fertig vor Freddy auftauchte, war es bereits halb zehn.
»Ob wir jetzt noch Pizza bekommen?«, zweifelte ich.
»Natürlich!«, antwortete Freddy überzeugt. »Sie gestatten, dass ich Sir Hugo heute ausnahmsweise einmal schiebe?«
»Ich gestatte.«
Freddy sauste mit uns davon, denselben Weg zurück, bis

in das Foyer und zur Tür hinaus. Draußen war mittlerweile Nacht geworden. Die Laternen leuchteten nur schwach, als hätte jemand sie gedimmt. Die Luft war angenehm kühl und klar. Es hatte aufgehört zu regnen, doch der Boden war nass. Vor dem Eingang hielt ein Taxi, aber es war kein Bus, wie der, mit dem ich zur Hippotherapie abgeholt worden war.
»Unsere Kutsche ist vorgefahren«, sagte Freddy.
Ich hüllte mich in Schweigen und wartete ab, was er nun vor hatte. Freddy nahm mich tatsächlich wieder auf die Arme und bugsierte mich vorsichtig auf den Rücksitz der Limousine. Der Taxifahrer grüßte kurz und packte Hugo in den Kofferraum. So einfach war das. Freddy stieg hinten ein und setzte sich neben mich.
»Du hast ziemlich viel Kraft«, bewunderte ich ihn. »Es ist schön, mal wieder normal in einem Auto zu sitzen.«
»Du bist ein Leichtgewicht, Stella.«
»Auf dem Rückweg vielleicht nicht mehr«, kicherte ich.
»Dann kommst du in den Kofferraum und Hugo auf den Rücksitz.«
Ich kicherte noch mehr.

*****

Als ich überglücklich in mein Bett fiel, war es bereits Sonntag um drei Uhr morgens. Ich war beschwipst. Alles um mich herum drehte sich. Ich hatte fast vergessen, wie sich das anfühlte. Ich hatte mir fest vorgenommen, von Freddy zu träumen, doch ich fiel relativ rasch in einen tiefen, traumlosen Schlaf.
Am Morgen verschlief ich das Frühstück. Niemand störte mich. Ich erschrak, als ich aufwachte und zur Uhr blickte. Es war zwölf! *Was solls*.

Ich ließ mich wieder auf mein Kissen fallen und zog die Decke bis über die Nase. Durch die zugezogenen Vorhänge drang spärliches Tageslicht zu mir. Wahrscheinlich regnete es wieder mal. Hunger hatte ich nicht. Ich schloss die Augen und träumte vor mich hin. Unter meinen geschlossenen Lidern erschienen türkisgrüne und blaue Spiralen. Chlorgeruch schlich sich in meine Sinne. Ich rümpfte die Nase. Die Gedanken, in Freddys Armen durch das Wasser zu schweben, wurden schlagartig zur Qual. »Verflucht«, zischte ich leise, öffnete die Augen und schob die Decke unwirsch von mir.
Ich musste dringend zur Toilette und hasste meine Blase dafür. Die ließ sich davon allerdings nicht beeindrucken. Plötzlich war ich hellwach.
Frisch geduscht und angekleidet fuhr ich wenig später mit Hugo quer durch mein Zimmer, zog die Vorhänge zurück und öffnete die Glastüren sperrangelweit. Sanfter Regen ergoss sich kaum hörbar über die Erde und der Geruch nach frischem Gras krabbelte in meiner Nase. Da stand ich nun und starrte hinaus zum Himmel und den Baumkronen. Inzwischen hatte ich auch das Mittagessen verpasst. Das war mir egal. Einen Kaffee hätte ich gebrauchen können. Doch den konnte ich mir im Foyer holen. Schließlich machte ich mich auf den Weg dorthin. Als ich mir gerade Kaffee in eine Tasse goss, begegnete mir mein Tischnachbar Hugo. Er freute sich sehr mich zu sehen und dass es mir gut ging, denn er hatte mich zum Frühstück und zum Mittagessen vermisst.
»Ich habe gar keinen Hunger. Gestern Abend war ich zum Essen eingeladen. Ich glaube, die Pizza war so groß wie ein Mühlrad«, lachte ich, während ich die Sahne in meinen Kaffee rührte.
»Das klingt gut. Dort muss ich unbedingt auch mal hin.

Ich habe bestimmt in den letzten hundert Jahren keine Pizza mehr gegessen.«
Ich erklärte ihm, wie er das italienische Ristorante finden konnte, bevor wir über Rosa redeten, über das Wetter und Hugos Sonntagspläne. Er erwartete Besuch von seiner ältesten Tochter, die vor einem Jahr einen Australier geheiratet hatte, zu dem sie gezogen war. In Hugos Augen und Worten schwang ein Gemisch aus Schwermut, Stolz und Freude.
»Das ist schön. Ich freue mich für dich, Hugo. Ehrlich.«
Hugo strahlte, während ich meinen Kaffee genoss. Und ich versuchte krampfhaft, mich an Freddys Worte zu erinnern. Er wollte kommen, aber wann?
»Und was machst du nun aus deinem angebrochenen Sonntagvormittag?«, fragte Hugo.
»Och, ich bekomme auch Besuch. Ich weiß nur nicht genau, wann.«
»Etwa der Cowboy mit dem Pferd?«, fragte Hugo heraus-fordernd.
»Genau der. Nur ohne Pferd. Das ist wasserscheu.«
Hugo lachte so sehr, dass sein Rollstuhl wackelte. Ich grinste breit. Im Eingang erschienen einige Besucher, die zum Empfang steuerten. Ich beobachtete sie. Die Dame am Empfang wies mit der Hand zu uns.
»Ich glaube, deine Australier sind im Anmarsch, Hugo.«
Sofort wandte Hugo sich um und stieß einen so lauten Freudenschrei aus, dass ich zusammenfuhr. Was war das für ein Geschrei! Sie hatten einander so lange nicht gesehen. Wie schön es doch war, eine Familie zu haben. Die Menschen umarmten sich mit Freudentränen in den Augen. Ich war gebannt von dieser Begrüßung und nippte unentwegt an der Kaffeetasse.
»Hallo«, sagte ich schließlich zurückhaltend und lächel-

te.»
Das ist meine kleine Freundin, Stella«, stellte der zweibeinige Hugo mich schließlich seiner Familie vor.
Kleine Freundin? Tja. Was eigentlich sonst?
Hugos Familie begrüßte auch mich so herzlich, als würde ich dazu gehören. Sie waren sehr nett. Ich wagte noch zu fragen, wo in Australien sie lebten und wie es denn dort so wahr. Sie erzählten mir von ihrem Zuhause und schwärmten von ihrem Leben dort. Ich war begeistert und tief in mir bohrte so etwas wie Fernweh. Mit einer Urlaubsreise wäre ich ja, irgendwann einmal, zufrieden.
Aber allein? Mit meinem Hugo? Ausgeschlossen!
Irgendwann verabschiedete ich mich unter einem Vorwand, denn ich wollte nicht stören. Hugo sollte seinen Sonntagnachmittag mit seiner Familie verbringen. Ich fuhr zur Eingangstür, um feuchte Luft zu schnuppern. Sprühregen und der Duft nach frischem Gras lag noch immer darin. Ich konnte nicht behaupten, dass ich auf Freddy wartete, doch es fühlte sich letzten Endes so an.
Freddy kam, aber wider Erwarten nicht durch die gläserne Eingangstür. Er tauchte plötzlich hinter mir auf. Ich war, wie sollte es anders sein, erschrocken. Als ich bemerkte, dass er in Begleitung einer Frau gekommen war, spürte ich förmlich mein Blut aus dem Kopf weichen. Mir wurde schwindlig.
»Du wirkst heute so bleich und niedergeschlagen. Geht es dir nicht gut, Stella?«
Was für eine Begrüßung! Ich schluckte.
»Hallo«, wisperte ich und zwang mir ein Lächeln ab.
Freddy kräuselte die Stirn. Dann stellte er mir seine Begleiterin vor.
»Sabine Steinberger, Stella Fröbel.«
Ich nickte skeptisch.

»Frau Steinberger ist Journalistin. Sie möchte einen Artikel über unseren Ponyhof, die Hippotherapie und über dich schreiben.«
»Über mich?«, krächzte ich.
Freddy ginste.
»Ja. In diesem Fall gehörst du zu unserem Pilotprojekt.«
Ich konnte es nicht fassen! Ich hatte zweimal auf einem Pferd gesessen und gerade mal meine erste Hippotherapiestunde hinter mich gebracht. Was hatte Freddy sich nur dabei gedacht? Ich hatte doch noch überhaupt keine Erfahrung!
»Das tut mir leid, dass wir Sie gerade überfallen haben. Wenn es Ihnen heute nicht so gut geht, dann kann ich auch ein andermal wiederkommen«, meinte die Frau versöhnlich, als hätte sie meine Gedanken erraten. Ich schämte mich.
»Was wollen Sie denn über mich schreiben?«
Meine Neugier hatte gesiegt. Allmählich spürte ich das Blut in meinen Kopf zurückkehren. Meine Gedanken wurden wieder klarer.
»Wie es sich anfühlt im Rollstuhl sitzen zu müssen, welche Hürden Sie überwinden mussten und müssen und vor allem wie Sie es empfinden, auf einem Pferd zu sitzen. Ich will Freddy dabei helfen, die Hippotherapie auf dem Ponyhof bekannter zu machen. Zu viele Leute wissen gar nicht, dass es diese Therapie überhaupt gibt. Außerdem wollen wir damit auch Sponsoren finden. Noch immer winden sich Kranken- und Unfallversicherungen, die Kosten dafür zu übernehmen. Man muss vorher einen Antrag stellen und die Notwendigkeit genau erklären und wenn die Kosten schließlich übernommen werden, dann oft nicht zu 100 Prozent. Doch der Eigenanteil ist für viele leider oft unerschwinglich. Es

gibt Dachverbände, die das finanziell fördern. Doch dazu brauchen Verbände Sponsoren.«
Mir blieb also keine andere Wahl, als mich darauf einzulassen. Aber weshalb hatte Freddy mich nicht darauf vorbereitet? Ich empfand das tatsächlich wie einen Überfall.»Sorry, Stella. Aber manchmal muss man die Verwandt-schaft spontan ausnutzen.«
Frau Steinberger lachte und stieß Freddy in die Seite.
»Okay. Setzen wir uns«, stimmte ich zu. »Kaffee?«
»Gerne.«
Freddy und Sabine begleiteten mich durch die Cafeteria, bis zu einem Tisch am Fenster, ganz in der Ecke. Nachdem jeder Kaffee und Torte hatte, packte die Journalistin ein Diktiergerät aus. Das irritierte mich, denn ich hatte noch nie in so etwas hinein gesprochen.
»Keine Angst, Stella. Die Aufzeichnung ist nur für meine Ohren bestimmt, damit ich nichts vergesse, wenn ich den Artikel verfasse«, beruhigte sie mich.
»Aha«, nickte ich erleichtert.
Zunächst begann ich, Sabines Fragen steif und zögerlich zu beantworten. Doch bald gingen wir zu einer zwanglosen Plauderei und zum *Du* über, lachten gelegentlich und tranken unseren Kaffee. Auch Freddy beteiligte sich an unserem Gespräch, warf Fragen ein und erzählte selbst etwas über die Hippotherapie und seiner Vision, die zu seiner Mission werden sollte. Die Zeit verging wie im Flug. Am Ende hatte ich das gute Gefühl, auch anderen etwas gegeben zu haben, nicht nur behinderten Menschen. Gerade die Nichtbehinderten hatten oft Berührungsängste, die später auch ein Thema sein sollten, damit auf beiden Seiten mehr Verständnis wachsen konnte. Sabine war sehr feinfühlig und gab mir kein einziges Mal das Gefühl, mich auszufragen. Ich

mochte sie. Etwa zweieinhalb Stunden später bedankte Sabine sich bei mir und Freddy, packte ihre Sachen in die Tasche und verabschiedete sich.
»Ich muss los. Es war schön, dich kennen gelernt zu haben, Stella. Herzlichen Dank! Für mich war es sehr interessant, das Leben einmal durch deine Augen sehen zu dürfen. Und da der Kerl hier neben mir irgendwie zur Familie gehört, sehen wir uns sicherlich irgendwann mal wieder.«
Mein Herz hüpfte vor Freude.
»Das wäre schön. Ich würde mich freuen, Sabine. Wenn der Artikel fertig ist, darf ich ihn doch lesen?«
»Aber sicher doch, Stella. Vor allen anderen!«
»Danke«, strahlte ich.
Ich spürte die Dankbarkeit in allen Zellen meines Körpers und sie fühlte sich unbeschreiblich gut an. Ich fühlte mich wichtig und respektiert und selbstbewusst. Im Moment hätte mich nichts umwerfen können, nicht mal ein Gerichtsbeschluss.
Sabine ging.
Freddy nahm schließlich meine Hand und lächelte mich an. Meine plötzliche Verlegenheit ärgerte mich. Freddy ignorierte das.
»Danke«, sagte er leise. »Ich hatte Angst, dass du mir den Überfall übel nimmst.«
»Ich scheine vor deinen Überraschungen nie sicher zu sein.« Ich legte den Kopf schräg und blinzelte ihn durch meine fast zugekniffenen Augen an.
Freddy lachte sein charmantes Lachen, das ich so mochte.
»Heute habe ich leider keine weitere Überraschung für dich und Kasper musste ich bei diesem Dauerregen zu Hause lassen«, bedauerte er. »Darf ich denn trotzdem

noch bleiben?«
Nichts wünsche ich mir sehnlicher.
»Natürlich«, piepste ich.
Dann musste ich mich räuspern. Mir brannte etwas unter den Nägeln und das Brennen wurde zunehmend unerträglich. So sehr, dass ich mich überwinden musste, mit Freddy über meine Bedenken zu reden, selbst auf die Gefahr hin, dass er nie wieder zu mir kommen würde. Verzweifelt suchte ich nach den passenden Worten.
»Ich freue mich, wenn du da bist. Ich habe mich lange nicht mehr so unbeschwert, ja sogar glücklich gefühlt. Ich mag deine Überraschungen und um ehrlich zu sein, gefällt es mir, wie du den Verführer spielst. Aber ich habe große Angst davor, dass du falsche Hoffnungen in mir weckst, Freddy. Ich habe Angst davor, dass alles nur ein unrealistischer Traum ist. Das Leben ist manchmal so unfair. Ich bin an einen Rollstuhl gefesselt und ich bin gerade dabei, mich in dich zu verlieben.«
Nun spürte ich doch diesen gnadenlosen Stromstoß in meinem Körper, der mir die Schamesröte in mein Gesicht trieb. Freddy drückte meine Hand fester und starrte auf unsere Hände.
»Ich auch Stella«, flüsterte er.
Während die Bedienung abräumte, schwieg Freddy. Ich bestellte zwei Ginger Ale mit Eis. Jetzt blickte Freddy mir direkt in die Augen. Er nickte nur und schluckte schwer. Ich war überhaupt nicht auf die Idee gekommen, dass es ihm vielleicht auch schwerfallen konnte, mit mir darüber zu sprechen. Wir sahen uns heute schließlich erst zum vierten Mal, abgesehen natürlich von der Karambolage im Krankenhaus. Das war eine relativ sehr kurze Zeit. Und dennoch hatte sich in uns etwas unaufhaltsam in Bewegung gesetzt, wovon ich nie zu träumen gewagt

hatte. Meine Gefühle überrannten mich gerade dermaßen, dass ich verzweifelt versuchte, meine Tränen wegzublinzeln. Freudentränen. Ich wischte mit der freien Hand über meine Augen und lächelte.
»Bist du dir sicher?«, fragte ich.
»Vollkommen!«, antwortete er ohne zu zögern.
Ich zweifelte nicht mehr daran. Das Brennen unter meinen Nägeln und der Stein, der bis eben auf meinem Herzen gelegen hatte, lösten sich in Nichts auf. Was blieb war eine tiefe Empfindung aus Selbstzufriedenheit und Liebe. Wir hatten uns noch nicht einmal geküsst. Gerade jetzt hätte ich es so gern getan, doch wir saßen in einer Cafeteria voller Leute. Ich seufzte.
Freddy küsste meine Hand und schmunzelte verwegen dabei.
»Ich kann nichts dagegen tun«, sagte er.
»Willst du denn etwas dagegen tun?«
»Um ehrlich zu sein, ja, ich wollte. Aber da war es auch schon zu spät.«
Ich kicherte leise. »So war das bei mir auch.«
Die Bedienung brachte uns die eisgekühlten Getränke.
»Danke«, sagte ich.
Im Prinzip war ich froh, mit Freddy noch hier unten, inmitten der Leute zu sitzen. Der Raum war sehr voll. Das Regenwetter machte sich auch hier drin bemerkbar. Hier an diesem Ort inmitten der Menschen war es mir leichter gefallen, mich ihm zu offenbaren. Irgendwie fühlte ich mich genau hier sicherer. Vielleicht, weil ich mit einer Enttäuschung gerechnet hatte? Ja, auch das wäre möglich gewesen. Die Gefühlswelt einer Frau ist zeitweise unergründlich, obwohl ich mir alle realen Hoffnungen auf Freddy immer auszureden versucht hatte. Ich musste lachen.

»Was ist?«, fragte Freddy.
»Ich kann das alles einfach noch nicht realisieren.«
»Auch die Realität hält hin und wieder Überraschungen bereit.«
»Ja, aber ganz selten gute.«
»Das stimmt allerdings.«
Als er das sagte, flackerten Freddys Augen und sein Lächeln war gewichen. Irgendetwas schien auch ihn zu bedrücken. Ich wagte nicht, danach zu fragen. Nicht jetzt. Er schien sich plötzlich selbst aus seinen Gedanken zu reißen und griff nach dem Glas.
»Am Mittwoch werde ich wieder zur Hippotherapie chauffiert. Bist du dann auch da?«
»Am späten Nachmittag, so gegen fünf, könnte ich es einrichten.«
»Dann warte ich auf dich.«
»Wie hat es dir eigentlich gefallen?«
»Gut. Nur du hast gefehlt.«
»Aber die Mädels machen das super, oder?«
»Zweifelsohne. Sie sind sehr nett, professionell und Fritz erst.«
Freddy lachte. »Fritz! Mein erstes Pferd.«
»Im Ernst?«
»Ich war fünf, als mein Großvater mich das erste Mal auf ein Pferd setzte. Ich hatte das Gefühl, ich mache Spagat über unser Sofa.«
Ich kicherte.
Freddy ließ meine Hand los und erzählte gestikulierend.
»Sein Pferd war ganz lieb und unendlich geduldig. Später flüchtete ich nach der Schule zuerst in den Stall oder auf die Koppel um meinen Freund zu besuchen. Doch Großvaters Pferd war alt geworden und ich zu groß. Ich durfte ihn nicht mehr reiten, weil ihm das Schmerzen bereitete.

Um mich zu trösten, schenkte Großvater mir sein Fohlen. Fritz war damals sechs Monate alt und ziemlich frech und neugierig.« Freddy schwelgte in seinen Erinnerungen. »Großvater half mir bei der Ausbildung von Fritz und lehrte mich sehr viel über Pferde und den Umgang mit ihnen. Fritz und ich waren sehr aufmerksame Schüler. Als der nun dreijährige Fuchswallach angeritten werden sollte, starb Großvater und ich stieß ziemlich schnell an meine Grenzen. Ich konnte nicht wirklich reiten und Fritz hatte Probleme mit seinem Gleichgewicht. Das ist bei jungen Pferden oft so. Deshalb holte ich mir Hilfe und nahm schließlich Reitstunden mit ihm. Irgendwann erwischte ich mich, wie ich mit ihm redete. Ich war über mich selbst erschrocken, doch Fritz schien mir buchstäblich zuzuhören und ich bildete mir ein, dass er mir sogar antwortete. Als wir endlich zusammen das Tanzen gelernt hatten, kamen die Abiturprüfungen und dann das Studium. Schweren Herzens traf ich eine Vernunftsentscheidung und gab Fritz schließlich als Schulpferd frei. Dorthin, wo ich hingehen musste, konnte ich ihn nicht mitnehmen.«
»Fritz gehört dir?«, krächzte ich erstaunt.
»Ja, so ist es«, grinste Freddy. »Inzwischen ist Fritz 17 Jahre alt und ein wahrer Profi. Er geht super als Schul- und Therapiepferd. Ihm würde wirklich etwas fehlen, wenn er die Kinder nicht mehr hätte.«
»Und Kasper?«, fragte ich.
»Den kenne ich seit seiner Geburt. Als ich wegen des Studiums nach Leipzig ging, zogen mich auch dort die Pferde magisch an. Als Fohlen war er ganz schön frech und hatte nur Unfug im Kopf. Ein Kasper eben. Wir haben miteinander gespielt und relativ viel Zeit miteinander verbracht. Das war für mich die perfekte

Abwechslung zum Studiumsalltag. Als ich mitbekam, dass Kasper zum Verkauf stand, konnte ich nicht anders. Ich hatte gerade erst die Schulden für mein erstes, altes Auto abgezahlt und nun stand ich da. Mein Vater erklärte mich damals für verrückt und gab mir keinen Cent mehr, außer für das Studium. Deshalb zahlte ich Kasper in kleinen Raten beim damaligen Besitzer ab und übernahm an meinen freien Tagen Hof- und Stalldienste. Dabei kam mir die Idee mit der Hippotherapie bereits in den Sinn und ich löcherte meine Professoren an der Uni. Das blieb natürlich kein Geheimnis und schon gar nicht vor meinem Vater. Nachdem er meine ersten Flausen verschmerzt hatte, versprach er mir Unterstützung, sobald ich mein Studium mit besten Noten absolviert haben würde. Und wirklich nur dann!« Freddy machte eine Pause und grinste mich triumphierend an. »Mit viel Einsatz, meinem starken Willen und harter Arbeit gelang mir das und heute steht mein Vater zu seinem Wort, wenn auch etwas widerstrebend.«
»Er scheint ein guter Mensch zu sein. Was ist mit deiner Mutter?«
»Sie ist nicht besonders gut auf ihn und mich zu sprechen. Aber lassen wir das.«
Freddy schien tatsächlich nicht über seine Mutter reden zu wollen. Da ich mich selbst auch nicht gern ausfragen ließ, konnte ich ihn gut verstehen. Deshalb nickte ich verständnisvoll.
»Was ist mit deinen Eltern? Du sagtest, dass du das Blumengeschäft von ihnen übernommen hast.«
»Sie sind bei einem Verkehrsunfall ums Leben gekommen.«
Freddy wurde sichtlich bleich. Meine direkte Antwort hatte ihn offensichtlich schockiert.

»Vor drei Jahren. Ich habe keine Geschwister und nur eine ziemlich entfernte Verwandte. Alles in allem stehe ich ziemlich allein mitten in der Welt und seit ein paar Wochen kann ich nicht mal mehr stehen. Irgend ein Idiot hat mich einfach übersehen und von einer Sekunde auf die andere für den Rest meines Lebens zum Krüppel gemacht. Nicht mal nach mir gefragt hat er. Wäre Peter nicht gewesen, hätte ich mich mit Hugo längst einen Abhang hinabgestürzt. Nun muss ich mich mit Krankenkassen und Unfallversicherungen auseinandersetzen, um meine Ansprüche geltend zu machen, die ich nicht mal kenne. Stunden habe ich damit zugebracht, Fragebögen und Antragsformulare auszufüllen, während der, der den Unfall verursacht hat, unbehelligt durchs Leben laufen kann. Das macht mich wütend.«
Freddy starrte auf das Glas, das vor ihm stand und schwieg betreten. Er war mitten aus seiner fröhlichen Lebendigkeit heraus plötzlich zu einer Statue geworden. Das hatte ich nicht gewollt.
»Freddy?«, fragte ich vorsichtig.
Er reagierte nicht. Wahrscheinlich war er irgendwo auf dieser Welt, aber nicht mehr hier. Vielleicht hätte ich es ihm mit anderen Worten sagen sollen, oder besser gar nicht?
»Freddy?«, fragte ich noch einmal und griff vorsichtig nach seiner Hand. Ich bemerkte, wie er sie erschrocken zurückzog.
»Das tut mir so leid, Stella«, sagte er leise und schluckte.
»Du kannst ja nichts dafür«, beruhigte ich ihn.
Doch auf Freddy schien das sehr intensiv zu wirken und ich machte mir Gedanken darum, an welche bösen Erlebnisse er gerade dachte. Er atmete hörbar tief durch und hüllte sich in Schweigen. Ich wechselte das Thema.

»Glaubst du, dass ich eines Tages richtig reiten lernen kann? Du bist doch Arzt und hast mehr Ahnung als sonst jemand. Ich meine, ich habe davon geträumt, aber ich will mir keine unrealistischen Hoffnungen machen.«
Nun wurde Freddy wieder lebendiger. Er hatte meine Worte offenbar verstanden. Seine Augen begannen zu glänzen und das Lächeln kehrte in sein Gesicht zurück.
»Ja, Stella. Und wenn du willst, bringe ich es dir bei«, sagte er leise.
»Mit Kasper?«
»Mit Kasper.«
Oh mein Gott! Was hatte ich mir da schon wieder eingebrockt?
Ich hatte Angst davor! Wie sollte ich jemals alleine mit einem Pferd galoppieren können? Freddy würde nicht ewig hinter mir sitzen können oder wollen und ich war froh, dass ich mich bei der Therapie nicht blamiert hatte.
Freddy betrachtete mich, als hätte er meine Gedanken erraten. Ich ärgerte mich, wenn meine Gesichtszüge meine Gedanken und Gefühle verrieten, ohne dass ich es wollte. Freddy las wie in einem aufgeschlagenen Buch darin. Dabei hätte ich es so gern zugeklappt.
»Ich… ich freue mich«, stammelte ich.
»Wir auch«, schmunzelte Freddy. »Kasper spielt gern.«
»Aha.«
»Du müsstest dein Gesicht sehen, Stella. Du glaubst noch nicht ernsthaft daran?«
Ich seufzte niedergeschlagen. Erwischt!
»Ich glaube dir, Freddy, und ich wünsche es mir tatsächlich sehr. Aber ich habe auch ein wenig Angst.«
»Die hatten wir am Anfang alle. Aber Angst verklemmt, macht steif und behindert unser Gleichgewicht.«
»Aber sie warnt uns auch vor Gefahr.«

»Stimmt. Aber du wirst lernen, wie du Gefahren aus dem Weg gehen und ihnen entgegenwirken kannst, bevor sie dir etwas anhaben können.«
»Wie?«
»Mit Wissen, Feingefühl, Vertrauen und Respekt.«
Ich starrte Freddy an. Obwohl ich seiner Meinung war, wusste ich nicht, wie ich das dem Pferd klar machen sollte.
»Pferde sind gefährlich. Vorn beißen sie, hinten treten sie und in der Mitte werfen sie dich ab«, meinte Freddy.
Jetzt musste ich tatsächlich lachen.
Wir redeten, diskutierten und schmiedeten Pläne ohne zu bemerken, dass wir allmählich die letzten Gäste in der Cafeteria waren. Als Freddy sich verabschieden wollte, hielt ich ihn zurück. Ich war über mich selbst erschrocken. Fragend blickte er mich an.
»Was ist?«
»Musst du wirklich schon gehen?«
»Die Cafeteria schließt.«
»Aber es ist doch erst sechs«, maulte ich wie ein trotziges Kind.
»Draußen regnet es.«
»Aber nicht in meinem Zimmer.«
»Das ist mir zu gefährlich«, grinste er.
»Hast du Angst?«, fragte ich herausfordernd.
»Ja.«
»Doch nicht vor mir?«
»Doch.«
Ich kicherte.
Freddy amüsierte das offensichtlich.
»Du musst deine Angst überwinden. So einfach ist das«, meinte ich. »Angst verklemmt und behindert uns nur. Wer braucht das schon.«

»Sie warnt mich gerade vor einer Gefahr, Prinzessin Stella«, antwortete Freddy.
»Dann musst du dich der Gefahr stellen, mein Prinz.«
Nun lachte Freddy.
»Muss ich wohl. Du lässt mir keine andere Wahl.«
Ich triumphierte. Ich war über meinen Schatten gesprungen um meinen Willen durchzusetzen. Freddy zahlte und ließ sich eine Flasche Rotkäppchensekt und zwei Gläser geben. Gemeinsam steuerten wir meinem Zimmer zu. Das war groß und gemütlich. Freddy öffnete die Flasche und goss ein. Ich beobachtete jeden seiner Handgriffe. Als er sich auf den Stuhl direkt vor mich setzte und mir ein Glas mit dem prickelnden Sekt gab, fragte ich:
»Haben wir etwas zu feiern?«
»Ich denke ja. Ich habe es geschafft, dass du mich mit auf dein Zimmer genommen hast. Du hast es geschafft, mich völlig konfus zu machen.«
»Das ist allerdings ein Grund«, gab ich kleinlaut zu.
Dann stießen wir an. Die Gläser klirrten leise und schließlich prickelte der Sekt auf der Zunge genau wie das Gefühl unter meiner Haut. Es war wie im Traum und doch real. Freddy stellte sein Glas ab und lehnte sich zurück. Er schien abzuwarten, was ich mit ihm vor hatte. Bisher war immer er derjenige gewesen, der mich mit seinen Ideen überrascht hatte. Jetzt kam ich mir ziemlich hilflos vor, denn mir fiel absolut nichts ein. Verlegen schlürfte ich noch einen Schluck Sekt. Der krabbelte in der Nase und ich musste niesen. Dabei verschüttete ich den restlichen Sekt auf mein Shirt. War mir das peinlich! Ich schaffte es gerade so das Glas abzustellen, bevor ich noch einmal niesen musste. Aufgeregt fummelte ich nach meinem Taschentuch. Es war nicht einfach ein

Taschentuch aus einer Jeanshosentasche zu bekommen, wenn man saß. Freddy reichte mir sein Taschentuch. Dankbar nahm ich es, denn das Kribbeln in meiner Nase ließ mich noch ein drittes Mal niesen. Das ärgerte mich. Ausgerechnet jetzt! Nachdem ich mich wieder beruhigt hatte musste ich das Badezimmer aufsuchen. Das Zeug klebte! Als ich mich im Spiegel betrachtete, erschrak ich. Ich war halbnackt und in meinem Zimmer, in dem auch der Schrank mit meinen Sachen war, saß ein Mann. Heute Abend ging aber auch alles schief!
So wie ich gerade jetzt aussehe, kann ich doch nicht in meinem Zimmer auftauchen.
»Alles okay, Stella?«, vernahm ich Freddys Stimme.
»Nein. Ich habe nichts anzuziehen«, rief ich.
»Tatsächlich?«
Dann hörte ich Freddys Lachen.
Ich wickelte mir das Handtuch um und öffnete die Tür.
»Tatsächlich.«
»Gestatten?«, fragte Freddy, während er meine Schranktür öffnete. »Und wem gehören dann diese Sachen?«
Die Auswahl war dürftig. Dort lag ein Shirt, das ich nicht besonders mochte, meine Rollkragenpullover und eine alte Strickjacke. Nimm mich, flüsterte mein Kleid mir zu. Ich war einverstanden. Doch ich fand nicht mal mehr einen BH und seufzte niedergeschlagen.
»Wo ist das Problem?«, fragte er schulterzuckend.
Männer würden das wohl nie verstehen.
»So gefällst du mir aber auch«, grinste Freddy. »Machen wir es uns doch bequem und sehen uns einen Film an. Was meinst du?« Er reichte mir das Shirt, das ich nicht besonders mochte.
Mir fiel ein Stein vom Herzen. Sofort stimmte ich zu, zog ihm das Shirt aus den Händen und verschwand hinter

der Tür. Das uralte Ding war übergroß, viel zu lang und blau gestreift. Es reichte mir bis zu den Knien.
Wie hatte ich das nur kaufen können!?
Ich atmete tief durch und verließ das Badezimmer, ohne weiter darüber nachzudenken. Freddy musterte mich kritisch.
»In deiner Größe gab es wohl keins?«
»Das ist meine Größe«, grinste ich herausfordernd.
»Okay«, zweifelte er und schaltete das Fernsehgerät an. »Mal sehen, was sie uns zu bieten haben.«
Freddy suchte lange. Währenddessen rutschte ich auf mein Bett, denn ich konnte nicht mehr sitzen. Verunsichert schielte ich zu Hugo. Der schien mir gerade zuzuzwinkern. Ich schmunzelte.
Freddy fluchte leise.
»Das kannst du vergessen. Bin gleich wieder da.«
Mit diesen Worten verließ er fluchtartig das Zimmer.
»Meinst du, er kommt wieder, Hugo?«, fragte ich leise.
Wieder zwinkerte Hugo mir zu. Klar hatte der keine Augen, doch auf seinem Metallgestell spiegelte sich das Licht der Flimmerkiste.
Fünf Minuten lang geschah nichts. Ich wartete ungeduldig. Die Zeit kam mir wie eine Ewigkeit vor, bis Freddy nach etwa zehn Minuten mit einer DVD hereinkam.
»Nichts besseres gefunden«, sagte er und zuckte mit den Schultern. »Ich hoffe, du magst so etwas.«
Mit diesen Worten hielt er mir die Plastikhülle vor die Nase. Ich mochte Since Fiction nicht besonders, wollte Freddy aber nicht enttäuschen. Außerdem hasste ich Vorurteile, selbst meine eigenen.
Neugierig las ich: *Avatar.*
»Kennst du den?«
»Gehört ja, aber noch nicht gesehen.«

Freddy schob die kleine, runde Silberscheibe unter dem Bildschirm in meinen Fernseher. Bis dahin hatte ich nicht mal gewusst, dass ich damit auch eine DVD ansehen konnte.
»Wo hast du die denn gefunden?«
»Im Büro des Chefarztes.«
Ich spürte sofort, dass mein Gesicht erstaunte Züge annahm.
»Du bist also ein Dieb«, stellte ich entrüstet fest.
»Nein. Ich lege sie nachher zurück.«
»Und Einbrecher.«
»Nein. Die Tür war ...offen.«
»Und ein Lügner obendrein!«
»Ja«, nickte Freddy. »Sie lag noch in meinem Auto.«
Erleichtert atmete ich auf, während er weiterhin frech grinste. Als der Film startete, zog Freddy die Vorhänge zu und schaltete das Licht aus. Ich rückte ganz zur Wand hin, um ihm Platz zu machen. Er schob den Stuhl neben mein Bett. Im Schein meiner Leselampe betrachtete ich ihn. Doch Freddy blickte in den Fernseher.
»Gemütlich ist das aber nicht?«, zweifelte ich.
»Stimmt.«
»Bringst du uns den Sekt mit ins Bett?«
Freddy goss ein und stellte alles auf den Nachtschrank. Dann setzte er sich vorsichtig auf die Bettkante. Dieses Mal war ich es, die grinste.
»Mach es dir gern bequem. Ich beiße nicht.«
Endlich zog Freddy seine Schuhe aus und legte sich zu mir. »Hoffentlich bekomme ich jetzt keinen Ärger mit Hugo«, flüsterte er.
Ich kicherte leise.
Gleich darauf lag ich in Freddys Arm, genoss den Film, der gar nicht so schlecht zu sein schien und hatte das

Gefühl, dass meine Welt völlig in Ordnung war.
Irgendwann entwickelte der Film sich zu einer wunderschönen Liebesgeschichte, die mich gefangen nahm und in die Welt der blauen Riesenmenschen entführte. Plötzlich sah ich sie und nicht nur ihre eigenartige Gestalt. Ich bewunderte ihre Denkweise und ihren Zusammenhalt in der Familie und im Clan.
»Und? Gefällt er dir?«, fragte Freddy leise.
Ich sah ihn an und nickte.
»Die Himmelsmenschen werden doch nicht die Welt der Na´vi zerstören?«, fragte ich besorgt.
»Warts ab«, flüsterte Freddy.
Ich kuschelte mich noch enger an ihn. Es war, als würden wir uns schon ewig kennen. Der Film war ein wahres Epos und dauerte fast bis Mitternacht. Als der Abspann lief, war ich aufgewühlt und hatte Tränen in den Augen. Freddy hatte es bemerkt und zog mich noch näher zu sich, als ohnehin schon. Ich fürchtete mich vor dem Abschied.
Doch er musste gehen.
Freddy erhob sich, wandte sich mir zu und betrachtete mich eigenartig. Langsam beugte er sich zu mir und gab mir den ersten Kuss. Ich glaubte, das Blut in meinen Adern würde brennen. Vorsichtig legte ich meine Arme um seinen Nacken und fühlte mich tatsächlich wie ein Teenager. Irgendwann löste Freddy sich aus meiner Umarmung.
»Ich muss jetzt los«, flüsterte er.
Ich nickte nur, denn sprechen konnte ich gerade nicht.
Noch bevor mir bewusst wurde, was soeben geschehen war, war Freddy verschwunden. Ich war so aufgewühlt, dass ich jetzt nicht schlafen konnte, selbst wenn ich das wollte. Die DVD hatte er im TV Gerät vergessen und die

Hülle der DVD lag auf meinem Schreibtisch. Ich startete den Film noch mal von vorn und stellte den Ton ganz leise. Nun kuschelte ich mich tief unter meine Decke. Das Shirt, das ich eigentlich nie mochte, ließ ich einfach an, denn es erinnerte mich an Freddy. Es gab mir das Gefühl, er sei noch hier. Ich glaubte sogar, dass es nach ihm roch. Irgendwann war ich eingeschlafen.

*****

Ich hasste den Montagmorgen generell, diesen aber ganz besonders. Müde quälte ich mich aus dem Bett. Nun konnte der Tag beginnen. Mein Geist war willig, mein Körper aber noch schwach.
Reiß dich zusammen, Stella!, ermahnte ich mich selbst.
Zuversichtlich fuhr ich mit Hugo zum Frühstück. Es duftete nach frischem Kaffee. Das weckte meine Sinne. Hugo Schmitt saß allein am Tisch und freute sich über mein Erscheinen. Rosa war am Freitag entlassen worden und neue Kurgäste würden erst am Nachmittag anreisen. Hugo schwärmte mir von seinem Familienbesuch vor. Er war total aus dem Häuschen. Ich war es auch. Allerdings erzählte ich ihm nicht alles.
Hugo grinste mich hintergründig an. Ich mochte ihn.

Kapitel 6
Stella lernt reiten

Die Sonne schien vom fast wolkenlosen Himmel. Noch immer war die Luft feucht und über den bewaldeten Bergen lag dichter Dunst. Der Dauerregen des letzten Wochenendes hatte den Boden aufgeweicht. Ich konnte die feuchte Erde noch riechen. Ich schloss die Augen und seufzte in mich hinein. Ich stand gegenüber des Klinikgeländes mitten auf dem Weg und träumte vor mich hin. Ich träumte von Freddy und Kasper und unserem ersten Ausritt, der genau hier entlang geführt hatte. Die Sonne und den Wind auf der Haut zu spüren tat so gut, vor allem nach dem tagelangen Stubenarrest. Schließlich fuhr ich mit Hugo zurück zum Parkplatz, denn das Taxi würde gleich da sein. Statt nur einmal pro Woche, am Mittwoch, stand die Hippotherapie nun Dienstags und Freitags auf meinem Programm. Heute war Dienstag und ich freute mich darauf. Vom Abendessen hatte ich heimlich Brotscheiben mitgenommen, die ich auf der Heizung in meinem Zimmer getrocknet hatte. Als Schwester Yasmina sie heute Morgen entdeckt hatte, hatte sie nur gegrinst. Das Taxi fuhr vor. Ich freute mich als der junge Mann ausstieg. Robert lächelte mir zu und grüßte fröhlich.
»Na, Jockey«, grinste er. »Auf gehts!«
Dann verpackte er Hugo und mich vorschriftsmäßig im Bus. Ich konnte es kaum noch erwarten, endlich reiten zu dürfen. Während der Fahrt kribbelte es in meinem Bauch. Vielleicht war das ein wenig Lampenfieber? Vielleicht war es aber auch die Hoffnung, dass mich Freddy mit Kasper erwarten würde. Doch als Robert mich auf den Reiterhof brachte, begrüßten mich Sylvia

und Fritz. Ich lächelte tapfer, denn ich mochte die beiden ja. Fritz äugte tatsächlich nach mir und schien mir gerade zuzuzwinkern. Immerhin war er ja auch ein Teil von Freddy, genau wie Kasper. Ich fuhr also direkt zu ihm und streichelte seinen Kopf. Dann steckte ich ihm ein kleines Stück Brot zu. Fritz knabberte es sofort weg und suchte danach mit seinen Lippen meine Hände ab.
»Gebettelt wird nicht!«, mahnte Sylvia.
Fritz war das egal. Er schien das nicht verstanden zu haben. Leise versprach ich ihm ein weiteres Stück, wenn die Reitstunde vorbei war. Sylvia lächelte verständnisvoll. Nach Freddy wagte ich sie nicht zu fragen.
Mit dem Lifter schwebte ich problemlos auf den Rücken des Pferdes. Als Sylvia mich fixierte, tauchte auch Christin auf. Wir begrüßten uns wie alte Bekannte. Ich hatte meine Scheu total verloren. Ich fühlte mich einfach frei. Die Therapiestunde verlief genau so, wie die erste. Nur hatte ich diesmal keine Angst mehr. Ich kannte Fritz ja und er kannte mich. Er war wirklich ein wirklich geduldiges Tier und schien genau zu wissen, worauf es ankam. Allmählich ließ ich mich auf seine Bewegungen ein, spürte seine Körperwärme und ließ mich davontragen. Meinen eigenen Körper voll und ganz zu spüren, tat richtig gut. Mit meiner Angst verschwanden auch die Verspannungen. Ich hatte tatsächlich das Gefühl zu reiten. Zum Dank dafür verwöhnte ich Fritz mit Streicheleinheiten am Hals. Ich war so sehr in mein Tun vertieft, dass ich nicht einmal bemerkte, dass wir beobachtet wurden. Die Therapiestunde, die eigentlich nur eine halbe war, verging viel zu schnell. Erst als Sylvia Fritz von der langen Zügelführung nahm kehrte ich in die Realität zurück. Zum ersten Mal blickte ich mich wieder um und erkannte eine der menschlichen Gestalten, die am Tor

der Halle lehnten und uns schweigend beobachteten. Ich spürte die Hitze in meinem Körper aufsteigen.
Freddy!
Sylvia drückte mir die Zügel in die Hand.
»Und jetzt geht ihr zwei eine Runde allein. Ihr schafft das«, sagte sie.
Sie wandte sich um und ging zu den Männern am Tor, ohne sich nach uns umzudrehen.
»Na komm, Fritz. Zeigen wir ihnen, was wir können«, flüsterte ich ihm zu.
Fritz schien mich tatsächlich verstanden zu haben und setzte sich im Schritt in Bewegung. Vorwärts, abwärts und entspannt ging er und schnaubte schließlich.
Dennoch ging Fritz zügig und mit ausgreifenden Schritten, als wollte er allen beweisen, dass er gut war. Und ich auch. Als wir schließlich wieder am Tor zum stehen kamen, klatschten unsere Zuschauer. Fritz und ich richteten uns stolz auf, als hätten wir gerade ein wichtiges Derby gewonnen.
Was für ein wahnsinniges Gefühl!
Freddy und der fremde Mann, der neben ihm gestanden hatte, kamen zu uns in die Reithalle. Der andere war offensichtlich älter als Freddy. Mit den Bluejeans und dem kariertem Hemd unter der offenen Lederjacke sah der Mann tatsächlich wie ein Cowboy aus. Ihm fehlte nur noch der Hut dazu. Der Fremde lächelte mir freundlich entgegen. Unzählige kleine Fältchen umspielten seine hellen Augen. Der Mann reichte mir die Hand und stellte sich vor.
»Tröger, guten Tag. Ich freue mich, Sie kennenzulernen.«
Ich schlug ein und stellte mich ebenfalls vor. Freddy grüßte mit einem kurzen *Hallo Stella* und blinzelte mir zu.

Ich lächelte. Nein, ich strahlte, vor Freude und Stolz! Ich hatte den ersten Berg in meinem neuen Leben versetzt. Ich war neugierig, was dahinter war.
»Hallo Freddy.«
»Das ist Sylvias Vater und ein Freund meines Vaters.«
»Reiten Sie auch?«, fragte ich.
»Ja. Western, so wie Freddy.«
»Wow. Das würde ich mir auch gern mal anschauen.«
Trögers Augen begannen zu leuchten und sein Schnauzbart wackelte, als er lachte.
»Natürlich. Cutting mit Freddy.«
Freddy stieß ihm in die Seite und lachte mit ihm. Ich verstand nicht recht, weshalb sie lachten. Er musste meinen fragenden Blick wohl eingefangen haben.
»Ein Rind aus der Herde selektieren. Freddy ist das Rind«, fügte Herr Tröger lachend hinzu.
»Manchmal ist es besser ein Rindvieh zu sein, als ein alter Esel«, brummte Freddy. »Aber nun komm runter von Fritz, sonst wächst du dort oben noch an. Außerdem hat er Feierabend.«
Die Männer nahmen Fritz und mich mit zum Absattelplatz. Herr Tröger lud mich zum Kaffee ein. Ich freute mich sehr und nahm seine Einladung gerne an.
Wenig später saßen wir drei mit Sylvia und Christin vor dem Reiterstübchen auf der Terrasse und redeten, nicht nur über Pferde.
Der Duft nach frischgebackenem Kuchen drang in meine Nase. Sylvias Mutter, Rosi, stellte den Kuchenteller auf den Tisch und setzte sich zu uns. Sie erschien mir kleiner, als alle anderen am Tisch, etwas rundlicher und sie schien ein fröhlicher Mensch zu sein. Sie wusste viel zu erzählen und lachte viel. Nun hatte ich auch das erste Mal seit langer Zeit das Gefühl, nicht mehr allein zu sein.

Mehr noch! Ich spürte den Anflug vom *Dazuzugehören.* Da ich ja keine Familie mehr hatte, war das ein sehr tiefgreifendes Gefühl, das mir beinahe die Tränen in die Augen getrieben hätte. Ich beobachtete diese Menschen und vor allen Freddy. Als er das bemerkte, lächelte er mich an.

Ich lächelte verlegen zurück.

Einige Kinder kamen, grüßten fröhlich und redeten munter durcheinander. Sylvia und Christina erhoben sich, um mit ihnen die Pferde von der Koppel zu holen. Auch Herr Tröger erhob sich. Er hatte alle Hände voll zu tun, sagte er.

Rosi räumte den Tisch ab und ich schämte mich ein wenig, dass ich ihr nicht helfen konnte. Wie gerne hätte ich das getan. Doch zum Reiterstübchen führte eine kleine Treppe von vier Stufen. Das war ein unüberwindbares Hindernis für mich. Ich seufzte.

Freddy und ich saßen allein am Tisch.

»Hast du noch etwas Zeit, Stella?«

Ich nickte. Es war erst vier Uhr nachmittags. Das Taxi war ohnehin noch nicht bestellt.

Robert wird sich darüber vielleicht wundern, dachte ich.

»Das ist schön. Dann kann ich dir endlich alles zeigen. Auch Kasper wird sich freuen, dich wiederzusehen.«

Ich spürte meine innere Freude, die meine Augen zum Strahlen brachte.

»Oh ja! Darauf habe ich mich schon lange gefreut!«, rief ich begeistert.

Doch in dem Augenblick meldete sich meine Blase. Jetzt musste schnell gehen! Obwohl ich stolz war, dass ich das seit einiger Zeit wieder spüren konnte, war es mir aber nach wie vor immer wieder peinlich, Freddy das sagen zu müssen.

Freddy wartete, bis ich wieder da war.
Die Sonne schien. Eine leichte Brise spielte mit Freddys Haar, als wir zu den Koppeln gingen. Ich war erstaunt, wie viele es davon hier gab. Das hatte ich noch nie bemerkt. Von der Straße aus hatte ich die Koppeln nicht einsehen können.
Auf dem Hof selbst hatte ich auch nur einige Ställe gesehen. Rosi hatte erwähnt, dass die Ställe hauptsächlich im Winter genutzt wurden. Vom Frühjahr bis zum Herbst blieben die Pferde draußen, so wie die Natur das vorgesehen hatte.
Plötzlich vernahm ich Freddys leises Pfeifen dicht neben mir. Daraufhin geschah etwas, was mir regelrecht die Sprache verschlug. Aus einer Gruppe von Pferden löste sich ein geschecktes Pferd, und kam direkt zu uns. Ich erkannte Kasper und freute mich. Mit einem dunklen Blubbern begrüßte das Pferd seinen Herren. Erstaunt beobachtete ich, wie zärtlich Freddy mit dem Pferd umging. Er streichelte Kasper und redete leise mit ihm, während er dem Wallach das Halfter hinhielt.
Der tauchte bereitwillig seinen Kopf hinein, als würde er sagen wollen: Nehmt mich mit!
Ich war sprachlos. Als Freddy Kasper von der Koppel heraus geführt hatte, kam er schnurstracks mit ihm zu mir. Kasper begrüßte mich und ich streichelte ihn und redete mit ihm, genau wie Freddy das getan hatte.
»Er mag dich«, vernahm ich Freddys Stimme.
Darüber freute ich mich unendlich und kramte nach dem letzten Stück Brot, dass ich für Fritz mitgebracht hatte. Kasper nahm es vorsichtig aus meinen Händen und schon knackte das trockene Brot zwischen seinen Zähnen.
»Kann er denn die Worte verstehen, die du ihm gesagt

hast?«, fragte ich Freddy.
»Jedes einzelne«, behauptete der überzeugt. Gleich darauf grinste er mich an und ich hatte das komische Gefühl, dass er mich wieder mal auf den Arm genommen hatte.
»Da ich immer dieselben Worte benutze und leise spreche, weiß er, was das zu bedeuten hat. Das ist ein Ritual. Aber ich könnte genauso Chinesisch mit ihm reden. Er hört meine Stimme, die Stimmlage und den Sound, der ihm vertraut ist. Würde ich das alles verändern, könnte er mich nicht mehr verstehen, denn das würde etwas anderes bedeuten. Kasper würde skeptisch reagieren und im schlimmsten Fall sogar weggehen. Wichtiger noch sind meine Körperhaltung, meine Bewegungen und Gesten. Das ist die Sprache der Pferde.«
Ich spürte, wie meine Augen sich weiteten und ich Freddy überrascht anstarrte.
»Wow«, hauchte ich.
»Ein Pferd kann spüren, wie du dich fühlt, Stella. Es spürt genau, ob du traurig bist, gestresst oder ob du Angst hast. Darauf reagiert es und da kannst du dich verstellen, wie du willst. Du wirst durchschaut«, grinste Freddy.
»Beeindruckend! Das ist alles ziemlich komplex und ich glaube, ich muss noch sehr viel lernen. Aber Fritz scheint mich schon ganz gut zu verstehen...«, sinnierte ich.
»Das freut mich, Stella. Lass uns drei ein Stück spazieren gehen.«
Ich rollte mit Hugo weiter über den festgefahrenen Grasweg. Freddy und Kasper gingen neben mir. Unseren Weg säumten hübsch angelegte Schrebergärten mit Blumen und Gemüsebeeten, mit Obstbäumen und Sträuchern. Hier und dort standen in den Gärten kleine Häuschen, deren Farben im Sonnenlicht zu leuchten schie-

nen. Ich kam mir vor, als wäre ich in einem Zauberland. Kleine Menschen in bunter Kleidung arbeiteten fleißig und manche winkten uns aus der Ferne freundlich zu. Ich winkte zurück. Durch das Tal der Gärten und Koppeln floss ein Bach. Ich konnte sein leises Plätschern vernehmen, als Freddy mit Kasper stehen blieb. Das Gras am Ufer war besonders gut gewachsen und wahrscheinlich sehr saftig. Kasper tauchte seine Nase genussvoll hinein und kaute mit vollem Maul. Ich stand daneben und sah mich um. Das Tal war von bewaldeten Bergen umringt. Der Mischwald zeigte sich in verschiedenen Grüntönen. Dadurch wirkte er lebendig. Die Strahlen der Sonne schmeichelten mit sanfter Wärme. Ich saugte das Bild förmlich in meinen Kopf auf. Von Weitem hörte ich Vögel zwitschern. Meine Gedanken wanderten weiter in den Wald. Dessen Geruch war unverkennbar. Meine Fantasie brachte Prinz Freddy und Prinzessin Stella gemeinsam auf Kaspers Rücken zu wunderschönen und geheimen Plätzen. Nebelschleier entpuppten sich als Chiffonkleider tanzender Elfen. Ich hörte ihr Kichern zwischen den Bäumen.

»Stella?«, drang Freddys Stimme leise zu meinem Ohr.

»Stella?«, hörte ich die eindringliche Frage.

Ich öffnete die Augen und sah zu Freddy.

»Ja, was ist?«, fragte ich irritiert.

»Wo warst du denn gerade?«

»Im Wald. Dort oben irgendwo. Mit dir und Kasper«, schmunzelte ich sehnsüchtig.

»Das machen wir! Versprochen, Stella«, schmunzelte Freddy zurück. »Wann kommst du denn wieder?«

»Am Freitag. Ich komme jetzt jeden Dienstag und jeden Freitag zur Hippotherapie«, strahlte ich.

»Die scheint dir tatsächlich gut zu tun.«

Ich nickte.
»Keine Angst mehr?«
Ich schüttelte den Kopf. »Doch...«, hörte ich mich im selben Augenblick sagen und versuchte den Rest zu verschweigen. Doch Freddy konnte sehr hartnäckig sein.
»Ich habe Angst, dass ich das alles nicht bezahlen kann. Ich verdiene schließlich seit Monaten kein Geld, habe inzwischen einen Schuldenberg angehäuft und ich weiß ehrlich gesagt nicht wie es weitergehen soll«, gab ich niedergeschlagen zu.
Ich vertraute Freddy und nun redete ich offen über meine Ängste und Sorgen, denn schließlich war er mein Freund und ich hatte meinen Kummer und in letzter Zeit immer in mich hineingefressen. Vielleicht würde mir jetzt alles etwas leichter werden, wenn ich mit jemanden darüber reden konnte. Vor allem mit jemanden, der mir sehr aufmerksam zuhörte, wie Freddy.
»Und in meiner Wohnung kann ich auch nicht bleiben. Sie ist nicht behindertengerecht und einen Treppenlift bis zur Wohnung hat mein Vermieter abgelehnt. Ich habe schon gesucht, telefoniert, aber alle Wohnungen, die für mich infrage gekommen wären, waren teuer. Viel zu teuer.«
Freddy setzte sich vor Hugo auf den Grasboden und sah mich an.
»Willst du denn unbedingt in Erfurt wohnen, ich meine in der Stadt?«
»Dort ist mein Zuhause und... das Blumengeschäft und...« Ich brach mitten im Satz ab.
Tja und was eigentlich noch?
»... und alles ist besser erreichbar,«ergänzte ich.
Freddy seufzte.
»Ich kann mich ja mal wegen einer Wohnung umhören.«

»Ach Freddy. Wir kennen uns erst seit zwei Wochen und du hast schon so viel für mich getan. Das kann ich nie, nie, nie wieder gutmachen.«
Freddy blickte mir ernst in die Augen. Ich hatte keine Chance seinem Blick auszuweichen.
»Sag niemals nie«, sagte er so leise, dass ich es kaum verstand. »Ich werde dir helfen. Das habe ich mir geschworen.«
Nein, ich hatte mich nicht verhört. Freddy erschien mir eigenartig. Doch ich wagte nicht zu fragen. Ich schwieg, während ich noch immer in seine dunklen Augen starrte. Gerade in diesem Augenblick erschienen sie mir so tief und unergründlich.
»Danke, Freddy«, sagte ich schließlich nach einer Weile, um das Schweigen zu brechen.
»Wofür?«
»Dafür, dass es dich gibt und dass wir uns begegnet sind.«
Freddy legte den Kopf schräg und blinzelte mich an. Kasper schnaubte ihm in sein Ohr. Freddy lachte und schob den Pferdekopf sanft zur Seite.
»Siehst du. Kasper ist derselben Meinung«, behauptete ich.
»Ihr zwei! Na wenn ich an unsere erste Begegnung denke, wird mir jetzt noch Angst und Bange.«
»So schlimm?«
»Ich träume manchmal davon. Du bist gefährlich. Ich kann die Schmerzen noch immer spüren.«
»Du hättest besser aufpassen sollen und hinsehen, wo du hinläufst.«
»Frech bist du also auch noch«, stellte Freddy fest.
Ich kicherte.
Freddy erhob sich.

»Wir müssen zurück. Ich habe noch einen Termin.«
Schade, dachte ich. Ich hatte tatsächlich Raum und Zeit vergessen. Doch tief in mir spürte ich die Freude über diesen wunderschönen Tag.
Als wir auf dem Rückweg waren, hörte ich die Kirchenglocken läuten. Achtzehn Uhr also. Freddy versprach mir einen Ausritt mit Kasper durch den Wald. Er versprach mir, dass ich ihm beim Training zusehen dürfte. Freddy versprach mir auch, mir noch viel mehr über den Umgang mit Pferden zu erzählen. Freddy versprach mir alles und ich zweifelte nicht eine Sekunde daran, dass er seine Versprechen auch einhielt.

*****

Auf einer rosaroten Wolke schwebte ich zurück in die Kurklinik. Hugo Schmitt strahlte mir bereits von Weitem entgegen. Er hatte auf mich gewartet, damit ich nicht alleine zum Abendessen am Tisch sitzen musste. Hugo drängte mich, ihm von der Hippotherapie zu erzählen. Ich schwärmte von den Pferden, den freundlichen Menschen und dem Gefühl der Schwerelosigkeit. Hugo zog in Erwägung, sich vielleicht auch zur Hippotherapie anzumelden.
Allerdings stellten wir beide mit Erschrecken fest, dass Hugo nur noch eine Woche hier sein würde. Bereits am Montagabend hatten neue Gesichter am Tisch gesessen. Ich würde Hugo auf jeden Fall vermissen.
»Ich werde jeden Tag in meinem Leben an dich denken müssen, Hugo«, versicherte ich ihm und grinste. »Das geht ja gar nicht anders!«
Wir mussten beide lachen.
Als ich auf mein Zimmer kam, erwartete mich allerdings

eine böse Überraschung. Auf meinem Schreibtisch lagen zwei Briefe. Ich musste sie öffnen, ob ich das nun wollte oder nicht. Meine Rentenversicherung hatte den Antrag auf Erwerbsminderungsrente eiskalt abgelehnt. Nur weil man im Rollstuhl sitzt, wäre das kein Grund, nicht mehr arbeiten zu können.
Ich will ja!
Oh war ich wütend!
Freundlicherweise hatten man mich am Ende des Schreibens darauf hingewiesen, dass ich Widerspruch gegen diesen Bescheid erheben könne.
»Und ob!«, schnaufte ich.
Schließlich hatte ich eine Sozialarbeiterin an meiner Seite, die sich damit gut auskannte. Sie würde mir bestimmt helfen das Widerspruchsschreiben fristgerecht einzureichen. Der andere Brief kam von meiner Krankenkasse. Ich hatte eine Zuzahlungsbefreiung beantragt. Nun hatte ich einen zwölfseitigen Fragebogen bekommen. Mindestens zu jedem zweiten Punkt wurde ein Nachweis verlangt. Ich seufzte niedergeschlagen.
Auch dieses Formular war ein Fall für den Termin mit der Sozialarbeiterin und wahrscheinlich ging dabei mehr als der halbe Tag drauf und einige meiner Therapiestunden den Bach hinunter.
Was denken sich diese Behörden und Versicherungen nur dabei? Dass ich ein Büro habe, das rund um die Uhr geöffnet ist und in dem ich zwei Angestellte beschäftigte, die sich sofort um Behördenpost kümmerten, damit ich nicht meine gesamte Freizeit daran aufhing?
»Ich bin hier zur Rehabilitationskur damit ich mich physisch und psychisch aufbauen kann«, sagte ich schließlich laut und wütend zu mir und Hugo. »Wie soll das etwas werden, wenn ich immer wieder erfolgreich davon ab-

gehalten werde, mich wieder in ein selbstständiges Leben zu manövrieren? Stattdessen muss ich mich mit solchen hirnrissigen Formularen, Anträgen und Fragebögen herumschlagen! Beschäftigungstherapie in eigener Sache habe ich hier genug! Vielleicht sollte ich eine Kurverlängerung beantragen.«
Ich war aufgeregt, schnaubte vor Wut und warf den Papierstapel mit der Bemerkung »Das Büro hat für heute geschlossen«, auf den Schreibtisch zurück. Als ich aus dem Bad kam, fiel mein Blick unwillkürlich auf die ungeliebten Briefe. Ich schnappte sie, warf sie in das Schubfach darunter und ließ sie lächelnd darin verschwinden. Ich schaltete den Fernseher an, kroch ins Bett und zog die Decke bis zur Nasenspitze.
Nun dachte ich an meinen wunderschönen Tag in Hetschbach zurück. Vielleicht hatte Freddy ja recht? Außer dem Blumengeschäft, und selbst das war inzwischen geschlossen, hatte ich nichts mehr in der großen Stadt, das auf mich wartete. Ich hatte ja nicht mal mehr ein Zuhause. Ich wusste, dass sich in meinem Leben etwas ändern musste. Ja, ich war sogar bereit dazu. Aber ich hatte keine Ahnung, wie diese Veränderung aussehen sollte. Wohin wollte ich und vor allem, was wollte ich? Je länger ich in letzter Zeit darüber nachgedacht hatte, um so mehr verwob sich alles in einem Nebelschleier. Ich hatte das Gefühl auf der Stelle zu treten. Mein Weg führte durch einen dunklen Tunnel und das Licht am Ende des Tunnels war noch immer nicht in Sicht. Als ich für einen Moment die Augen schloss, tauchten aus der Finsternis Freddys Augen auf. Sie waren dunkel und unergründlich. Alles blieb mir ein Rätsel. Schließlich holte ich mich zurück in die Gegenwart meines Zimmers. Ich musste abwarten und das fiel

mir verdammt schwer. Die meisten meiner Pläne waren sowieso immer wieder über den Haufen geworfen worden.
Was solls, dachte ich.
Mein Leben war ein einziges Chaos und die Hoffnung ein winziges, empfindliches Pflänzchen. Vielleicht hielt das Leben ja doch noch eine Überraschung für mich bereit. Ich hoffte inständig, dass es eine gute war. Im TV begann das Abendprogramm. Ich schaltete verschiedene Sender durch und kam zu keinem zufriedenstellenden Ergebnis. Da fiel mir ein, dass die DVD noch immer im Player steckte. In dieser Nacht träumte ich von blauen Wesen, riesigen Pflanzen und ich konnte fliegen.

*****

Die Sozialarbeiterin hieß Frau Blank. Bereits bei unserem ersten Gespräch hatte sich herausgestellt, dass sie Rechtsanwaltsgehilfin war und auch für einen Behindertenverband arbeitete, dem ich sofort beigetreten war. Sie nahm mir die Schreiben ab und versprach mir, sie noch heute zu bearbeiten. Alles, was ich tun musste, war, ihr eine Vollmacht zu unterschreiben, dass sie das für mich tun durfte. Erleichtert gab ich ihr die dafür notwendige Unterschrift. Ich bedankte mich vielmals bei ihr und eilte zu meiner Schwimmstunde. So einfach war das! Mein Herz hüpfte vor Freude. Ich musste heute auf keine Therapiestunde verzichten!
Die Woche war voll mit Therapieterminen und anderen Ereignissen. Dementsprechend verging sie wahnsinnig schnell. Freddy hielt sein Versprechen und setzte mich zur Therapiestunde auf Kasper. Ich war so stolz! Er saß hinter mir und hatte seinen Arm um mich gelegt, so wie

beim ersten Mal. Erst als wir den Reiterhof verließen, wurde mir bewusst, was er vorhatte.
»Keine Angst, Stella. Wir sind bei dir«, flüsterte er mir zu, als hätte er meine Gedanken verstanden. Wahrscheinlich hatte ich mich wieder nur unbewusst verspannt.
»Bleibe ganz locker und gehe mit den Bewegungen des Pferdes mit.«
Ich nickte und versuchte es. Nach einer Weile gelang es mir tatsächlich, mich auf Kaspers Bewegungen einzulassen. Als wir gemeinsam durch den Wald ritten, vergaß ich alles um mich herum. Freddy gab mir die Zügel in die Hand und ich war völlig cool, glücklich und stolz. Diesmal dauerte die Therapiestunde länger, viel länger.
Irgendwann hörte ich Freddy leise fragen: »Alles okay, Stella?«
»Ja, Freddy. Es ist wunderschön hier«, antwortete ich ge-nauso leise.
»Manchmal gehen Wünsche auch in Erfüllung.«
Ich nickte und wünschte mir noch viel, viel mehr. Gesund zu werden und wieder laufen zu können stand ganz weit oben auf meiner Liste. Wer weiß schon, was alles möglich sein kann... Ein kleiner Hoffnungsschimmer vertrieb die großen, dunklen Wolken aus meinem Kopf. Die Sonne schien. Ihr Licht flirrte durch die Baumkronen. Ich atmete tief durch.
Die Hippotherapie hatte mir in der relativ kurzen Zeit sehr viel gebracht. Ich fühlte mich körperlich fit. Sogar der Chefarzt war sehr zufrieden mit mir und meiner Konstitution. Er stellte mich gemeinsam mit den Physiotherapeuten sogar auf die Beine. In einer speziellen Haltevorrichtung bewegten sich meine Beine unter mir. Das war wie im Traum! In der modernen Medizin gab es ungeahnte Möglichkeiten und ich staunte wieder einmal

über mich selbst. Tief in mir keimten neue Hoffnungen, die gegen meine Bedenken kämpften. Doch Hagedorn ermutigte mich regelrecht, die Hoffnungen zu hegen.

Während der folgenden Tage hatte ich Muskelkater an Körperstellen, deren Existenz mir bisher nicht bekannt war. Aber ich biss die Zähne zusammen. Als ich am Donnerstag, es war kurz vor dem Mittag, stolz auf dem Laufband stand, bekam ich unerwarteten Besuch. Als die Tür sich öffnete, erschien Hagedorn in Begleitung von Professor Winter. Ich traute meinen Augen kaum und strengte mich noch mehr als ohnehin schon an, um eine gute Figur abzugeben. Der Professor war offensichtlich erstaunt.
»Das ist ja...«, redeten wir beide gleichzeitig.
Ich grinste breit und dachte: *Oh, welche Ehre.*
»Guten Tag, Stella. Sie machen ja wirklich erstaunliche Fortschritte! Ich musste mich tatsächlich selbst davon überzeugen, dass mein alter Freund Hagedorn mir am Telefon keine Märchen erzählt.«
Hagedorn lachte.
»Guten Tag, Professor Winter! Ich freue mich sehr, dass Sie mich besuchen kommen! Reiten kann ich übrigens auch und schwimmen!«
»Ich wusste, Sie sind etwas Besonderes, Stella«, nickte er anerkennend.
»Und nun kann ich bald auch wieder laufen«, fügte ich herausfordernd hinzu.
Abschätzend wiegte der Professor den Kopf hin und her.
»Wir können alles versuchen, was in unserer Macht steht. Aber erwarten Sie besser keine Wunder, Frau Fröbel«, warf Hagedorn ein.
»Benutzen Sie mich ruhig als Versuchskaninchen. Schlim-

mer kann es nicht werden, nur besser. Und zu verlieren habe ich nichts. Ich kann nur gewinnen. Und wenn es nicht klappt, haben wir es wenigstens alles versucht.«
Hagedorn und Winter blickten sich überaus erstaunt an. Ich musste laut darüber lachen, wie sie ihre Gesichter verzogen, als ihre Blicke sich schließlich wieder auf mich richteten.
»Haben Sie sich schon überlegt, wie es nach der Kur für Sie persönlich weiter geht?«, fragte Professor Winter. »Sie können sich schließlich nicht ewig in Kliniken herumdrücken.«
Obwohl er damit direkt meinen wunden Punkt getroffen hatte, verzieh ich ihm.
»Keine Ahnung,« begann ich. »Meine Wohnung ist für Hugo und mich definitiv nicht geeignet. Ein Treppenlift wurde nicht genehmigt und alle behindertengerechten Wohnungen sind viel zu teuer. Zumindest die schönen. Ich habe einen Antrag auf Umbauzuschuss für mein Blumengeschäft gestellt. Doch das kann dauern«, antwortete ich ehrlich und seufzte tief. »Ein Auto brauche ich auch. Und wenn das auch nicht klappen sollte, dann nehme ich eben ein Pferd.«
Die beiden Männer lachten amüsiert.
»Keine Angst, Stella. Ich kann zwar nicht zaubern, aber wir lassen Sie bestimmt nicht hängen«, meinte Professor Winter.
Während ich noch überlegte, wie er das alles anstellen wollte, ohne zu zaubern, verabschiedeten die beiden Professoren sich von mir. Ich bedankte mich artig für ihr Kommen und ihre Hilfe. Als sie weg waren, schielte ich zu Hugo.
»Verstehst du das?«, fragte ich ihn.
Die Physiotherapeutin lächelte.

»Für heute bist du weit genug gelaufen. Am Montag sehen wir uns wieder.«
»Danke«, antwortete ich.
Schließlich saß ich wieder auf meinem Thron namens Hugo und rollte dem Wochenende entgegen.
Fast fünf Wochen war ich jetzt nicht zu Hause gewesen. Gemischte Gefühle stiegen in mir auf. Sollte ich mich nun freuen oder nicht? Noch immer hatte ich keine Bleibe. Mehrmals hatte ich mit Steffi telefoniert. Auch Henrietta dalla Rosetti hatte sich gemeldet und mich eingeladen. Doch so weit war ich noch nicht. Mit Frau Blanks Hilfe hatte ich inzwischen einen Antrag auf Übernahme eines Kostenzuschusses für ein Auto gestellt, das speziell für Rollstuhlfahrer ausgerüstet war. Der außergerichtliche Prozess gegen meinen Unfallgegner ging in die Endrunde. Ich wollte ihn mit einem technischen KO zur Strecke bringen. Nein, ich hatte keine Angst mehr.
Doch nun wollte ich nicht mehr daran denken. Jetzt freute ich mich auf das Wochenende mit Freddy und rätselte, was für eine Überraschung er sich dieses Mal für mich ausgedacht hatte. Schade, dass er nicht sehen konnte, wie ich auf dem Laufband stehend meine ersten Schritte getan hatte. Ich musste ihm das unbedingt erzählen! Ich war so stolz und unheimlich aufgeregt.

*****

Zur Therapiestunde am Freitag war Freddy leider nicht da. Das verstand ich, denn schließlich musste der Mann ja auch mal arbeiten.
Dafür kam Freddy am Samstag ziemlich früh zu mir. Ich war gerade vom Schwimmen gekommen und meine Haare waren noch tropfnass, als es an die Zimmertür

klopfte. Kaum, dass ich »*Herein!*« gerufen hatte, stand er auch schon in meinem Zimmer. Überaus gut gelaunt umarmte er mich zur Begrüßung und drückte mir einen Kuss auf den Mund.

»Komm, Stella. Wir machen einen Ausflug!«

Überrascht blickte ich ihn an.

»Wohin geht´s?«

»Lass dich überraschen.«

Oh, wie ich diesen Satz liebte! Ich platzte geradezu vor Neugier.

»Was soll ich anziehen?«

»Was Schickes«, grinste er geheimnisvoll.

Typisch Mann! Ich wollte wissen, ob es in den Wald ging oder in die Stadt. Als Frau wollte man das wissen. Freddy trug Jeans und ein schwarzes Hemd mit feinen Streifen, dessen lange Ärmel er bis zu den Armbeugen hochgekrempelt hatte. Das fand ich nicht sehr aufschlussreich. Ich musterte also seine Schuhe. Freddy trug schwarze, glänzende Lederschuhe.

Also nicht in den Wald.

Draußen war es relativ warm und sonnig. Also entschied ich mich mutig für ein Kleid und Strickjacke. Dann föhnte ich mein Haar. Als wir wenig später zur Tür der Klinik hinaus gingen, wartete bereits ein Taxi auf uns. Freddy hob mich auf den Rücksitz und verstaute Hugo im Frachtraum. Das Taxi fuhr mit uns zur Autobahn und weiter. Meine Neugier wuchs, doch ich wagte nicht ihn noch ein mal zu fragen. Die Antwort kannte ich schon.

»Hast du kein Auto?«, fragte ich stattdessen.

»Doch.«

»Zu klein für Hugo und mich?«

»Ja«, antworte er knapp.

Ich spürte, dass er nicht darüber sprechen wollte, also

schwieg ich. Irgendwann verließ das Taxi mit uns die Bundesstraße 87 und bog nach etwa einer Viertelstunde in einen schmalen Waldweg ein. Wüsste ich Hugo nicht im Kofferraum, wäre mein Misstrauen gegenüber Freddy gewachsen. So aber lächelte ich nur unsicher.
»Wir sind gleich da«, vernahm ich Freddys beruhigende Stimme.
»Aha.«
Also doch ein Ausflug in den Wald, dachte ich.
»Wo steht das Pfefferkuchenhaus? Oder wohnen hier die Sieben Zwerge?«
Freddy lachte.
»Nein. Eher die Leute von der Ponderosa-Ranch.«
In diesem Augenblick lichtete sich der Wald und ein heller Schotterweg war von blühenden Wiesen gesäumt. In der Ferne leuchtete ein grünes Hausdach. Ich hatte genug mit Staunen zu tun.
Das musste Oz sein!
Zwei Reiter kamen uns entgegen. Ich traute meinen Augen kaum. Das waren waschechte Cowboys! Eines war mir jetzt klar. Es war nicht Oz.
Das Taxi stoppte. Freddy stieg aus und begrüßte die Männer wie alte Freunde. Als er mich ihnen vorstellte, beugten sie sich zum Fenster des Wagens herab, ohne abzusteigen. Sie grüßten mich mit einem Lächeln, während sie mit der Hand an die Hutkrempe tippten, so, wie ich es in alten Wildwestfilmen gesehen hatte. Ganz automatisch grüßte ich zurück. Ich glaubte neben mir zu stehen, oder besser zu sitzen, und alles aus weiter Ferne zu beobachten. Das war so unwirklich, dass ich mich selbst in den Arm kniff. Doch ich wachte nicht auf. Es tat weh! Das war kein Traum. Freddy stieg wieder zu mir in das Taxi und grinste hintergründig. Dass er alles wusste

und ich nichts, machte mich eine Spur wütend. Noch immer kam ich mir wie ein Opfer meiner eigenen Fantasie vor. Ich setzte alles daran, dass Freddy es nicht bemerkte und lächelte tapfer.
Das Taxi fuhr bis zum Ende des Weges. Das Haus war groß und von Pferdekoppeln umgeben. Unzählige Tiere in allen denkbaren Farben tummelten sich in diesem Paradies, das sich in einer völlig anderen Welt zu befinden schien.
»Wir sind da«, ließ Freddy mich wissen.
Seine Worte waren voll Stolz. Bevor ich etwas sagen konnte, war er ausgestiegen und öffnete den Kofferraum. Der Fahrer folgte ihm. Was sie redeten, konnte ich nicht verstehen. Die Welt bestand hier aus vielen Geheimnissen. Vielleicht würden sich einige mir heute eröffnen, so hoffte ich jedenfalls. Freddy hob mich in meinen Rollstuhl. Der Taxifahrer verabschiedete sich. Mir lag die Frage auf der Zunge, wann er uns wieder abholen würde, doch ich räusperte mich nur. Die Ungewissheit quälte mich, doch ich vertraute Freddy und ich liebte seine Überraschungen. Dennoch spürte ich eine eigenartige innere Unruhe tief in mir.
»Komm mit, Stella«, sagte er und reichte mir die Hand.
Freddy führte mich zu einer der Koppeln, öffnete den Zaun und schob mich kurzerhand ein Stück vorwärts, bevor er das Tor hinter mir wieder schloss.
»Darfst du das denn einfach so?«, zweifelte ich.
»Es war nicht abgeschlossen.«
»Und falls sie uns beide verhaften backt meine Freundin einen Kuchen für uns«, erwiderte ich trocken.
»Gehen wir ein Stück spazieren«, lachte Freddy.
»Wem gehört das alles hier und wer waren die Leute auf den Pferden?«

»Das alles hier gehört Sibylle. Wir nennen sie allerdings alle Sally. Die Männer waren Thomas und Eugen.«
»Freddy!«, schnaufte ich unbeherrscht. »Wer sind diese Leute?«
Freddy blieb abrupt stehen, ging vor mir in die Hocke und blickte mir direkt in die Augen. Nein, ich konnte ihm nicht wirklich böse sein.
»Das ist etwas kompliziert. Ich stelle sie dir nachher alle vor, Stella. Sibylle, also Sally, ist meine Mutter. Sie hat nach der Scheidung von meinem Vater wieder geheiratet und zwar Eugen. Er ist also mein Stiefvater. Thomas ist sein Sohn und damit mein Stiefbruder. Sally ist noch nicht vom Einkaufen zurück. Deshalb gehen wir beide zuerst die Pferde besuchen. Sally hat uns zum Essen eingeladen, wir sind nur etwas zu früh angekommen. Damit wollte ich dich überraschen. Nun, manchmal läuft etwas auch mal nicht so, wie geplant.«
Ich lächelte versöhnlich.
Als ich mit Hugo weitergehen wollte, hielt ich noch im Schwungholen inne. Wir waren umzingelt! Ich hielt den Atem an und starrte auf die vielen Pferde. Freddy erhob sich und begrüßte sie alle. Er war äußerst freundlich zu ihnen, wie mir auffiel. Es waren mindestens sechs Pferde. Wie viele noch hinter mir und Hugo standen, ahnte ich nicht. Vorsichtig wagte ich mich umzusehen. Doch dort stand nur ein einziges, das gerade neugierig seinen Kopf zu mir neigte. Nein, ich hatte keine Angst mehr. Das Pferd hatte ein außergewöhnlich hellbraunes Fell.
Honiggelb, dachte ich spontan.
Und es hatte weißes Haar. Mein Herz schlug höher, als es sich von mir streicheln ließ.
»Na du«, flüsterte ich. »Ich bin Stella.«
Das Pferd schnaubte. Winzige Tröpfchen landeten auf

meiner Wange. Das kitzelte. Ich schmunzelte.
»Bandit!«, mahnte Freddy. »Er kann nicht mit jedem.«
»Verstehe ich. Wer kann das schon.«
Als Freddy seine Hand nach ihm ausstreckte, hob das Pferd plötzlich den Kopf und legte die Ohren an. Daraufhin hob Freddy die Hand in eine Abwehrposition. Das Pferd schien ihn einen Augenblick zu fixieren. Als Freddy die Hand wegnahm, senkte das Pferd den Kopf sanftmütig zu meiner Schulter herab. Als ich nicht sofort reagierte, stupste der Pferdekopf mich sanft an die Wange. Ich musste grinsen und ich streichelte das Tier ausgiebig und liebevoll. Die anderen Pferde hatten sich inzwischen etwas zurückgezogen, knabberten am zarten Gras, an Bäumen oder beobachteten uns. Freddy hatte sich vor uns aufgebaut, die Hände in den Hosentaschen vergraben und beobachtete mich, wobei er seine Augen ein wenig zusammenkniff. Schließlich schüttelte er den Kopf.
»Der Bursche hat sich tatsächlich auf den ersten Blick in dich verliebt«, stellte er fest.
»Eifersüchtig?«, fragte ich keck.
»Tse!«, machte Freddy.
Ich lachte. Das Pferd rückte nicht einen Millimeter von meiner Seite.
»Er ist und bleibt ein Bandit«, meinte Freddy.
»Wenn du ihn so bezeichnest, brauchst du dich nicht zu wundern, dass er die Ohren anlegt.«
»Das ist sein Name«, klärte Freddy mich auf. »Bandit.«
Dann grinste er frech.
»Hallo Bandit«, flüsterte ich in sein Ohr. »Ich glaube du bist der ehrlichste Bandit den ich je kennengelernt habe.«
Auf dem Weg zum Haus tauchte ein Auto auf, das zweimal kurz hupte. Freddy wandte sich um und winkte.

»Das ist Sally«, sagte er. »Ich gehe mal zu ihr. Viel Spaß ihr Zwei! Bis heute Abend... oder morgen...«, flunkerte Freddy.
Ich seufzte theatralisch, denn ich wusste ja, dass Freddy das nicht ernst meinte. Inzwischen kannte ich seine Art zu scherzen. Ich versuchte also, dem Pferd zu erklären, dass ich gehen wollte. Bandit ließ zu, dass ich mit Hugo langsam in Richtung Tor rollte. Doch er folgte mir, Schritt für Schritt. Ich streichelte ihn zum Abschied noch einmal. Dieses Mal stand er vor mir und blickte mich an.
Irgendwie hatte ich das Gefühl, dass er mir etwas sagen wollte. Stattdessen blickte ich in seine traurigen Augen. Einen Augenblick spürte ich den Schmerz tief in meiner Brust. Dieses Pferd würde mich ganz sicher zum Tor hinauslassen, aber nicht mehr aus seinem Herzen. Mir ging es genauso. Ich wusste nicht, was zwischen uns passiert war. Bandit ließ mich nicht mehr los. Freddy schloss das Tor hinter uns.
Als wir an dem Ford Pick-up angekommen waren, der direkt vor dem Haus parkte, hüpfte eine quirlige Frau heraus und auf Freddy zu. Sie schloss ihn in die Arme, während er sie hochhob und sich mit ihr um die eigene Achse drehte. Die beiden freuten sich offensichtlich über ihr Wiedersehen.
Wie schön, dachte ich.
Ich hatte kein Zuhause mehr und niemand erwartete mich. Niemand würde mich jemals so stürmisch und herzlich begrüßen. Vorsichtig blickte ich zum Koppeltor. Dort stand Bandit, der mich noch immer zu beobachten schien.
Vielleicht denkt er gerade dasselbe wie ich? Vielleicht sind wir so etwas wie Seelenverwandte?
Bisher hatte ich nie an solche Dinge geglaubt, doch ich

konnte kaum den Blick von ihm wenden.
»Hallo, Stella«, vernahm ich eine freundliche Frauenstimme. Ich wandte meinen Blick erschrocken zu ihr.
»Ich bin Sally.«
Sie grinste und reichte mir die Hand.
Ich schlug ein.
»Freut mich, Sie kennenzulernen«, erwiderte ich steif.
Die Frau lachte. Sie trug Jeans, Pullover und eine Steppweste. Mein Blick blieb aber an ihrem Basecap hängen. Sallys Ähnlichkeit mit Freddys Gesichtszügen war offensichtlich. Dennoch sah sie nicht aus, wie eine Mutter, eher wie eine ältere Schwester.
»Kommt rein«, sagte sie, bevor sie mit einigen Tragetaschen ihres Einkaufes im Haus verschwand.
Sally war zwar um einiges kleiner als ihr Sohn. Dennoch machte sie nicht den Eindruck, deshalb weniger kräftig zu sein. Sie war nicht zimperlich und konnte richtig zupacken. Ihr dunkles, zu einem Pferdeschwanz gebundenes Haar, wippte mit jedem Schritt fröhlich hinter dem Basecap. Ich folgte den beiden zum Hauseingang. Freddy bugsierte Hugo mit mir die zwei Stufen hinauf und parkte uns im Flur. Danach trug er das Eingekaufte ins Haus.
Ich sah mich um. Eine breite Treppe führte nach oben. Der Flur war gefliest und einladend dekoriert. Hier roch es angenehm nach irgendwelchen Blumen. Während ich noch rätselte, welche das sein konnten, entdeckte ich drei geheimnisvolle Türen. Eine breite Glastür war direkt voraus, eine Holztür befand sich neben der Treppe und die dritte Tür stand offen. Durch die waren Sally und Freddy mit den Einkäufen verschwunden.
»Komm doch rein Stella!«, hörte ich Sally rufen. »Ich bin in der Küche.«

Zögernd setzte ich Hugo in Bewegung. Die Küche war hell und groß, viel größer als mein Wohnzimmer! Ich staunte. In deren Mitte stand ein massiver Holztisch mit sechs Stühlen ringsum. Sally hatte ihre Jagdbeute auf Tisch und Schränken verteilt und begann damit, sie wegzuräumen.
»Willkommen im Chaos«, zwinkerte sie mir zu.
»Ich koche uns etwas Schönes. Magst du Fleisch?«
»Ja«, antwortete ich und räusperte mich.
Freddy, der gerade zur Tür hereinkam, schob zwei Kartons auf den Tisch, der nun restlos überfüllt war.
»Das waren die letzten beiden.«
»Danke! Kannst du die Weinkartons bitte noch in den Keller tragen?«
»Jawohl, Chef!«, antwortete Freddy laut und deutlich. Er ging hinaus.
Ich hörte Flaschen klappern. Nach einem dumpfen Geräusch kehrte Stille ein. Sally schüttelte grinsend den Kopf.
»Freddy fragte mich ein mal - ich glaube, er war gerade drei oder vier Jahre - weshalb er immer das tun müsse, was ich sage. Darauf habe ich geantwortet, dass ich der Chef bin«, erklärte Sally. »Seit dem sagte er immer: Jawohl, Chef!«
Sally lachte. »Aber keine Angst. Inzwischen ist er sein eigener Chef geworden und musste feststellen, dass man auch als Chef nicht immer alles machen kann, was man möchte.«
Ich schmunzelte.
»Erzähl mir etwas von dir, Stella«, forderte Sally mich auf.
Ich erzählte ihr mit wenigen Worten, was ich Freddy bereits über mein früheres Leben berichtet hatte. Ich en-

dete mit dem heutigen Tag, als Freddy aus dem Keller zurückkam.
»Was gibt es denn zu essen, Mom?«
»Fischfilets, Putengeschnetzeltes oder Büffelburger stehen zur Auswahl. Dazu Reis, Spätzle, Kartoffeln und Salat oder Gemüse? Was meint ihr?«
»Du hast ja eingekauft, als hättest du eine ganze Armee zu versorgen«, bemerkte Freddy.
»Na ja, wir sind über das Wochenende sechs Personen«, sinnierte Sally.
»Stella?«, sah Freddy mich fragend an.
Ich zuckte hilflos mit den Schultern. Mir lief schon jetzt das Wasser förmlich im Mund zusammen. Ich hatte Hunger wie ein Bär. In der Kurklinik hatte es längst Mittagessen gegeben. Es war bereits ein Uhr nachmittags.
»Ich habe noch nie Büffelburger gegessen«, antwortete ich schließlich.
»Dann wird es höchste Zeit!«, antwortete Sally.
»Okay. Ich brate die Büffel und schiebe die Kartoffeln in den Ofen«, entschied Freddy. »Hilfst du uns beim Salat, Stella?«
»Natürlich«, nickte ich.
Sally machte auf dem Tisch etwas Platz und stellte mir ein Holzbrett und ein Messer vor die Nase, während Freddy einen Stuhl davontrug, damit ich an den Tisch kam. Sally wusch das Gemüse ab, das sie mir in Reichweite stellte. Ich fühlte mich auf eine eigenartige Weise wohl hier, so, als gehörte ich hierher, zu einer Familie, die ich überhaupt nicht kannte. Ich vertiefte mich in die Schnippelei. Irgendwann stieg mir der Duft von frisch gebrühtem Kaffee in die Nase. Das erinnerte mich an Zuhause.
Sally stellte mir eine große Tasse hin und lächelte mir zu.

»Pause«, sagte Freddy, als er sich zu mir setzte.
Auch Sally ließ sich durch die Unordnung in der Küche nicht im Geringsten beeindrucken und setzte sich uns gegenüber. Noch immer trug sie das Basecap. Nur die Weste hatte sie ausgezogen und die Ärmel ihres Pullovers hochgeschoben.
»Freddy sagte, du willst reiten.«
»Na ja, ich mache gerade die ersten Schritte in der Hippotherapie und ich muss gestehen, dass mir das sehr viel Spaß macht und ich habe erstaunliche Fortschritte gemacht. Am Anfang wollte ich selbst nicht daran glauben.«
»Das freut mich für dich«, nickte Sally und pustete vorsichtig in ihre Kaffeetasse.
»Stell dir vor, der Palomino hat sich sofort in Stella verliebt«, sagte Freddy.
»Der alte Gauner«, lachte Sally.
»Was ist mit ihm?«
»Er ist sehr eigenwillig«, antwortete Freddy.
»Er wirkte ziemlich traurig«, wagte ich zu bemerken.
»So?«, fragte Freddy.
»Bandit ist ein sehr, sehr schlauer Bursche. Er ist einfach nur geistig unterfordert. Es ist schwierig, einen passenden Menschen für ihn zu finden, der mit ihm auskommt. Ein Zirkus könnte ihn geistig herausfordern, doch dort wäre er zu lange eingesperrt. Er braucht seine Freiheit. Ja, und er hat tatsächlich seinen eigenen Kopf«, meinte Sally augenzwinkernd.
»Er tut mir leid«, hörte ich mich kleinlaut sagen.
»Er ist etwas Besonderes, ein außergewöhnliches Pferd. Bandit braucht einen außergewöhnlichen Menschen an seiner Seite. Jemanden, der mit ihm umgehen kann und ihn versteht.«

Ich wagte nicht, die Gedanken, die mir gerade jetzt durch den Kopf gingen, auszusprechen. Niemals!
»Aber auch jemanden, der ihn in die Schranken weist, wenn es sein muss, Mom«, gab Freddy zu bedenken.
Sally grinste hintergründig.
Ich erkannte dieses Grinsen. Das hatte ich schon zu oft in Freddys Gesicht gesehen.
Sally ist durch und durch eine Pferdefrau, dachte ich. *Feinsinnig und herzlich, aber auch voller Power und auch bereit auszukeilen.*
Das beeindruckte mich. Ich lächelte in mich hinein. Jetzt wusste ich genau, woher Freddy diese besondere Begabung hatte. Professor Winter hingegen, sein Vater, lebte in einer völlig anderen Welt.
»Was passiert denn mit Bandit, wenn niemand ihn haben will?«, fragte ich.
»Pferdeburger«, antwortete Freddy prompt.
Ich schnappte nach Luft.
Sally warf ihrem Sohn einen tadelnden Blick zu.
»War ein Witz«, beschwichtigte er. »Okay, ich gebe zu, dass es ein böser Witz war. Vergiss es einfach.«
»Er bleibt bei uns und wird ab und zu geritten. Aber weder mein Mann noch unser Sohn haben die nötige Zeit für ihn. Selbst ich komme zu selten dazu«, bedauerte Sally.
Ich nippte am Kaffee. Der war stark und bitter. Ich griff zur Kaffeesahne und dachte dabei nicht an irgendwelche Fettprozente und Kalorien. Der Kaffee färbte sich heller und schmeckte nun wirklich gut. Freddy erhob sich, wendete die Büffelburger und sah nach den Kartoffeln. Sally meldete sich zum Duschen ab. Ich schnippelte frische Gurken, Tomaten und Paprika. Die Salatschüssel war groß. Sehr groß. So etwas würde in meinem Single-

haushalt keinen Platz finden.
Sechs Personen! Ein Tisch voller Leute. Wie schön.
Wie oft hatte ich mir das gewünscht: eine große Familie. Zumindest für heute war mein Traum einmal Wirklichkeit geworden. Doch das war nicht meine Familie. Das waren fremde Menschen, die ich an diesem Tag das erste Mal sehen sollte und vielleicht auch das letzte Mal. Freddy war der Einzige, den ich kannte und doch nicht, denn für mich gab es um Freddy noch zu viele Geheimnisse. Ich wischte diese Gedanken erfolgreich zur Seite. Immerhin hatte Freddy mich seiner Mutter vorgestellt und bald auch seiner Familie. Das war für ihn bestimmt ein großer Schritt. Doch ich wollte nicht weiter darüber nachdenken, sondern den Tag einfach nur genießen und nicht an den Morgen danach denken. Ich lebte tatsächlich im Augenblick, hier und jetzt. Das fühlte sich gut an! Die Kurklinik, die Therapiestunden und meine Behördenbriefe waren so weit weg wie nie zuvor. Nur Hugo war bei mir geblieben.
Er gab mir die Sicherheit, die ich brauchte.

*****

Eine Stunde später stand das Essen auf dem Tisch, den Freddy und ich hübsch gedeckt hatten. Ich hatte solchen Hunger und die ganze Zeit mit meiner Selbstbeherrschung gekämpft. Sally hatte sich inzwischen geduscht und hübsch zurechtgemacht. Das geblümte Sommerkleid gefiel mir. Darin wirkte sie ausgesprochen jugendlich.
Als hätten sie das Essen gerochen, tauchten die beiden Cowboys in der Küche auf. Sie trugen keine Hüte mehr und begrüßten mich beinahe charmant, während sie sich mir vorstellten. Das tat ich natürlich auch in aller Höflich-

keit. Eugen war ein großer Mann mit etwas Bauchansatz. Ich konnte kaum glauben, dass er tatsächlich fünfzig sein sollte. Hätte ich nicht gewusst, dass Thomas sein Sohn war, hätte ich ihn für Eugens jüngeren Bruder gehalten. Thomas schien mir ein echter Naturbursche zu sein. Er hatte dunkelblondes Haar, sonnenverbrannte Haut und einen Dreitagebart. Thomas war ziemlich wortkarg und zurückhaltend.

So ganz anders als Freddy, dachte ich, und schenkte Freddy ein Lächeln.

Gerade in diesem Augenblick tauchte in der Küche eine junge Frau auf. Sie trug eine hautenge, zerrissene Jeans und ein kurzes Spaghettishirt. Ohne zu grüßen plapperte sofort von der Arbeit. Ich bemerkte, dass Thomas sie tadelnd anstarrte.

»Setz dich, Kathrin. Wir haben Besuch«, sagte Sally. »Darf ich vorstellen: Das ist Stella, Freddys Freundin. Stella, das ist Kathrin, unser Kücken«, grinste Sally.

»Kücken!«, empörte Kathrin sich. »Ich bin fast siebzehn, Mom!« Dann musterte Kathrin mich und ich wusste ehrlich nicht, was sie dachte.

»Sorry«, meinte sie, lächelte und streckte mir ihre Hand entgegen. »Willkommen in der Sippe!«

Ich schmunzelte.

Thomas Augen begannen böse zu funkeln.

Ich hörte Freddy neben mir kichern.

»Setz dich endlich, Süße! Wir haben Hunger«, mahnte Eugen milde.

Was für eine ungewöhnliche Familie, dachte ich, als ich endlich etwas zu essen auf meinen Teller bekam. Vorhin hätte ich einen ganzen Büffel verdrücken können, doch inzwischen hatte ich den Hunger etwas übergangen. Der Büffelburger schmeckte außergewöhnlich gut und mach-

te mehr als satt. Während dem Essen erzählte Eugen lustige Geschichten. Meist ging es darin um Pferde und Reiter. Ich hörte ihm gern zu. Er sparte weder mit Witz noch mit Komplimenten. Wir lachten viel. Kathrin fand das wohl eher etwas peinlich und war gleich nach dem Essen wieder verschwunden. Thomas trank ein Glas Whiskey wie Wasser, ohne dabei auch nur eine Miene zu verziehen. Dann erhob auch er sich.

»Bis nachher«,meinte er, bevor er ging.

Ich lobte das Essen überschwänglich. Ich hatte tatsächlich mehr gegessen, als mir gut getan hätte. Mein Bauch hatte sich zu einer kleinen Murmel verformt.

Wir vier blieben sitzen, unterhielten uns und lachten viel. Eugen war sehr interessiert an mir und Hugo. Er scheute sich nicht, mir Fragen zu stellen. Allerdings hatte ich nie das Gefühl, von ihm ausgefragt zu werden. Eugen interessierte sich auch sehr für Freddys Projekt der Hippotherapie. Ich bemerkte schnell, dass Eugen seinen Stiefsohn darin zu unterstützen schien. Ich wünschte, auf dieser Welt gäbe es mehr Menschen wie Eugen, Sally und Freddy.

Irgendwann erhob sich auch Eugen. »Ich werde Thomas mal unter die Arme greifen. Bis nachher.«

»Bis dann«, erwiderte Sally und drückte ihrem Mann einen Kuss auf die Wange.

Eugen aber schnappte sie, bog sie, wie im Tanz zurück, und drückte ihr einen Kuss auf den Mund.

»Doch nicht vor den Kindern«, kicherte Sally.

Lachend ging Eugen zur Tür hinaus.

Freddy und ich grinsten uns an. Die *Kinder* waren in dem Fall wohl wir.

»Können wir noch ein mal zu den Pferden sehen?«, fragte ich.

»Natürlich. Raus mit euch!«, meinte Sally.
Freddy bugsierte mich die zwei Stufen vor der Haustür hinab. Ich sog die frische Luft tief in meine Lungen.
»Wie schön es doch ist, aus der Haustür zu kommen und mitten im Paradies zu stehen. Die Pferde direkt um sich herum zu haben und«, ich blickte mich nach Freddy um, »...und die Familie.«
Freddy sah mich an.
»Nicht alles ist so, wie es scheint, Stella«, sagte er leise.
Ich sah Freddy direkt in die Augen. Das gelang mir nur für den Bruchteil einer Sekunde, bevor er meinem Blick auswich. Hatte ich in traurige Augen gesehen?
Ich glaubte es.
»Was ist?«, fragte ich besorgt.
Freddy antwortete nicht.
»Du guckst genauso traurig wie Bandit.«
Ich hörte Freddy tief durchatmen.
»Gehen wir ein Stück«, meinte er.
Ich rollte mit Hugo langsam neben ihm her. Erst nach einer ganzen Weile begann er zu sprechen.
»Ich habe einmal in meinem Leben Mist gebaut, Stella. Ein einziges Mal und ich muss und will dafür gerade stehen. Das zerreißt mich jeden Tag. Glaubst du, dass man im Leben eine zweite Chance verdient hat?«
Ich stoppte und starrte Freddy erschrocken an.
»Ja, davon bin ich absolut überzeugt. Jeder hat eine zweite Chance verdient.«
Freddy musterte mich tapfer. Sein Blick verriet mir jedoch, dass er an meinen Worten zu zweifeln schien.
»Wenn ich dir in irgendeiner Weise helfen kann, Freddy, dann werde ich das tun«, versicherte ich ihm.
Auf Freddys Gesicht erschien ein Lächeln.
»Du hast mir schon weit mehr geholfen, als du denkst.«

Mein Blick zu ihm war eine einzige Frage, die ich nicht auszusprechen wagte.
»Ich…«, stammelte er, »…ich habe Angst. Angst, dass alles zerbricht.«
Ich bemerkte sehr wohl, dass es ihm schwerfiel, zu sprechen. Das Geheimnis, das diesen Mann umwob, musste ein sehr düsteres sein. Bisher hatte er es gehütet und hinter seinem charmanten Lächeln und einer bemerkenswerten Fröhlichkeit verborgen. Ich bewunderte ihn dafür, denn das musste ihn sehr viel Kraft kosten. Ich hätte das nicht fertiggebracht. Jetzt griff ich nach seinen Händen und zog ihn ein Stück zu mir. Freddy hockte sich wie so oft in letzter Zeit vor mich und Hugo, um mit mir auf Augenhöhe zu reden. Hinter seinem Lächeln erkannte ich in seinen dunklen Augen noch immer die Traurigkeit. Sie glänzten eigenartig.
Nein, so hatte ich Freddy noch nie gesehen. Das tat mir weh, aber das sollte er lieber nicht bemerken.
»Angst verklemmt, macht steif und behindert unser Gleichgewicht«, sagte ich mit seinen Worten.
»Aber sie warnt uns auch vor Gefahr.«
»Das stimmt. Doch das Leben ist nun mal gefährlich und endet immer tödlich. Also machen wir das Beste daraus.«
Freddy lachte leise. Seine Augen wirkten jetzt nicht mehr traurig und ich war froh darüber, ihn zum Lachen gebracht zu haben.
»Ach, Stella. Wenn es dich in meinem Leben nicht geben würde, dann…, dann würde mir etwas fehlen.«
Ich war sprachlos.
Plötzlich wurde mir heiß. Ich wusste beim besten Willen nicht, was ich darauf erwidern sollte. Mein Herz schlug schneller und meine Gefühle fuhren Achterbahn. Vor-

sichtig zog ich mich an seinen Händen zu ihm, soweit es mir möglich war, und umarmte ihn. Ich spürte seine Haut auf meiner Wange und ich spürte die Tränen in meinen Augen aufsteigen, die ich wegzuzwinkern versuchte. Das konnte Freddy zum Glück nicht sehen. Er kniete vor mir auf dem Boden und hatte mich auch mit seinen Armen umschlungen.
»Ich werde immer für dich da sein, Freddy. Ich vertraue dir«, wisperte ich in sein Ohr.
»Es gibt nicht mehr viele Menschen, die das tun würden. Nur du und Sally.«
»Und Professor Winter, dein Vater?«
»Er verachtet mich. Alles was er tun kann, tut er für dich, Stella. Und dafür bin ich ihm sehr dankbar.«
»Freddy...«
»Scht. Sag jetzt nichts. Ich will dir etwas sagen«, flüsterte Freddy. »Egal was passiert, du musst wissen, dass ich dich liebe, Stella. Das ist die Wahrheit. Ich werde alles für uns tun, aber nur, wenn du das auch willst.«
»Freddy...« Ich rang nach Luft. »Ja, das will ich«, wisperte ich überwältigt.
Dann kam das, wovon ich schon so lange geträumt hatte. Freddy richtete sich auf und er küsste mich. Nein, wir küssten uns so leidenschaftlich, dass mir förmlich die Luft wegblieb. Ich konnte unseren hastigen Atem hören. Tief in mir spürte ich das längst verloren geglaubte Verlangen. Mein Herz schien sich zu überschlagen. Mir wurde schwindlig. Die Hitze in mir wurde beinahe unerträglich. Doch das alles war mir in diesem Augenblick egal. Selbst meine immer wiederkehrenden Zweifel und Bedenken hatte ich endlich fortgewischt. Ich war einfach nur glücklich und ich wollte, dass das niemals aufhörte.

Irgendwann fanden wir uns dennoch in der Realität wieder. Ich sah Freddys Gesicht vor mir. Er grinste mich unverfroren an.
Schuft!, dachte ich.
Erst jetzt bemerkte ich, dass wir beobachtet wurden.
Thomas führte zwei Pferde an uns vorbei und tat so, als wären wir nicht da. Kathrin, die mit einem Fahrrad herumschwirrte, winkte uns grinsend zu.
»Da könnte man glatt neidisch werden!«, rief sie im Vorbeifahren.
»Gut so, Schwesterchen!«, rief Freddy zurück.
Ich hörte Kathrins ansteckendes Kichern, bevor sie meinem Blick entschwand. Freddy mühte sich, aufzustehen.
»Meine Beine sind eingeschlafen«, ächzte er.
»Und meine Kniescheiben sind verrutscht.«
»Armer, alter Mann«, flüsterte ich.
Freddy stützte sich auf Hugos Armlehnen ab, atmete tief durch und blickte mir in die Augen.
»Pass auf, was du sagst, Prinzessin Stella. Wo bleibt dein Mitgefühl?«, zischte er.
Ich lächelte entschuldigend. »Keine Ahnung. In meinem Kopf ist gerade so ziemlich alles durcheinander.«
Freddy richtete sich auf und trat abwechselnd auf den Füßen hin und her.
»Willst du etwa mit mir tanzen, Prinz Freddy?«, lästerte ich weiter.
»Oh ja. Aber vorher lege ich dich übers Knie und versohle dir den Hintern.«
Ich kicherte.
Freddy schnappte mich tatsächlich, hob mich mit Schwung aus dem Rollstuhl, nahm mich auf seine Arme und wirbelte mit mir herum. Ich kicherte noch mehr. Bevor ich etwas sagen konnte, standen wir beide vor

dem Koppelzaun. Der Palomino scharrte bereits hinter dem Tor mit dem Huf.
»Nichts da, Bandit. Sie gehört zu mir. Suche dir selbst eine Braut«, hörte ich Freddy sagen.
Dann öffnete er das Tor einen Spalt und schob sich mit mir hindurch. Mit dem Rücken drückte er es wieder zu. Bandit tänzelte vor Freude auf der Stelle und ich vernahm sein blubberndes Schnauben.
»Er freut sich, dich zu sehen, Stella. So sagt er dir das auf seine Art und Weise.«
Ich streichelte Bandit.
»Er scheint tatsächlich in dich vernarrt zu sein«, lachte Freddy.
»Ich mag ihn auch.«
»Gut, dann kann er dich jetzt tragen. Du wirst mir altem Mann langsam zu schwer.«
Ich schnappte nach Luft, wollte protestieren, doch kein einziges Wort kam über meine Lippen. Plötzlich griff die alte Angst nach mir, die mir einen eisigen Schauer durch meinen Körper schickte. Das Pferd war fremd, es war größer als Fritz und es trug keinen Sattel. Was dachte Freddy sich nur dabei?
Als ich auf dem Rücken des honiggelben Pferdes saß und mich krampfhaft in der weißen Mähne festkrallte, war mir nicht mehr zum Scherzen zumute.
»Ich will wieder absteigen«, wisperte ich.
»Keine Angst, Stella. Er ist dein Freund. Vertraue ihm. Ich weiß, was ich tue«, vernahm ich Freddys Worte.
Der Palomino drehte die Ohren bald zu mir und bald zu Freddy, als würde er jedes Wort verstehen, das wir redeten.
Freddy hatte gut reden. Er stand schließlich mit beiden Beinen auf festem Boden. Bandit stand still und rührte

sich nicht. Nur ab und an zuckte ein Muskel an seinen Schultern. Ich schluckte und versuchte nun meine Angst herunterzuwürgen. Ich erinnerte mich an den Tag, an dem Freddy mich einfach auf Kasper gesetzt hatte. Ganz langsam und unscheinbar löste sich meine Anspannung.
»Schuft!«, sagte ich leise.
»Nein. Er heißt Bandit. Das ist so etwas ähnliches wie Schuft, aber Bandit klingt viel besser«, grinste Freddy frech.
Dann schnalzte Freddy leise und Bandit hob vorsichtig einen Huf nach dem anderen und ging Seite an Seite mit Freddy, der mich derweil am Bein hielt.
»Siehst du, wie sanft er dich trägt. Er passt gut auf dich auf.«
»Hmhm«, machte ich.
Tatsächlich!
Freddy hatte Recht, dachte ich erstaunt.
»Mich hätte er längst abgeworfen. Zumindest hätte er es versucht.«
»Weshalb?«
»Weil er eben ein Bandit ist. Er testet alle Zweibeiner genauestens aus. Bandit ist verdammt schlau. Er könnte tatsächlich in einem Zirkus auftreten«, sagte Freddy.
Vorsichtig löste ich eine Hand aus seiner Mähne und strich Bandit dankbar über den Hals.
»Bist du verrückt geworden?!«, hörte ich Thomas seine Stimme vom Tor her.
»Das war ich schon immer. Ist dir das denn noch nie aufgefallen?«, erwiderte Freddy.
Ich wandte mich um und sah, dass Thomas vorwurfsvoll den Kopf schüttelte. Er trug wieder den Cowboyhut und sah wirklich gut damit aus. Ich lächelte tapfer und winkte ihm mit meiner freien Hand zu. Thomas lächelte tatsäch-

lich zurück und tippte lässig mit zwei Fingern an die Hutkrempe. Er blieb reglos stehen und beobachtete uns.
»Er ist einfach zu perfekt, sehr fürsorglich und äußerst verantwortungsbewusst. Aber Thomas ist in Ordnung. Man muss ihn nehmen, wie er ist«, raunte Freddy mir zu.
Ich nickte.
Mir war bisher nie in den Sinn gekommen Menschen ändern zu wollen, nur weil sie so waren, wie sie eben sind. Ich wollte ja schließlich auch ich bleiben und ich war froh, dass Freddy mich so nahm, wie ich war. Alles andere wäre zu kompliziert. Ich weigerte mich weiter darüber nachzudenken, und genoss den Augenblick. Er sollte sich für alle Zeiten in meine Seele brennen. Ich lebte jetzt und hier, nur in diesem Augenblick gefangen und war einfach nur glücklich. Die Sonne kitzelte mich auf der Nase und vor meinen Augen drehten sich bunte Lichtspiralen.

Kapitel 7
Stella macht Dummheiten

Die Realität holte mich schneller ein, als mir lieb war. Hässlich, kalt und dunkel war mir zumute, als ich den Brief las. Der hatte auf meinem Schreibtisch gelegen, als ich an diesem Abend in mein Zimmer gekommen war. Dieser Brief war so präsent, dass ich ihn nicht übersehen konnte. Mich fröstelte. Zugleich ließ mich die Erdanziehungskraft schwer wie Blei werden.
Der Anwalt schrieb, dass Herr Friedrich Vandervald außergerichtlich dazu verpflichtet worden war, mir ein Schmerzensgeld zu zahlen. Eine Stellungnahme zu diesem Beschluss offenbarte allerdings, dass Vandervald derzeit zahlungsunfähig sei. Im nächsten Schritt werde nun geprüft, ob er pfändungsrelevante Dinge besitze.
Langsam legte ich den Brief zurück auf den Schreibtisch und starrte zum Fenster. Draußen wurde es dämmrig. Das Licht der Schreibtischlampe spiegelte sich bereits in der Scheibe. Hugo und ich gaben ein trauriges Bild ab.
»Verflucht! Dieser verfluchte Kerl!«, schniefte ich den Tränen nahe.
Plötzlich überrollten mich alle meine Ängste und meine Probleme und meine Zukunft zerbröckelte vor mir wie eine Sandburg.
»Sozialhilfe mit 24! Und ich habe keine Ahnung, wohin wir gehen sollten, wenn die Kur Ende nächster Woche beendet war. Nicht eine Idee.«
Ich vernahm mein eigenes Schluchzen.
Zieh doch bei diesem Kerl ein!, hörte ich meine innere Stimme ironisch krächzen und schielte zu Hugo, als hätte er gerade zu mir gesprochen. Unwillkürlich musste ich grinsen.

»Gar keine so schlechte Idee, Hugo.«
Ich kramte nach einem Taschentuch und schnäuzte mich laut und ausgiebig. »Wer weiß, wo dieser Typ überhaupt wohnt«, sinnierte ich und lachte in meine Heulerei.
»Vielleicht haust er ja in einer Einraumwohnung im 10. Stock oder unter einer Brücke«, legte ich Hugo meine Worte in den Mund, den er nicht hatte.
Ich seufzte.
»In meine Wohnung können wir jedenfalls nicht zurück. Der Treppenlift ist definitiv abgelehnt worden und ein Umbau des Badezimmers ist ebenso utopisch. Und das Auto...? Wovon sollte ich denn diesen Eigenbeitrag leisten? Und wie soll ich das Blumengeschäft je weiter führen? Von irgend etwas muss ich meinen Lebensunterhalt aber bestreiten...«, jammerte ich Hugo die Ohren voll, die er nicht hatte.
»Und die Hippotherapie kann ich mir ganz und gar aus dem Kopf schlagen. Wozu das alles, verdammt?! Nichts wird nie wieder so werden, wie es war. Und Freddy?«
Bist du verrückt geworden?, hörte ich die Stimme seines Stiefbruders plötzlich in meinen Gedanken.
»Verrückt genug, um für immer mit mir...?«
Ich schüttelte den Kopf. Meine Gedanken hatten sich maßlos ineinander verwirrt, wie das Wollknäuel meiner Oma. Oft war es ein ziemlich langwieriges Geduldsspiel, das Knäuel wieder zu entwirren. Mein Kopf schmerzte.
Ich atmete tief durch und fuhr ins Badezimmer, um mich bettfertig zu machen. Minuten später lag ich im Bett und starrte in den Fernseher. Hugo stand daneben. Der Film lenkte mich tatsächlich etwas ab. Als es schließlich Nacht war, wurde es in meinem Zimmer dunkel und sehr still. Die Sterne funkelten zu mir herein, als würden sie mir zuwinkern. Ich betrachtete sie eine Weile.

Dann vernahm ich deutlich Peters Stimme in meinen Gedanken:
Glaubst du, dass die Sonne nicht wieder scheint, nur weil über uns gerade Nacht ist, Stella?
Ich musste lächeln.
Peter fehlte mir. Keiner der Therapeuten hier war so wie er. Vielleicht hatte er eine Idee? Peter hatte immer Ideen. Er hatte mich nie bedauert. Im Gegenteil. Durch seine besondere Art hat er mich immer wieder herausgefordert und angetrieben. Ich überlegte, ob ich mit Peter über meine Sorgen reden sollte oder mit Freddy. Unschlüssig schlief ich darüber hinweg schließlich ein.

*****

Tatsächlich ging am nächsten Morgen die Sonne wieder auf und auch am Morgen darauf. Sie schien durch mein Fenster in mein Zimmer herein und zauberte Licht und Schatten auf Fußboden und Wände. Mein Kopf war leer und leicht wie eine Feder. Ich hatte keine Pläne, ja nicht mal ein Ziel vor Augen. Für den Augenblick fühlte sich das ganz gut an. Ich griff nach meinem Therapieplan, der auf dem Nachtschrank lag und las.
»Volles Programm, Hugo. Wie immer«, murmelte ich und schlug die Decke zurück.
»Raus aus den Federn, Prinzessin Stella! Der Tag versaut sich nicht von alleine.«

Stundenlang kämpfte ich mich wie besessen durch mein Therapieprogramm, als würde ich für eine Olympiade trainieren. Nicht ein einziges Mal kam mir währenddessen die Frage in den Sinn weshalb ich das tat.

Ich wollte es!
Alles, nur nicht aufgeben, dachte ich.
Mein Leben musste weitergehen und das sollte es auch. Egal, wie.
Das ist mein Leben und nicht das von diesem Idioten!
Er musste ein Arsch sein, denn jeder aufrichtige Mensch hätte zumindest den Anstand besessen, sich nach mir zu erkundigen. Auf einen Besuch von diesem Kerl konnte ich aber auch verzichten. Manchmal versuchte ich, mir vorzustellen, wie der Mann aussah, der mir das angetan hatte. Manchmal fragte ich mich, ob er Familie hatte, was er arbeitete oder wie alt er war. Meine Wut spornte mich an, meine Muskeln noch stärker gegen die Gewichte zu stemmen, immer und immer wieder.
Vielleicht wünscht er sich ja, dass ich sterbe oder mir das Leben nehme. Dann wäre er raus aus dem Schneider. Aber nicht mit mir! Nicht mit Stella Fröbel!
»Den Gefallen tue ich dir nicht!«, fauchte ich.
»Nicht so schnell, Stella!«, vernahm ich die Stimme meines Therapeuten.
Ich nickte, während der Schweiß mir von der Stirn tropfte. Jona schmunzelte.
Als ich zwei Stunden später in der Schwerelosigkeit des Therapiebeckens im Keller schwebte, schwirrte Freddy durch meine Gedanken. Unweigerlich musste ich an unser spät abendliches Bad denken. Meine Lippen verzogen sich zu einem Lächeln. Das Leben konnte so schön sein. Ich wünschte, Freddy wäre jetzt hier. Davon zu träumen war so schön. Das rettete mir den Tag.

*****

Freddys Besuch am Abend war überraschend und schön.

Mein Herz hüpfte vor Freude.
Er begrüßte mich mit meinen Lieblingsworten: »Ich habe eine Überraschung für dich, Stella!«
Meine Augen klebten förmlich an seinen Lippen. Ich spürte das prickelnde, neugierige Lächeln, dass er damit auf mein Gesicht zauberte.
»Morgen Nachmittag hole ich dich gegen vier ab.«
»Aber ich...?«
Weiter kam ich nicht. Freddy schnitt mir das Wort ab. Er wirkte heute wie ein kleiner, aufgeregter Junge, der auf den Weihnachtsmann wartete. Er grinste hintergründig und nickte mehrmals.
»Doch, du kannst!«,
»Was!?«
»Nein, Stella. Sei nicht so ungeduldig«, mahnte er.
»Du bist es doch auch«, grinste ich und hörte Freddys dunkles Lachen.
Er schüttelte entschieden den Kopf.
»Keine Chance. Ich verrate nichts.«
Ich seufzte. »Dann bist du daran schuld, wenn ich diese Nacht ganz und gar nicht schlafen kann.«
Er nickte, setzte sich auf mein Bett und warf die Beine hoch. Fassungslos beobachtete ich ihn, wie er mit der Fernbedienung meines Fernsehers spielte. Er zappte durch die vielen Programme.
»Mach´s dir ruhig bequem«, sagte ich.
Freddy nickte, ohne mich anzusehen. Endlich schien er gefunden zu haben, womit er zufrieden war. Ich nicht. Ich atmete tief durch und rollte mit Hugo ins Badezimmer.
»Fußball«, maulte ich leise und bugsierte meinen Hintern auf die Toilette.
»Stella?«, vernahm ich Freddys gedämpfte Stimme.

»Beeil dich, gleich fängt´s an.«
»Was?«, rief ich genervt zurück.
»Ein TV Beitrag über die Hippotherapie.«
»Komme gleich«, rief ich, so laut ich konnte.
Das hätte er mir auch gleich sagen können, dachte ich.
An eines hatte ich mich inzwischen gewöhnen müssen. Mit Hugo dauerte alles länger als gewöhnlich, selbst die einfachsten Dinge. Aber ich war immer wieder stolz auf mich, dass ich ohne Probleme und vor allem ohne Hilfe klar kam. Ich konnte meine Hose allein hochziehen, mich von A nach B bewegen und... »Raus!«, rief ich wütend, als sich meine Badezimmertür öffnete und Freddy in der Tür erschien. Ich war über mich selbst erschrocken.
Freddy verschwand sofort. Die Tür blieb offen stehen. Ich hörte Musik und dann Stimmen, die eindeutig von Pferden redeten. Schließlich rollte ich mit Hugo vorsichtig um die Ecke. Freddy lag auf meinem Bett, sah kurz vom Fernseher zu mir und lächelte.
»Sorry! Komm schon«, sagte er mit einer einladenden Geste und rückte ein Stück zur Wand.
Ich war erleichtert, dass er mir nicht böse war. Ich legte mich zu ihm und er nahm mich in den Arm. Wir schwiegen. Nach fünfundzwanzig Minuten war der Beitrag zu Ende.
»Das baue ich mir gerade mühsam auf, Stella«, sagte Freddy leise.
»Ich wollte dir nur mal an diesem Beispiel, hier dem Reitherapiezentrum bei München, nur mal zeigen, wie ich mir das hier vorstelle und wie alles werden soll.«
Ich hörte in seiner Stimme deutlich die Freude und die Hoffnung. Das wollte ich ihm auf keinen Fall versauen, aber ich konnte nicht anders. Meine Gefühle waren stärker als mein Wille.

»Hmhm«, machte ich niedergeschlagen.
»Was ist los, Stella?«, fragte er.
»Ach nichts.«
Doch Freddy gab nicht auf. Er schaltete den Ton ab, drehte sich zu mir um und blickte mich fragend an. Ich wich seinem Blick aus. Ich wollte das nicht. Ich wollte, dass er nichts von meinem Kummer merkte. Aber ich war nicht stark genug, ihm den zu verheimlichen.
Freddy atmete hörbar tief durch, griff mit seiner Hand zu meinem Kinn und drehte meinen Kopf so zu sich, sodass es mir unmöglich war, seinem Blick auszuweichen.
»Rede«, forderte er mich auf.
Ich schnappte ein paar Mal nach Luft und erzählte Freddy schließlich von dem Brief und wie es dazu gekommen war. Danach erfüllte tiefes Schweigen mein Zimmer. Freddy starrte mich entsetzt an.
»Das mit der Hippotherapie kann ich dann wohl auch vergessen. Die Krankenkasse zahlt das nicht. Die Unfallversicherung versucht, das Geld von dem Kerl zu bekommen, doch der ist zahlungsunfähig«, sagte ich so leise, dass ich meine eigenen Worte kaum verstand.
Ich hörte Freddy schwer schlucken, als würde er meine Probleme hinunterwürgen. Kein Wort kam über seine Lippen. Er ließ von meinem Kinn ab. Stattdessen strich er zärtlich über mein Haar und meine Wange, als würde er mich damit trösten wollen.
»Ich glaube ich weiß wie es sich anfühlt, bis über beide Ohren in Problemen zu stecken und keinen Ausweg zu sehen. Die Angst macht dich kaputt, weil du glaubst es nicht zu schaffen und weil du allein bist und niemand dich versteht oder dir helfen kann«, sagte er ebenso leise.
Das war wie ein Flüstern meiner eigenen Gedanken. Ich

atmete schneller und kämpfte gegen die aufsteigenden Tränen, während ich nickte.
»Ich... ich verstehe dich, Stella, und ich will dir helfen. Ich werde es! Du bist nicht allein. Wir schaffen das. Ich weiß noch nicht genau wie, aber ich bin davon überzeugt.«
Ich blickte überrascht zu ihm auf.
In diesem Augenblick war es, als würde ich in einen Spiegel meiner Seele blicken. So traurig hatte ich Freddys Gesicht noch nie gesehen. Selbst seine Augen glänzten verräterisch. Und ich war daran schuld. Hätte ich doch nur nicht davon angefangen. Das sollte ein so schöner Abend werden. Und nun?
Freddy blinzelte mich an. Ich legte meinen Arm um seinen Hals und zog mich ein Stück näher zu seinem Gesicht, bis ich ihn küssen konnte. Der Kuss tat uns beiden gut. Vereint in unseren Ängsten, Zweifeln und Problemen liebten wir uns, ohne darüber nachzudenken, was später aus uns werden sollte. Vielleicht würde alles gut werden. Vielleicht löste die schwarze Wolke, die uns umhüllte, sich einfach in Luft auf. Vielleicht konnte Professor Winter mich eines Tages doch wieder auf meine eigenen Beine stellen. Manchmal tat es gut an Wunder zu glauben. Manchmal geschahen sie einfach so. Man musste ihnen nur etwas Zeit geben.
Lange lagen wir wach und eng umschlungen unter meiner Decke. Uns war zu warm. Wir schwitzen beide, doch keiner wagte, sich zu rühren. Der Fernseher flimmerte stumm vor sich hin, ohne beachtet zu werden. Irgendwann musste ich eingeschlafen sein, denn als ich erwachte, war ich allein. Die Enttäuschung hielt sich in Grenzen, denn es war bereits fünf Uhr morgens.

*****

Ich habe ein Überraschung für dich.
Diese Worte Freddys hatten sich in meine Gedanken gebrannt. Ich platzte vor Neugier und die Therapiestunden zogen sich heute, trotz all meiner Motivation, zäh wie klebriger Tapetenkleister dahin. Meinen Kummer von letzter Nacht hatte ich darüber hinweg schlichtweg vergessen. Manchmal schien das Licht der Sonne diese Gespenster der Nacht tatsächlich klein und nichtig werden zu lassen. Ich schmunzelte vor mich hin. Meine Gedanken waren bei Freddy und mein Blick klebte ständig an der Uhr.
Selbst im Schwimmbecken war ich heute ungeduldig. Mir ging alles nicht schnell genug. Beim Ankleiden in der Kabine war ich schweißgebadet. Es war erst viertel vor drei, also noch genügend Zeit. Aber eine unsichtbare Kraft trieb mich gnadenlos an. Ich rang nach Luft und schüttelte den Kopf. Ich fuhr diesmal nicht wie sonst immer, mit dem Fahrstuhl geradewegs zu meinem Zimmer, sondern stoppte im Erdgeschoss und rollte durch das Foyer zur Eingangstür. Ich wollte ganz genau wissen, wie das Wetter war, um mich passend zu kleiden. Ich fror leicht und konnte mir keine Erkältung leisten. Außerdem war ich frisch gebadet und geduscht und mein Haar deshalb noch etwas feucht. Die Sonne schien warm vom fast wolkenlosen Himmel, aber mir wehte ein frischer Wind um die Nase. Das Außenthermometer zeigte 20,3 Grad an.
Perfekt, sagten meine Gedanken zufrieden.
Aber die Steppjacke muss unbedingt mit, ergänzten sie.
Ich nickte zustimmend und drehte Hugo um. Als wir durch das Foyer zum Fahrstuhl rollten, rief jemand nach mir.
»Frau Fröbel! Hallo! Warten Sie! Hier ist Post für Sie!«

Ich bremste Hugo abrupt aus und wandte mich um. Frau Sander kam zu uns. Sie hielt mehrere Briefe in der Hand und lächelte mir freundlich zu. Ich hielt erstarrt inne.
Post für mich, die ich nicht wollte, verdarb mir schnell die gute Laune. Ich zwang mich, mein grimmiges Gesicht zu entspannen. Sie konnte ja nichts dafür.
»Sie machen ja ein Gesicht, wie drei Tage Regenwetter Stella«, meinte sie besorgt.
»Diese blöden Behördenbriefe machen mich noch krank. Ich will sie nicht mehr.«
Frau Sander lächelte mitfühlend.
»Das glaube ich Ihnen. Aber leider sind die in den meisten Fällen unumgänglich, wenn auch sehr nervenaufreibend. Und irgendwann, wenn man gar nicht mehr daran glaubt, kommt ein Bewilligungsbescheid.«
Sie blickte auf die Briefe in ihrer Hand und schmunzelte, als sie sie mir reichte. »... oder eine hübsche Karte.«
»Danke«, lächelte ich erleichtert und nahm die Briefe und die Karte, die oben auf dem Stapel lag, an mich.
Bereits auf dem Weg zum Fahrstuhl sah ich die Post durch. Nur ein Behördenbrief war dabei. Auf der Postkarte waren rote Laufschuhe an zarten Füßen zu sehen. Die Trägerin band sie gerade zu, und ein hübscher Spruch stand darunter: *Es ist wichtig, in welche Richtung du den ersten Schritt tust. Wie groß er ist, spielt keine Rolle.*
Die Karte war von Gerlinde. Ich musste schmunzeln. Sie hatte mich nicht nochmal besucht, beteuerte aber, mich nicht vergessen zu haben. Ich las ihre hingekritzelten Buchstaben im Aufzug weiter. Dann untersuchte ich den Brief, der keiner von einer Behörde war. Als der Lift die oberste Etage erreicht hatte, wusste ich, er war von Sabine. Sofort war ich neugierig und öffnete ihn, als ich

in meinem Zimmer angekommen war. Sabine bat mich um Verzeihung, dass der Artikel so lange auf sich warten ließ.
»Kein Problem«, sagte ich, als könnte sie das hören.
»Ich freue mich auch jetzt noch darüber.«
Aber dazu sollte ich ihn vielleicht doch erst lesen! Ich postierte Hugo direkt vor den großen Glastüren und las ihm den Artikel laut vor.
Wow!, dachte ich.
»Wow«, sagte ich.
Wow!, stimmte auch Hugo zu. Ich kicherte.
»Sabine kann richtig gut schreiben. Ich glaube, damit kann sie die Leute von den Krankenkassen überzeugen, die Hippotherapie unbedingt mit in ihr Programm aufzunehmen.
»Sie fragt mich, ob Freddy ein Foto von uns beiden...«, ich schielte zu Hugo, auf dem ich saß, »...und von mir und dem Pferd machen darf, wenn ich reite.«
Hugo stimmte zu. Ich bewegte ihn vor und zurück. Hugo gab ein leises Quieken von sich.
»Der Meinung bin ich auch«, sagte ich. »Ich glaube, du brauchst etwas Öl, Kumpel.«
Grinsend öffnete ich schließlich den anderen Brief. Der war vom Versorgungsamt, das mir einen Grad der Behinderung von 80% und dem Vermerk GB zugestand. Ein grüner Ausweis und eine Parkkarte fielen zu Boden.
»Shit«, zischte ich.
Plötzlich klopfte es laut und deutlich an der Tür und ich zuckte zusammen. Eschrocken blickte ich auf die Uhr.
Dreiviertel vor vier!
»Herein!«, rief ich.
Verdammt, wo war die Stunde hin? Ich bin noch nicht ganz fertig, dachte ich und verzog das Gesicht.

»Guten Tag, Stella. Wie geht es dir?«, trällerte Freddy fröhlich und schloss die Tür.
Ich schenkte ihm mein schönstes Lächeln.
»Gut. Und dir?«
Er wiegte den Kopf hin und her. Er kam zu mir, neigte sich zu meinem Gesicht und blickte mir direkt in die Augen. Dann gab er mir einen flüchtigen Kuss auf den Mund. Seine Bartstoppeln kitzelten.
»Ich habe Lampenfieber«, flüsterte er schließlich.
Ich musste lachen.
»Geschieht dir recht«, grunzte ich.
Freddy richtete sich auf und schüttelte mehrmals den Kopf.
»Warum so hart, Prinzessin?«
An seiner Nasenwurzel bildete sich eine tiefe Falte. Doch seine Augen blinzelten mich belustigt an. Ich grinste herausfordernd, denn ich dachte nicht daran, seine Frage zu beantworten. Freddy verzog die Lippen und blickte zu Boden.
»Was ist das?«, fragte er und zeigte auf die Papiere, die vor mir auf dem Boden lagen.
»Mein Zepter und meine Krone!«, erwiderte ich prompt.
Freddy verschränkte die Arme.
Ah! Er will, dass ich ihn darum bitte, das aufzuheben.
Aber ich setzte Hugo in Bewegung und rollte in Richtung Badezimmer.
»Ich muss noch mal kurz ins Bad, meine Haare kämmen und mich etwas aufhübschen. Bin gleich fertig. Dann können wir los«, trällerte ich gut gelaunt und ließ Freddy einfach stehen, bevor er etwas erwidern konnte. Die Tür rollte hinter mir ins Schloss.
Kurz darauf vernahm ich Musik aus meinem Zimmer. Ich schmunzelte mich im Spiegel an. Wieder fragte ich mich,

was er mit mir vorhatte. Für mich war das nicht gerade unwichtig, denn ich wollte mich gern passend kleiden.
»Auch ein Mann müsste doch verstehen, dass es einen Unterschied ist, ob man ins Theater eingeladen wird oder zu einem Kindergeburtstag«, sagte ich laut zu Hugo.
»Weder noch!«, vernahm ich Freddys Stimme.
Ich war erschrocken.
»Rede!«, rief ich ungehalten zurück.
Ich konnte ich sein dunkles Lachen deutlich hören. Ich öffnete die Badezimmertür so schwungvoll, dass sie im Anschlag rummste und streckte meinen Kopf um die Ecke, um Freddy sehen zu können.
»Was!«
»Meinen Garten... und Kasper...«, sagte er gespielt gelangweilt.
Er hielt meine Briefe in den Händen und blickte zu mir.
»Liest du immer fremde Briefe?«, fragte ich empört.
Freddy nickte. »Schließlich muss ich wissen mit wem du korrespondierst.«
»Eifersüchtig?«, fragte ich spitz.
Freddy nickte. »Ja.«
Ich musste grinsen, obwohl ich das gerade nicht wollte. Freddy schien das amüsant zu finden.
»Wir müssen los, Stella«, sagte er schließlich.
»Bin ich passend genug angezogen?«
»Perfekt und sehr hübsch anzusehen«, bestätigte er.
»Danke«, murmelte ich, zog meine Stiefel an, schnappte die Steppjacke und meine Handtasche.
»Kann los gehen!«
Ein Taxi wartete vor der Tür. Jedesmal holte uns ein Taxi ab. Ich fand das etwas merkwürdig, glaubte aber nicht, dass Freddy kein Auto fahren konnte. Die Rechnungen

dafür dürften das Budget eines jungen Assistenzarztes ziemlich ins Wanken bringen.
Weshalb also?
Freddy war nicht der Typ, der Eindruck schinden wollte und er prahlte auch nie. Als er mich auf seine Arme nahm, um mich hinein zu setzen, unterbrach er meine Gedanken. Er setzte sich zu mir auf den Rücksitz und nahm meine Hand. Ich konnte spüren, dass seine Hand etwas feucht war, sein Puls zu schnell war und ich glaubte tatsächlich ein leichtes Zittern zu spüren. Freddy war tatsächlich aufgeregt. So hatte ich ihn noch nie erlebt. Mein Mitgefühl schlug Purzelbäume und meine Hand hielt ihn fester.
Er sah mich an.
Seine Lippen formten ein lautloses *Danke.*
Ich lächelte versöhnlich und löcherte ihn nicht weiter mit Fragen. Schließlich würde ich bald wissen, welche Überraschung mich erwartete.

*****

Nur zehn Minuten später bog das Taxi von der Straße ab. Ein Schotterweg führte zwischen Wald und Wiesen direkt an einem Bach entlang. Ich konnte das Knirschen unter den Reifen spüren. Das Sonnenlicht flirrte auf der Wasseroberfläche. Die Gegend war zauberhaft. Das Taxi stoppte vor einem Wohnwagen. Freddy blickte zu mir, als erwarte er einen Kommentar. Doch ich schwieg. Schließlich stieg er aus und hob mich auf Hugo. Als das Taxi langsam zurückfuhr, blies der Wind kühl und sanft über die mit Wildblumen übersäten Wiesen und mir ins Gesicht. Ich sog den Duft tief in mich. Im Sonnenlicht schwirrten glitzernde Pollen und Schmetterlinge. In die

Stille hinein vernahm ich ein leises Klingeln. Es war eine monotone Melodie, die mich geradezu verzauberte.
Wo ist das Einhorn?, dachte ich.
Noch immer hatten wir nichts gesagt. Freddy wirkte steif und bedrückt, so glaubte ich. Vielleicht wollte er mir etwas sagen, das ihm nicht leicht fiel. Schließlich räusperte er sich.
»Hier wohne ich«, sagte er mit rauer Stimme.
Ich blickte überrascht zu ihm hinauf, unfähig, etwas zu sagen.
»Das ist … nichts, was ich dir bieten könnte. Daraus soll erst etwas werden. Das ist mein Traum. Aber ohne Hilfe schaffe ich das nicht«, sagte er leise.
Noch immer blickte ich ihn sprachlos an. Unzählige Gedanken schwirrten durch meinen Kopf. Wollte Freddy mich allen Ernstes um Hilfe bitten?
»Bitte sag etwas, Stella.«
»Hier ist es unbeschreiblich schön, zauberhaft. Hörst du die Melodie auch?«
Ein erleichtertes Lächeln erschien auf Freddys Gesicht. Er nickte. »Mein Windspiel.«
»Ist das etwa dein Garten, den du mir zeigen wolltest?«
Freddy nickte nochmal.
»Mein Garten. Die Wiesen habe ich letztes Jahr angelegt und gesät. Ich durfte ein Stück Wald roden, das ich an anderer Stelle mit aufgeforstet habe.«
»Gesät?«, fragte ich ungläubig.
»Wildkräuter und Gräser. Alles was Pferde mögen und was ihrer Gesundheit gut tut.«
Ich staunte und war ehrlich überrascht. Das alles gehörte Freddy und er wohnte mitten auf seiner Wildblumenwiese. Auf der Fahrt hierher hatte ich nirgendwo Häuser gesehen.

»Könntest du dir vorstellen hier zu leben?«, fragte er mich.
Erschrocken wandte ich mich ihm ganz zu und sah zu ihm. Doch sein Blick haftete an einem imaginären Punkt mitten auf der Wiese. Mich fröstelte.
»Freddy, du verwirrst mich. Wie meinst du das?«
»Irgendwann, wenn wir uns richtig kennengelernt haben und es keine Geheimnisse mehr gibt, Stella, werde ich dir genau diese Frage stellen und ich wünsche mir, dass du dann *ja* sagst.«
Mir wurde heiß und kalt. Ich zitterte und Hugo mit mir. War das etwa ein Antrag? Ich konnte es nicht fassen! Freddy war rätselhaft. Dennoch oder gerade deshalb zog er mich vom ersten Tag an in seinen Bann. Ich würde gar nicht mehr anders können, als *ja* zu sagen. Doch was wusste er, das ich nicht wusste? Wollte er mich wirklich im Rollstuhl ...heiraten? Selbst meine Gedanken stolperten über das Wort. Und weshalb gerade mich?
Meine eigenen Gefühle überwältigten mich, sodass mir zum Heulen zumute war. Ich schniefte und fummelte ein Taschentuch aus meiner Jackentasche.
»Und du bist dir sicher?«, fragte ich.
Freddy löste sich aus seiner Starre und blickte mich an.
»Vollkommen«, antwortete er.
Ich nickte mit glänzenden Augen.
Freddy telefonierte kurz mit dem Taxifahrer. Danach lud er mich ein, einen Blick in seinen Wohnwagen zu werfen.
»Hier drin ist alles etwas durcheinander. Dein Zimmer ist dagegen chirurgisch clean.«
Typisch Männerwirtschaft, dachte ich.
Wie stellte er sich das eigentlich vor, wenn ich eines Tages noch mit Hugo hier einziehen sollte. Skeptisch verzog ich das Gesicht bei dem Gedanken.

»Keine Sorge, Stella. Ich werde uns ein richtiges Haus bauen.«
Konnte er schon wieder meine Gedanken lesen?!
Manchmal war mir das unheimlich. Ich nickte irritiert.
»Wie viele Pferde hast du eigentlich?«, fragte ich.
»Eineinhalb. Und du?«
»So um die zwanzig«, log ich spontan und grinste frech.
Ich vernahm Freddys dunkles Lachen, das ich so mochte.
»Perfekt. Dann haben wir eine eigene Herde.«
Er sagte wir.
Nein, ich zweifelte nicht mehr daran, dass Freddy genau wusste, was er tat. Und das beruhigte mich.
Das Taxi rollte langsam über den Schotterweg zu uns. *Und wohin jetzt?*, überlegte ich.
»Nun die Überraschung für dich«, kündigte Freddy an.
Seine Augen flackerten glänzend.
Plötzlich wirkte er wieder unruhig und aufgeregt. Doch er versuchte mit aller Kraft, genau das vor mir zu verstecken. Ich schmunzelte und vermied, ihn anzusehen. Ganz unbewusst schien seine Erregung sich auf mich zu übertragen. Wir stiegen in das Taxi, das die ganze Zeit vorn an der Straße auf uns gewartet hatte. Ich fieberte der Überraschung entgegen.

*****

Zu meiner Überraschung fuhren wir zum Reiterhof.
»Hippotherapie?«, fragte ich.
Freddy nickte.
»Ja, so ist es. Ich habe ein Team zusammengestellt, das sich intensiv darauf vorbereitet und und ich habe einen jungen Mann im Rollstuhl, der gern reiten möchte.«
Ich spürte, wie mein Unterkiefer erschlaffte.

Freddy grinste hintergründig.
Schuft!, dachte ich wieder einmal.
Freddy hob mich auf Hugo und das Taxi fuhr davon. Im Augenblick fühlte ich mich ausgeliefert. Ich konnte nicht mal flüchten. Ich musste Freddy vertrauen.
Hast du das nicht immer getan?, versuchte ich mich zu beruhigen. *Hatte er mich je enttäuscht?*
»Nein!«, beantworte ich meine Frage, ohne zu bemerken, dass ich das laut ausgesprochen hatte.
»Was nein?«, fragte Freddy verunsichert.
»Ach, ich meinte Hugo«, beschwichtigte ich.
Freddy verzog die Lippen. Dann grinste er wieder.
Als wir an der Reithalle entlangfuhren, hörte ich leise Stimmen durcheinander reden. Auf der Rasenfläche vor dem Reiterstübchen saßen viele Leute an einem Tisch zusammen. Das löste für einen Augenblick den Fluchtreflex in mir aus. Verunsichert stoppte ich Hugo. Doch der schien damit nicht ganz einverstanden zu sein und rollte langsam weiter in Richtung der fremden Leute. Mir waren das zu viele. Ich schnappte nach Luft und verfluchte Freddys Überraschung. Doch auch während der Kur hatte ich solche Situationen immer wieder in den Griff bekommen.
»Kennst du die etwa alle?«, raunte ich Freddy zu.
»Hmhm«, machte der. »Und du kennst sie auch.«
Irritiert blickte ich zu ihm herauf. Die Neugier kämpfte mit meiner Angst. Die Neugier siegte. Ich atmete tief durch und steuerte auf den bunten Pulk von Menschen zu, die uns noch nicht bemerkt hatten. Allmählich formten sich die Gestalten vor meinen Augen. Mein Atem stockte, als ich Peter erkannte, Professor Winter und dessen Freund Hagedorn. Sabine, Freddys Cousine, sprang schließlich als Erste auf und winkte mir zu.

»Hallo, Stella!«, rief sie freudig und hüpfte zu mir.
In diesem Augenblick drehten sich alle Gesichter zu mir. Ich hatte plötzlich ihre Aufmerksamkeit erregt und stand jetzt im Mittelpunkt ihrer Kaffeerunde. Sabine drückte mich fest. Sie freute sich sehr mich zu sehen, obwohl wir uns erst ein einziges Mal begegnet waren. Ich war verblüfft, erfreut und tatsächlich überrascht. Alle kamen zu mir, drückten mich und begrüßten mich herzlich, selbst Freddys Vater und Hagedorn. Ich war überwältigt. Und ich war sprachlos.
»Peter«, wisperte ich gerührt. »Was machst du denn hier?«
Er hatte seinen Freund Lutz mitgebracht und Tim Pollak, den Physiotherapeuten im Rollstuhl. Zu meiner Freude war auch Lilly da, die nicht mehr von mir abließ. Zu meinem Erstaunen waren auch zwei junge Frauen hier, die ich noch nicht kannte.
»Darf ich vorstellen? Das ist Stella, meine beste Freundin. Stella, das ist Karolin, meine Lebensgefährtin. Und das ist Eva, Lutz´ Frau.«
Ich spürte das Kribbeln unter meiner Schädeldecke. Mir war bewusst, dass ich sie anstarrte. Irritiert blickte ich Peter in die Augen.
»Du bist … ihr seid gar nicht…?«, raunte ich ihm zu.
Peter schüttelte grinsend den Kopf.
»Nein, sind wir nicht.«
Ich pustete die aufgestaute Luft aus meinen Lungen und löste mich langsam aus meinem Zustand. Erst dann war ich fähig, sie freundlich zu begrüßen.
Freddy, Peter, Tim und Lutz begrüßten sich hingegen wie alte Freunde.
Sie kennen sich also doch!
Geheimnisse? Die steckten alle unter einer Decke. Alle!

Meine Gedanken murrten. Ich kam mir wie das Opfer meiner eigenen Blauäugigkeit vor. Wie hatte ich nur so naiv sein können? Schließlich setzten sich alle wieder. Freddy nahm auf einem Stuhl direkt neben mir Platz. Wir bekamen Kaffee und Kuchen. Peter saß auf der anderen Seite von mir.
»Du Lügner«, raunte ich ihm zu.
»Verzeihst du mir?«, flüsterte Peter.
»Vielleicht«, flüsterte ich schnippisch zurück. »Aber warum hast du mir das nicht gesagt? Ist doch nichts dabei, oder?«
»So habe ich mir alle Damen vom Leibe halten können, ohne Diskussionen«, grinste er sein freches, herausforderndes Grinsen, das ich vom ersten Tag an sehr mochte. Damit hatte er mich immer aus der Reserve gelockt und vor allem raus aus dem Bett, raus aus dem Zimmer und in ein neues Leben geschubst.
»War das denn so schlimm?«
Peter nickte mit einem Mitleiderregenden Blick.
»Nur unter diesem Vorwand konnte ich ungestraft in fremde Schlafzimmer gehen, fremde Frauen ins Bett bringen und ausziehen und... Koffer packen.«
»Schuft«, fuhr ich ihn an und versetzte ihm einen Hieb mit dem Ellenbogen.
»Aua!«, sagte er empört.
»Müssen wir die Plätze tauschen, bevor Schlimmeres passiert?«, fragte Freddy kauend.
Peter und ich kicherten wie Kinder, die gerade etwas ausgefressen hatten. Das erleichterte mich ungemein.
»Geht schon«, antworteten wir beide schließlich gleichzeitig.
»Wie kommt es denn, dass ihr heute alle hier seid?«, löcherte ich Peter weiter.

»Freddy hat uns eingeladen.«
»Noch eine Lüge! Du hast behauptet, du kennst ihn nur flüchtig. Das stimmt gar nicht. Raus mit der Sprache! Wie lange kennst du Freddy schon?«
Peter zuckte unschuldig mit den Schultern.
»Wir waren damals in der Spatzengruppe...«, murmelte er kleinlaut.
»Im Kindergarten!«, fuhr ich ihn an.
Alle Blicke richteten sich plötzlich auf uns. Peter brachte sich vor meinem Ellenbogen in Sicherheit. Mein zweiter Hieb ging daneben.
»Das ist Körperverletzung«, empörte er sich.
Freddy kicherte.
Daraufhin bekam er meinen Ellenbogenhieb unverhofft und mit voller Kraft zu spüren.
»Aua!«, knurrte er.
Winter und Hagedorn applaudierten beide und grinsten schadenfroh.
»Tja, die Wahrheit ist manchmal sehr schmerzhaft«, meinte Freddys Vater.
»Wann kommt Sally? Sie wollten doch schon längst hier sein?«, fragte Hagedorn, während er Freddy direkt anblickte.
»Ladehemmung. Sie sind in ein paar Minuten hier.«
Hagedorn nickte, während sein Blick mich streifte. Ich ahnte nichts Gutes, aber ich hatte auch nicht die geringste Vorstellung davon, was mich heute noch erwarten sollte. Im Prinzip war ich nun völlig ruhig, aber längst nicht entspannt. Tapfer blickte ich meinem nächsten Abenteuer entgegen wie Indiana Jones dem Auge des Todes.
Als ich ein freudiges Wiehern vernahm, wandte ich mich schlagartig um. Hinter uns am Weg stand Sylvia mit ei-

nem gesattelten Schecken.
»Kasper!«, rief ich begeistert.
»Danke, Sylvi ! Setz dich doch einen Moment zu uns. Die Zuschauer sind bereits im Anflug«, sagte Freddy und machte ihr den Platz frei.
Dann begrüßte er sein Pferd. Währenddessen reimte ich mir einiges zusammen. Ich durfte heute die Therapiestunde mit Freddy und Kasper absolvieren und wir würden Zuschauer haben. Mein Herz hüpfte vor Freude. Wie oft hatte ich mir das schon gewünscht!
Vielleicht wollte Sabine die Fotos für den Artikel heute auch selbst machen? Und die Professoren Winter und Hagedorn wollten sich von meinen Fortschritten bei der Hippotherapie überzeugen. Schließlich war meine Kur in der nächsten Woche endgültig vorbei. Das Geräusch eines großen Autos drängte sich in meine Gedanken.
»Sie kommen!«, rief Sabine und sprang wieder als Erste auf.
Einen Augenblick lang überlegte ich, ob ich ihr folgen sollte. Ich wendete Hugo und rollte bis zu Kasper. Dort blieben wir stehen. Schließlich hatte ich mein Lieblingspferd noch nicht begrüßt. Jetzt tauchte Tim Pollak bei uns auf und begrüßte Kasper ebenfalls.
»Hast du schonmal auf einem Pferd gesessen, Tim?«, fragte Freddy.
»Nein. Eine neue Herausforderung. Aber wenn Stella das kann, habe ich keine Zweifel mehr, das auch zu meistern.«
»Freddy!«, rief Professor Winter, der seinen Sohn zu sich winkte.
Freddy beugte sich zu mir. »Ich bin gleich wieder bei dir«, sagte er leise.
Ich nickte.

»Das ist etwas anderes, als Bälle zu trippeln«, sagte ich zu Tim.
»Und das ist schon schwierig genug. Du glaubst nicht, wie oft mir die Dinger am Anfang davongehüpft sind, Stella. Dabei habe ich die tollsten Flüche gelernt«, grinste Tim.
Ich musste lächeln, als ich gerade jetzt an unsere erste Begegnung denken musste. Kasper begann am kurz gemähten Rasen zu knabbern. Ich blickte verstohlen zu Freddy und dessen Vater. Freddys Worte kamen mir gerade in den Sinn: *Er verachtet mich...* Jetzt redeten sie miteinander. Nein, sie schienen sich zu streiten. Freddy schickte einen Blick zu mir. Ich wandte mich schnell wieder Tim zu, dessen Worte ich nicht verstanden hatte.
»Stella?«, fragte der.
»Ja, bin wieder da«, grinste ich ihn an.
»Wo ist eigentlich dein Therapiepferd?«
Ich verzog mein Gesicht zu einer einzigen Frage.
»Na hier...«
»Okay, aber Freddy erzählte etwas von zwei Therapiepferden.«
»Ach, er meint bestimmt Fritz.«
Sylvia erhob sich.
»Ja, stimmt. Ich muss das zweite Therapiepferd noch satteln«, zwinkerte sie mir im Vorbeigehen zu. »Inzwischen ist es schon ziemlich spät geworden.«
Wieder schickte ich einen Blick zu Freddy, der jetzt mit seinem Vater etwas im Hintergrund stand und leise diskutierte. Nicht ein einziges Wort drang an meine Ohren. Zu gerne hätte ich gewusst, worüber sie sich stritten. Ich hoffte inständig, dass ihr Streit sich nicht um mich drehte. Als Professor Winter meinem Blick begegnete und mir freundlich zunickte, fühlte ich mich plötz-

lich ertappt.
Verdammt!
Nur Sekunden später kam Freddy zu mir. Hagedorn ging nun zu seinem Freund, den er etwas zu fragen schien, worauf Professor Winter den Kopf schüttelte. Hagedorn schob beide Hände in seine Hosentaschen und blickte Freddy nach. Das machte mir Angst. Doch ich wagte nicht, Freddy danach zu fragen.
Sally kam um die Ecke und direkt zu uns. Sie begrüßte mich herzlich und umarmte ihren Sohn, dem sie etwas ins Ohr zu flüstern schien, worauf Freddy nickte.
»Okay. Dann auf die Pferde, ihr zwei. Jetzt kann´s losgehen«, sagte er.
Ich schnappte mir Kaspers Führstrick.
»Nein, Stella. Das ist mein Pferd, nicht deins.«
Irritiert blickte ich Freddy an. Der gab Tim den Führstrick in die Hand. Ich schnappte nach Luft und schluckte meine Enttäuschung tapfer herunter. Bisher war ich in den Therapiestunden immer auf Fritz geritten. Ich mochte ihn wirklich sehr. Doch heute wollte ich auf Kasper reiten und nicht auf Fritz!
»Komm mit, Stella. Holen wir dein Pferd ab. Er ist schon ziemlich ungeduldig.«
Ich folgte Freddy kommentarlos in Richtung Straße. Ich wunderte mich zwar, was das sollte, aber ich hatte keine Lust auf Diskussionen. In der Einfahrt stand ein Pick-up, wie ich ihn bei Sally schon einmal gesehen hatte. Das war ihr Auto. Dahinter war ein großer Anhänger. Ich hörte deutlich Hufgetrampel. Meine Gedanken arbeiteten im Zeitlupentempo. Und noch bevor ich zu Ende denken konnte, stand ein honiggelber Wallach mit weißer Mähne vor mir.
»Er führt sich auf, als wäre er ein Hengst«, lachte Sylvia,

als sie die Zügel auf meinen Schoß legte. Dann ging sie weiter.
Ich war für einen Augenblick zu nichts fähig, weder zu denken noch mich zu bewegen. Ich stand sozusagen neben mir, oder besser, ich saß neben mir. Die Welt um mich herum existierte plötzlich nicht mehr. Bandit stieß mich mit seinem Kopf an und forderte mich damit auf, ihn zu streicheln. Ich lächelte und tat genau das. Er schnaubte zufrieden. Erst als Freddy sich uns näherte, wandte er den Kopf zu ihm und legte die Ohren an. Freddy blieb sofort stehen. Ich vernahm sein dunkles Lachen.
»Er wollte unbedingt zu dir«, sagte er.
Irritiert starrte ich Freddy an. Mein logisches Denkvermögen war noch immer gänzlich auf Abwegen und ich wusste nicht, was ich sagen sollte.
»Ab sofort gehört Bandit dir, Stella.«
Ich musste lachen, denn ich hielt Freddys Worte für total unrealistisch.
»In meiner Wohnung sind keine Haustiere erlaubt«, sagte ich spontan. »Und ein eigenes Pferd kann ich mir nie im Leben leisten.«
»Bandit ist dein Therapiepferd. Er trägt heute einen Sattel und eine Trense. Du reitest ihn. Und Tim nimmt Kasper.«
»Ach so«, entgegnete ich erleichtert.
Allmählich klarte der Nebel in meinem Kopf auf. Die Blockade löste sich langsam und meine Gedanken schlichen sich wieder zurück in mein Bewusstsein. Ich Dummerchen! Manchmal war ich aber auch begriffsstutzig. Freddy gab Bandit energisch zu verstehen, dass er zurücktreten sollte. Sofort gehorchte er. Doch der eigenwillige Wallach schien jede unserer Bewegungen

akribisch zu beobachten. Schmunzelnd hob Freddy mich aus dem Rollstuhl und hielt mich in seinen Armen. Er hielt kurz inne und blickte mir tief in die Augen, sodass ich glaubte, mein Herz setzt einen Schlag aus. Aber das Gegenteil war der Fall. Es schlug viel, viel schneller, als es sollte.

»Bandit gehört jetzt dir. Das ist meine Überraschung für dich, mein Geschenk an die Frau, die mein Leben auf den Kopf gestellt hat.«

»Aber du…« Weiter kam ich nicht.

Freddy gab mir einen Kuss auf den Mund, sodass ich nicht weiterreden konnte - und das vor allen Leuten! Um mich herum begann sich alles zu drehen. Ich rang nach Luft.

»Aber du kannst mir doch kein Pferd schenken!«, rief ich schließlich entsetzt.

Doch meine eigene Stimme klang alles andere als das. Ich taumelte vor Glück. Mir war schwindlig. Ich lachte, als wäre ich verrückt geworden und heulte zugleich Freudentränen. Und ich bekam Schluckauf.

»Warum nicht?«, fragte Freddy mit Unschuldsmiene.

Er schien darin kein Problem zu sehen. Freddy machte mich so glücklich. Er verwöhnte mich regelrecht und ich fragte mich immer wieder, warum er das tat. War das Liebe? Ich liebte Freddy, aber ich hatte nichts, was ich ihm schenken konnte, nichts außer mein Vertrauen.

»Bereit?«, fragte er mich.

Ich nickte.

»Dann zeige unseren Professoren, Sponsoren und Therapeuten was du gelernt hast.«

»Ja«, piepste ich.

Ich zitterte vor Angst. Ich hatte das erste Mal wichtiges Publikum, das erste Mal Verantwortung für Freddys

Projekt und das erste Mal ein Pferd unter mir, dass ich noch nie im Training geritten war.
»Bandit vertraut dir, also vertraue du ihm auch. Deine Angst würde ihn verunsichern«, sagte Freddy.
Wieder einmal hatte er mich durchschaut.
»Ich muss dringend mal zur Toilette«, flüsterte ich.
»Geht nur. Ich halte unseren eifersüchtigen Banditen zurück«, grinste Sally.
Erst jetzt bemerkte ich, dass sie neben dem Pferd stand. War sie etwa die ganze Zeit dort gewesen? Oh Mann! Das war mir so peinlich!
Freddy setzte sich mit mir in Bewegung. Eiligen Schrittes brachte er mich zur Toilette. Ich sah Tim, der bereits mit Sylvias Hilfe auf das Pferd kam. Peter, der ihr half, ließ sich dabei etwas erklären. Auch Lutz schien das sehr interessant zu finden. Ich war erleichtert, als Freddy die Holztür und den Deckel öffnete. Ich hatte keine Zeit mehr, es peinlich zu finden, als er mir kurzerhand die Hose öffnete, denn ich hatte das Gefühl, nichts mehr halten zu können. Das wäre mir dann noch viel peinlicher gewesen. Außerdem vergaß ich immer wieder, dass Freddy Arzt war. Für mich war und blieb er mein Cowboy. Die Tür klackte hinter ihm zu. In letzter Sekunde! Freddy war mein Retter, in jeder Hinsicht.
»Fertig!«, rief ich Sekunden später.
»Ohne meinen Hugo bin ich ganz schön aufgeschmissen«, meinte ich entschuldigend, als Freddy mich wieder in meine Hosen packte.
»Danke«, flüsterte ich ihm ins Ohr, als er mich auf die Arme nahm.
»Gern geschehen«, sagte Freddy. »Dein Hinterteil ist übrigens bezaubernd.«
»Du...«, fauchte ich.

Männer!, dachte ich.
Freddy lachte.
Ich sah Sabine am Weg stehen. Sie ging einen Schritt zur Seite, um uns Platz zu machen. Ich sah, dass sie die beiden jungen Frauen in Beschlag genommen hatte. Sie unterhielten sich mit ausgreifenden Gesten. Freddys Vater stand mit Hagedorn unter dem Nussbaum. Mir schien, als würden sie über das ganze Geschehen fachsimpeln. Kurz darauf befand ich mich im Sattel und auf Bandits Rücken, der ganz brav stehenblieb. Freddys Hand lag auf meinem Schenkel. Er blickte zu mir herauf.
»Lass ihm reichlich Zügel. Er ist als Westernpferd ausgebildet worden und reagiert gut auf Gewicht, Neckrain und deine Stimme.«
»Was ist Neckrain?«
Freddy nahm den Zügel und legte ihn dem Pferd an den Hals.
»Neck ist Nacken, beziehungsweise der Hals und Rain ist der Zügel«, erklärte Freddy mir dabei.
Zögernd wandte Bandit Kopf und Hals zur anderen Seite.
Freddy ließ den Zügel gehen und lobte ihn dafür.
»Okay, ich probiere es«, versprach ich tapfer.
Freddy schien mein reiterliches Können etwas zu überschätzen. Ich war blutige Anfängerin und stolz darauf, dass Fritz im Schritt und Trab schon in die Richtung lief, in die auch ich wollte.
»Bleib locker, Angst verspannt.«
Ich schluckte, nickte und rang mir ein Lächeln ab.
»Okay. Ich versuche es.«
»Gutes Mädchen.«
Ich schnitt Freddy ein Grimasse.
Er grinste. Dann forderte er Bandit auf, ihm zu folgen. Der setzte vorsichtig einen Schritt vor den anderen, bis

wir auf dem Reitplatz waren, wo uns Kasper, Tim und Sylvia erwarteten. Die Zuschauer platzierten sich. Mein Herz schlug Purzelbäume. Ich konnte es einfach nicht beeinflussen. Hoffentlich merkte Bandit das nicht. Als ich mit dem Wallach die erste Runde im Schritt durch die Halle geritten war, lockerte ich mich tatsächlich. Bandit stolzierte mit ausgreifenden Schritten und schien es geradezu zu genießen, von allen Seiten bewundert zu werden.
Feddys kritischer Trainerblick ließ uns nicht eine Sekunde aus den Augen, obwohl er sich leise mit Peter unterhielt, der direkt neben ihm stand. Ich wagte sogar einen Blick zu Kasper und Tim. Sylvia ging an Kaspers Seite und erklärte Tim einiges. Als mir plötzlich klar wurde, dass ich mit Bandit völlig selbstständig und allein ritt, erfüllte mich ein Stolz auf mich selbst, den ich so nie zuvor empfunden hatte. Nicht mal, als es Hugo in meinem Leben noch nicht gegeben hatte. Ich richtete mich kaum merklich auf und straffte meine Brust. Bandit schnaubte. Dann trabte er an. Hatte ich ihm das gesagt? Ich schielte zu Freddy, doch der stand mit Peter völlig ruhig und unbeeindruckt, wo er stand. Er gab mir keine Anweisungen. Bandit trabte sanft, langsam und vorsichtig. Das empfand ich als sehr angenehm und blieb tief im Sattel sitzen. Aus meiner Erinnerung kramte ich alle Sprüche, Ratschläge und Weisheiten hervor, die Freddy mir im Laufe der Zeit erzählt hatte. Sylvia stellte jetzt die Hütchen auf, zunächst alle in einer Reihe.
»Versucht einmal im Slalom durch den Parkour zu reiten«, sagte sie laut und deutlich.
Ich versuchte Bandit in die Biegung zu bringen. Er verstand sofort, worum es ging und trabte leicht und elastisch von rechts nach links und wieder nach rechts. Ich

schwang einfach auf seinem Rücken mit und glaubte fast, dass er seine Füße gar nicht auf dem Boden aufsetzte. Ich spürte keine harten Schritte, keine steifen Rücken- und Halsmuskeln. Manche Pferde drehten zwar ihren Kopf und den Hals in die Richtung, in die sie sich biegen sollten, aber nicht den ganzen Körper. Bandit hingegen bewegte sich nicht wie ein Pferd, er war eher so geschmeidig wie eine Raubkatze. Unser Ritt glich einem Elfentanz und wir bekamen den ersten Beifall unserer Zuschauer. Ich war begeistert. Auch Tim machte eine erstaunlich gute Figur auf und mit Kasper. Ich konnte nicht glauben, dass er heute tatsächlich das erste Mal in seinem Leben auf einem Pferd saß.

Wie macht er das nur?, fragte ich mich.

Ein Naturtalent, antwortete ich mir lautlos. Stolz lächelte Tim mir zu. Als ich ihm meinen erhobenen Daumen zeigte, grinste er. Nun stellte Freddy die Hütchen zu einem Quadrat auf.

»Jetzt dürftet ihr alle auf Betriebstemperatur sein«, vernahm ich seine Stimme.

»Bitte zuerst im Schritt das Kleeblatt reiten. Das ist ein ständiges Biegen und Geraderichten des Pferdes und das Umstellen in der Mitte. Sylvia geht in der ersten Runde vor Kasper, um Tim die Übung zu zeigen. Dann gehen Peter und ich vor Bandit. Noch Fragen?«

»Nein«, bestätigten Tim und ich gleichzeitig.

Ich beobachte Sylvia, Kasper und Tim, um mir alles einzuprägen. Am Anfang sah die Lektion etwas kompliziert aus, war sie aber nicht. Die Pferde schienen ihren Spaß daran zu haben und Tim und ich auch. Wir entpuppten uns als wahre Streber. Ich war sogar ein wenig enttäuscht, als Freddy das Ende der Therapiestunde einläutete. Kasper und Bandit gingen nebeneinander im

Schritt. Tim und ich hatten ein perfektes Gesprächsthema. Die Welt schien für uns gerade vollkommen im Lot zu sein, denn wir saßen auf zwei wundervollen Pferden und nicht im Rollstuhl. Alle Zuschauer sahen zu uns auf und applaudierten.
»Leute! Das ist der Wahnsinn! Warum habe ich das nicht schon früher gemacht?«, rief Tim.
»Heißt das, du übernimmst den Job?«, fragte Freddy.
»Natürlich. Auf jeden Fall!«
»Was für einen Job?«, fragte ich.
»Erkläre du es ihr, Freddy. Ihr Ellenbogen ist mir zu nah«, entgegnete Tim.
Ich hörte die anderen lachen.
»Tim und Peter sind Physiotherapeuten. Sie werden beide bald eine Zusatzausbildung zum Reittherapeuten machen. Lutz arbeitet im Zoo, doch er will uns unterstützen und wird sich in Zukunft um unsere Therapiepferde kümmern. Zur Zeit sind es allerdings nur eineinhalb Pferde und Stellas Bandit. Das schafft Sylvia vorerst noch alleine. Sabine hat den Artikel für die Presse fertig und wenn Stella ihr Einverständnis gibt, wird der am Samstag schon in der Zeitschrift sein. Der Zeitpunkt ist perfekt. Ein paar Fotos von euch beiden, beziehungsweise euch vier, brauchen wir noch«, erklärte Freddy deutlich, damit alle ihn verstehen konnten.
»Okay«, riefen Tim und ich gleichzeitig.
Ich hatte keine Gelegenheit mehr, vorher nochmal in den Spiegel zu sehen. Doch in diesem Augenblick war mir das egal. Noch trug ich einen Reithelm, mit dem ich meine Frisur sowieso verkorkste. Ich glaubte Freddy nie, wenn er sagte, dass ich mit dem Ding hübsch aussähe. Also zeigte ich Sabines Kamera ein strahlendes Lächeln. Sie drückte unzählige Male auf den Auslöser, bewegte

sich um uns herum und bat uns, zu reiten. Das Licht der sich neigenden Sonne flirrte durch Zweige und Blätter der Pappeln über uns. Der Wind, der sanft um mein Gesicht und über meine Arme streifte, und trug den feinen Duft von frisch gemähtem Rasen an meine Nase. Ich fühlte mich federleicht und frei. Bandit und ich tanzten miteinander einen wundervollen Tanz. Meine Bedenken und meine Angst waren völlig vergessen, einfach weg. Auf diese Fotos war ich ehrlich gespannt.
Schließlich verließen wir den Reitplatz. Freddy stand neben Bandit und streckte mir lächelnd seine Arme entgegen.
»Ich bin stolz auf euch«, sagte er leise.
»Ich bin es auch, Freddy. Das hätte ich nie gedacht.«
Ich legte mich mit dem Oberkörper auf Bandits Hals und strich mit beiden Händen an beiden Seiten über sein Fell. Das fühlte sich warm und weich an.
»Danke«, flüsterte ich ihm zu.
Bandit schnaubte zufrieden.
Dann ließ ich mich in Freddys Arme gleiten. Ich spürte seine Wärme, blickte ihm glücklich in die Augen und fühlte mich sicher und geborgen. Was für eine schöne Überraschung. Was für ein schöner Tag!
»Danke, Freddy«, flüsterte ich ihm ins Ohr und hauchte ihm einen Kuss an den Hals. »So glücklich war ich lange nicht mehr. Die Überraschung ist dir gelungen. Alle deine Überraschungen! Ich liebe sie. Ich liebe dich und...«,
»Nichts anderes wollte ich hören«, unterbrach er mich und grinste triumphierend.
Ich spürte seine starken Arme, die mich fest an seinen Körper drückten. Auch er schien den Augenblick sehr zu genießen. Erst eine ganze Weile später setzte er mich vorsichtig in den Rollstuhl.

»Ach, Herr Vandervald! Schön, dass ich Sie noch hier antreffe. Welch ein Zufall.«
Die fremde Stimme klang erfreut.
Schlagartig wandte Freddy sich dem Mann zu, der plötzlich neben ihm auftauchte.
Ich musterte beide.
Der Fremde drückte Freddy offensichtlich erfreut die Hand und redete wie ein Wasserfall, ohne mich zu beachten, ja ohne mich auch nur anzusehen. Allmählich begriff ich. Mir wurde schwindlig. Eine heiße Welle schoss durch meinen Körper, die mich frösteln ließ.
Meine Kopfhaut begann zu prickeln. Plötzlich spürte ich die Anziehungskraft der Erde deutlich, die auch meinen letzten Blutstropfen aus dem Gesicht zog. In meinen Ohren rauschte die Brandung des Ozeans. Ich war wie gelähmt. Dann kroch die Wut in mir hinauf, diese Wut, die mein Herz hart trommeln ließ. Als ich nach Luft schnappte, blickte Freddy mich entsetzt an. Ich spürte seinen stummen Schrei tief in meinem Herzen.
Lügner!, schrien meine Gedanken zurück.
Plötzlich schossen mir die Tränen in die Augen. Ich wendete mich von den beiden Männern ab. Meine Wut gab mir ungeahnte Kräfte. Ich wollte fort von hier! Sofort! Ich wollte nie wieder hierher kommen. Ich wollte Freddy nie wieder sehen. Als ich glaubte, dass niemand mehr mein Gesicht sehen konnte, heulte ich los. Das tat so unbeschreiblich weh. Mein Herz verkrampfte sich. Ich hörte mein eigenes Schluchzen. Ich fuhr mit Hugo zur Straße. Ich wollte sterben. Jetzt sofort! Niemand hielt mich auf. Doch nicht ein einziges Auto kam, um mich zu überfahren. Ich war verzweifelt.
Nein! Wie konnte er nur so ein verdammter Lügner sein? Freddy ist Vandervald! Natürlich, Friedrich Vandervald!

So ein verdammtes Arschloch!
Weshalb tat er mir das an? War es nicht genug, dass er mich mit seinem Auto umgefahren hatte, mich damit aus meinem Leben katapultiert hatte und einfach abgehauen war?! Und nun... nun verpasste er mir den Todesstoß. Warum spielt er mir den großen Gönner vor und schenkt mir ein Pferd? Weshalb spielte er den großen Verführer? Dachte er vielleicht, dass ich ihm das einfach so verzeihen würde? Dass ich die Klage zurücknehme? Was zum Teufel wollte er damit erreichen?
Und ich Dummkopf habe ihm alles geglaubt. Wie konnte ich nur glauben, dass ein Mann wie er mich wirklich lieben konnte? Ich war so dumm!
Während Hugo immer weiter holperte, wischte ich mir immer wieder die Tränen aus den Augen, die wie Feuer brannten. Mein Taschentuch war inzwischen tropfnass. Ich glaubte Stimmen zu hören, die meinen Namen riefen, doch ich wollte sie nicht hören. Alle steckten sie unter einer Decke! Alle! Selbst Peter! Er war mit ihm im Kindergarten gewesen. Also wusste er von Anfang an, wer Freddy war und dass er der Kerl war...
Nein!
Ich wollte nicht mehr denken, denn mein Kopf tat so weh, dass es nicht mehr zum Aushalten war. Ich wollte gar nichts mehr denken. Ich hatte nicht bemerkt, wie weit ich inzwischen vom Hof weggerollt war. Die Straße stieg stetig an und die Böschung wurde steiler.
Nein, du Idiot, den Gefallen tue ich dir nicht!
Ein Auto überholte mich in rasantem Tempo. Ich konnte es nicht erkennen, aber ich spürte den Windzug. Ich war furchtbar erschrocken und viel zu schnell. Schließlich kam ich etwas ins Schlingern und versuchte Hugo wieder auf die Straße zu bewegen. Von irgendwoher hupte es,

sodass ich zusammenzuckte. Hugo zog fast wie von selbst nach rechts an. Ich hörte noch das Knirschen des Schotters, während die Angst mich eiskalt im Genick packte. Im selben Augenblick verlor ich die Kontrolle über alles. Hugo ratterte und kippte. Ich hörte meinen eigenen Schreckensschrei. Im Bruchteil einer Sekunde sah ich mein Leben vor meinem inneren Auge ablaufen, während ich mich damit abfand, dass ich jetzt wohl sterben würde. Hitze ergriff meinen Körper, die mich auf dem Weg nach unten verbrannte. Ich spürte mich stürzen und schwerelos fliegen, bevor ich hart auf dem Boden aufschlug. Das tat verdammt weh. Mein willenloser Körper rollte weiter hinab. Als Hugo mir gefährlich nahe kam, schrie ich laut seinen Namen. Plötzlich wurde mein Fall abrupt gestoppt, als mein Körper gegen irgendwas prallte. Ich konnte nichts mehr erkennen. Jetzt war es still. In meinem Mund schmeckte ich Blut. Aus weiter Ferne hörte ich Stimmen.

»Stella!«, rief eine Frauenstimme.

Das war Sally.

»Können Sie mich hören?«

Das schien Professor Winter zu sein. Ich konnte ihn hören, aber antworten konnte ich nicht.

»Was machst du nur für Dummheiten, Stella«, vernahm ich schließlich Peters besorgte Stimme.

Dann hörte ich mein Murren, mein Röcheln und verlor mich in einem schmerzvollen Hustenreiz.

Kapitel 8
Stellas neues Leben

Irgendjemand fuchtelte mit grellem Licht vor meinen Augen herum. Ich blinzelte. Vor meinen Augen verschwammen die Bilder und ich schloss sie sofort wieder. Ich rang nach Luft. Meine Nase schien verstopft zu sein. Schließlich konnte ich eine blaue Hand erkennen. Obwohl ich mir gerade wünschte, auf Pandora zu einem neuen Leben zu erwachen, realisierte ich ziemlich schnell, dass das ein blauer Klinikhandschuh war. Die Hand gehörte zu Professor Winter. Darüber war ich nicht besonders überrascht, aber beschämt. Ich hatte alles kaputt gemacht, nur weil ich meine Gefühle nicht unter Kontrolle hatte. Dabei wollte ich diesem verdammten Kerl schaden, nicht mir, verflucht! Das hatte er schon getan. Er hatte mich aus meinem Leben direkt in den Rollstuhl katapultiert. Ich versuchte damit klarzukommen und ich hatte unglaubliche Fortschritte gemacht, die ich nie für möglich gehalten hatte. Hilflos blickte ich zu Freddys Vater, hinter dem Hagedorn stand. Beide zeigten mir ernsthaft besorgte Gesichter.
»Wo bin ich?«, fragte ich leise.
Meine Stimme klang fremd in meinen Ohren, gerade so, als hätte jemand anderes gesprochen.
»Sie sind wieder im Querschnitt Zentrum unserer Klinik, Paraplegiologie und Neurologie in Bad Berka.«
»Was ist passiert?«
Die Frage fiel mir schwer, denn ich hatte Angst vor der Antwort. Aber ich musste es wissen.
»Ihr Hugo war zu schnell mit Ihnen unterwegs. Nach der rasanten Fahrt sind Sie die Böschung hinabgestürzt. Sie hatten mehr Glück als…« Professor Winter hielt inne und

räusperte sich.
Ich wusste genau was er sagen wollte, und damit hatte er sogar recht.
»Das tut mir leid. Das wollte ich nicht«, murmelte ich.
»Weshalb sind Sie denn so plötzlich geflüchtet?«, fragte Hagedorn mich.
Beschämt blickte ich zum Bettende.
»Hat mein Sohn endlich mit Ihnen geredet?«, fragte Professor Winter.
Mühsam rang ich nach Luft. Meine Nase schmerzte. Sie war tatsächlich geschwollen. Traurig schüttelte ich den Kopf. »Nein«, sagte ich leise.
Die Erinnerung stieg schmerzhaft in mein Bewusstsein. Ich hörte Winter deutlich tief durchatmen.
»Sie wussten gar nicht, dass...«, vernahm ich Hagedorns überraschte Stimme.
»Nein«, antwortete ich. »Bis gestern Abend nicht. Freddy hat es mir auch nicht gesagt.«
»Wer dann?«, fragte Hagedorn fassungslos.
»Als er mich gerade vom Pferd in den Rollstuhl gesetzt hatte, kam ein fremder Mann und begrüßte ihn mit seinem Namen. Als ich mitbekam, dass er Freddy mit Herr Vandervald ansprach, brach für mich eine Welt zusammen.«
Wieder atmete Professor Winter hörbar tief durch.
»Ich hatte es ihm oft genug gesagt. Irgendwann musste die Wahrheit ans Licht kommen.«
»Er hat mich angelogen, die ganze Zeit nur angelogen«, murmelte ich niedergeschlagen.
Freddy, der einzige Mensch, der mir etwas bedeutet hatte und dem ich vertraut hatte, hat mich belogen. Jetzt wurde mir klar, weshalb er das alles für mich getan hatte. Er wollte sein eigenes Gewissen beruhigen. Dieser

Schuft!
»Was ist mit meinen Verletzungen, mit der Nase und meinen Wirbeln?«
»Ihr Nasenbein musste gerichtet werden. Die Schürfwunden sind zum Glück nur oberflächlich und die Prellungen werden Ihnen einige Hämatome bescheren. Ihre Wirbel, die ich bereits operiert hatte, haben den Sturz nicht kompensiert. Das heißt, die Nerven wurden überstrapaziert und zum Teil gequetscht und wir müssen die ganze Prozedur von vorn beginnen. Das ist die einzige Chance die wir haben. Damit sind Sie jetzt mit Ihren bisherigen Erfolgen in der Therapie um einiges zurückgeworfen und das Reiten ist vorläufig tabu. Sie wissen, dass ich Ihnen die Wahrheit nicht vorenthalte, Stella. Im Augenblick sieht es leider nicht besonders gut aus. Deshalb würde ich Sie gerne sobald als möglich wieder operieren.«
Ich hörte seine Worte, die mich erneut zu Boden warfen. Wieder spürte ich das heiße Prickeln unter meiner Kopfhaut mit dem das Blut aus meinem Kopf wich und mich plötzlich frösteln ließ.
»Professor Hagedorn wird mich dabei als Neurologe und Neurochirurg unterstützen.«
»Wie stehen meine Chancen?«
»Fifty, fifty«, antwortete Hagedorn. »Sie haben nichts zu verlieren, Frau Fröbel. Sie können nur gewinnen. Wenn die Operation erfolgreich ist, dann können wir Sie mit viel Geduld wieder auf die Beine bringen. Wenn Ihre Nervenverletzungen zu extrem sind, sodass wir absolut nichts machen können, dann sind Sie nicht schlechter dran, als gestern im Rollstuhl.«
Mehrmals nickte ich gedankenversunken vor mich hin.
»Weshalb haben Sie mich nicht gleich nach dem Unfall

operieren können?«, fragte ich schließlich leise.
»Das habe ich getan«, antwortete Professor Winter. »Doch wenn Nerven verletzt oder gequetscht wurden, dauert es ziemlich lange, bis sie sich regenerieren, wenn sie es tun. Wir nennen das auch einen spinalen Schock. Ich habe sie quasi in Watte gepackt und ihre Wirbel durch Verschraubung gestützt. Das heißt, dass Ihre Wirbelsäule ein Stück versteift werden musste. Da Muskeln sich relativ schnell zurückbilden, wenn man liegt und sie nicht benutzt, ist der Muskelaufbau sehr wichtig, um deren Stützfunktion wieder herzustellen. Und genau diese Stützfunktion ist für Ihre Genesung sehr wichtig.«
Wieder nickte ich, zum Zeichen, dass ich verstanden hatte. Zu mehr war ich im Augenblick nicht fähig. Meine Situation und seine Worte hatten mich überrollt. Obwohl ich völlig durcheinander war, stimmte ich der Operation zu. Ich hatte nichts mehr zu verlieren. Doch ich hatte Angst und tief in mir keimte ein Funke Hoffnung.
Die beiden Professoren verabschiedeten sich von mir.
Dann war ich allein im Zimmer. Ich hatte nicht nach Freddy gefragt und nicht nach Peter. Aber ich fragte mich, wo Bandit im Augenblick war, was er gerade tat und ob er jetzt genauso verwirrt war, wie ich in diesem Moment.

*****

Als ich dieses Mal aus meinem Dämmerzustand zurück ins Leben kam, wusste ich, dass ich in der Intensivstation war. Ich vernahm Geräusche, ein leises Knacken und manchmal ein nervtötendes Piepen. Ich war operiert worden. Mir war bewusst, dass die Narkose nachwirkte, dass Professor Winter mich zu meiner eigenen Sicherheit

ruhig gestellt hatte und dass ich mich vorläufig noch nicht bewegen durfte. Ich hatte ihm und Hagedorn versprochen, dass ich brav und geduldig sein würde und keine Dummheiten mehr machte. Also war der Schlaf eine willkommene Erlösung, sonst wäre es mir auch viel zu langweilig geworden. Ich schlief tatsächlich immer wieder ein und hatte das Gefühl für Raum und Zeit völlig verloren. Mir war im Moment alles Egal. Manchmal träumte ich von Pferden, vor allem von Bandit.
Irgendwann spürte ich eine Hand, die meine strich. Irgendjemand saß an meinem Bett. Aber niemand redete mit mir. Mehrmals zwang ich mich, meine Augen zu öffnen, um nachzusehen. Aber ich schaffte es nicht. Alles war so surreal. Ich war wie in Trance, nicht Herr meines Willens.
Ich seufzte. Ich konnte es hören.
Schließlich versuchte ich, meine Lippen zu formen, um etwas zu sagen. Doch meine Zunge war wie gelähmt. Dafür hatte ich keine Schmerzen. Wieder schlief ich, stundenlang oder tagelang. So musste wohl Dornröschen sich vorgekommen sein. Ich kicherte in mich hinein.
Irgendwann betrat Professor Winter mein Zimmer zur Visite. Das wusste ich so genau, weil er mir das erzählte. Dann hörte ich die Zimmertür. Sie öffnete sich leise und schloss sich wieder. Wer kam noch zu mir?
»Hatte ich dir nicht untersagt hierher zu kommen!?«, zischte Winter den Eindringling an.
Ich hörte tiefe Atemzüge.
»Ich will nur wissen, wie es ihr geht.«
Mein Puls pochte schneller und stärker. Ich kannte diese Stimme nur zu gut. Das war Freddys Stimme.
»Den Umständen entsprechend gut.«
»Ja natürlich! Genau das wollte ich jetzt von dir hören«,

knurrte Freddy leise. »Ich bin kein Laie, also behandle mich nicht so.«
»Ihre Operation ist ohne Komplikationen verlaufen und das Ergebnis ist genauso, wie wir uns das erhofft und gewünscht hatten. Morgen werden wir sie langsam aufwachen lassen und mit den ersten Therapien beginnen.«
Die beiden Männer ahnten wohl nicht, dass ich sie hören konnte. Aber selbst wenn ich hätte sprechen können, in diesem Augenblick hätte ich so getan, als würde ich schlafen. Das, was Professor Winter gerade gesagt hatte, interessierte mich brennend. Mir gefiel, was er gerade gesagt hatte und mir gefiel es, sie ungestraft belauschen zu können.
»Stella, Sie sind eine außergewöhnliche und starke junge Frau. Sie sind jetzt ungefähr in dem Zustand, in dem sie nach Ihrer ersten OP waren. Das heißt, von nun an drücken wir erneut den Startknopf und Sie lassen Ihren Körper langsam und vorsichtig wieder mobilisieren. Sie schaffen das. Ihre Chancen stehen gut. Wie weit wir kommen, wissen wir allerdings erst, wenn Sie an dem Punkt wieder angekommen sind, wo Sie bereits waren.«
Okay. Ich bin dabei. Aber wovon lebe ich bis dahin. Ich habe nichts, aber auch gar nichts mehr, womit ich meinen Lebensunterhalt…
Freddy unterbrach meine Gedanken. »Wir schaffen das, Stella. Ich… ich gebe dich nicht auf, egal was passiert. Ich hätte es besser wissen müssen und ja, mein Vater hatte mich gedrängt, mit dir offen zu reden. Doch ich… ich hatte nicht den Mut dazu«, sagte er leise. Seine Stimme klang traurig. Ich spürte seine Hand, die die meine nahm und sanft wieder fahren ließ. Ich konnte hören, wie er das Zimmer verließ. Und ich vernahm den schweren Seufzer von Professor Winter.

»Wir sehen uns morgen, Stella«, verabschiedete der sich von mir und ging ebenfalls.
Meine Gefühle fuhren gerade Achterbahn. Ich hasste Friedrich Vandervalt für das, was er mir angetan hatte. Und ich hasste Freddy, weil er mich so unfair belogen hatte. Aber tief in mir wühlte in diesem Augenblick etwas, das ich als Mitleid bezeichnen könnte. Hatte er das verdient? Mitleid empfand ich auch mit Professor Winter, seinem Vater. Auch dessen Gefühle fuhren derzeit Achterbahn. Das konnte ich spüren.

*****

Ich war von der Intensivstation in ein schickes Zimmer verlegt worden. Ich war wach. Die Sonne schien zu den großen Glasscheiben herein und ein wirklich großer Wald- und Wiesenblumenstrauß stand auf dem Tisch davor. Sein Geruch weckte Erinnerungen in mir.
Es klopfte an der Tür.
»Herein!«, rief ich.
Peter Fröhlich kam herein. Erschrocken musterte ich ihn.
»Du schon wieder?!«, begrüßte er mich.
Wider Willen musste ich schmunzeln.
»Und täglich grüßt das Murmeltier«, murmelte ich.
»Anordnung von zwei Professoren höchstpersönlich. Widerstand zwecklos«, grunzte Peter.
»Okay, Peter. Du hast es nicht anders verdient. Weshalb hast du mir verschwiegen, dass du Freddy kanntest und dass er dieser Kerl ist, der mich angefahren hat?«
Peter schnappte nach Luft.
»Ich hielt das für besser, denn dass er Mist gebaut hat, hat er mir als Freund anvertraut. Das plappert man nicht weiter. Freddy ist nach dem furchtbaren Unfall fast an

seinen Schuldgefühlen zerbrochen. Er wollte alles für dich tun, das hat er sich und vor allem auch dir geschworen. Deshalb habe ich gesagt, er soll unbedingt mit seinem Vater reden.«
Wütend schnappte ich nach Luft.
»Du hast das alles gewusst?! Und du hast mich angelogen, die ganze Zeit! Und ohne rot zu werden! Du bist ein verdammt guter Schauspieler. Hast du denn gar kein schlechtes Gewissen?«, fuhr ich Peter aufgebracht an.
»Ich wollte nur meinem Freund helfen! Und verdammt noch mal, dir auch, Stella!«, schnauzte Peter mich an.
So wütend hatte ich ihn noch nie erlebt.
»Aber er hätte mir die Wahrheit sagen müssen! Freddy ist ein so erbärmlicher Lügner! Zu feige, um mit mir darüber zu reden. Und du! Du nimmst ihn auch noch in Schutz?«, schrie ich Peter an.
»Niemand anderes als Freddy war jeden Tag bei dir, während du schliefst«, sagte Peter leise. »Stundenlang hat er an deinem Bett gesessen und deine Hand gehalten, mit dir geredet, gesagt, wie leid ihm das tut und dass er alles für dich tun wird, um dir zu helfen. Das hat er sich immer und immer wieder geschworen und dir sicher hundertmal versprochen.«
»Und weshalb weiß ich von alledem nichts?«, schnaubte ich. »Was für eine eingeschworene Bande. Ihr hättet mir das sagen müssen! Ich komme mir von euch so verarscht vor. Kannst du das nicht verstehen?«, erwiderte nun auch ich leise.
»Ja, ich kann dich verstehen, Stella. Mehr, als du glaubst. Aber mit dir zu reden, war allein Freddys Aufgabe. Nicht meine und nicht die seines Vaters. Freddy wollte das auch tun. Er wollte mit dir reden und dir alles sagen. Aber kannst du nicht auch verstehen, dass ihm das sehr,

sehr schwer fällt?«
Ich starrte Peter an.
»Freddy ist dein Fels in der Brandung, in deinem Leben, er ist deine Medizin und genau die Motivation, die du brauchst um wieder auf die Beine zu kommen, Stella. Er ist die beste Medizin, die du je haben kannst.«
»Ja, aber wie soll ich mit ihm leben? Er ist ein gesunder Mann und ich... ich sitze... ich... ich sitze im Rollstuhl und ich weiß nicht, ob das jemals wieder anders sein wird«, zischte ich.
»Freddy liebt dich«, sagte Peter und blickte mir eindringlich in die Augen.
»Bist du dir sicher, dass das nicht nur Mitleid ist?«, zischte ich Peter erneut an.
Der schnaubte.
»Bist du denn auch noch blind, Stella Fröbel?«
Meine Augen formten sich zu Schlitzen. »Nein, ich kann sehr gut sehen. Vielleicht zu gut. Realistisch. Nicht durch die rosarote Brille.«
Peter atmete tief durch.
»Du möchtest eine zweite Chance vom Leben. Dann gib auch ihm, verdammt noch mal, eine zweite Chance!«, zischte er schließlich zurück. »Freddy hat sie mehr als verdient! Er war es, der dich zuerst versorgt hat, noch bevor du in die Klinik gekommen bist. Damit hat er deine Nervenbahnen vor der totalen Zerstörung durch unsachgemäße Bewegungen bewahrt. Freddy ist mit dir im Rettungswagen gewesen und fast zerbrochen daran, nicht mehr für dich tun zu können. Schließlich hat er all seinen Mut zusammen genommen und sich seinem Vater anvertraut. Er hat ihn gebeten, dass er alles für dich tut, dass er dir hilft, damit du wieder gesund wirst, weil er ja so ein verdammter Feigling ist. Nein Stella!

Und inzwischen weißt du, dass ihm das bestimmt nicht leicht gefallen ist.«
Ich erstarrte förmlich unter Peters Worten. Hilflos suchte ich nach Worten. Unfähig zu sprechen, starrte ich auf meine Hände.
Peter schwieg, aber ich konnte seine schweren Atemzüge hören.
»Ich kann nicht einfach alles vergessen und... und so tun, als wäre nichts geschehen, als wäre die Welt völlig in Ordnung. Alles, was geschehen ist, hat mich völlig aus der Bahn geworfen. Ich bin durcheinander, aufgewühlt und tief verletzt. Ich brauche noch etwas Zeit«, sagte ich schließlich.
»Okay, dann lass uns in der Zeit, die du brauchst, um dein Gefühlsleben zu ordnen, etwas Sinnvolles tun. Ich werde nicht zulassen, dass du dich in deinem Selbstmitleid ertränkst.«
Mit diesen Worten drückte Peter mir wortlos zwei Igelbälle in die Hände und stellte mein Bett in die Schräge.
»Auf geht`s!«
Das war Peter. Ich gehorchte. Hatte ich eine andere Wahl? Peter, Professor Winter und Hagedorn hatten sich in den Kopf gesetzt, mir zu helfen. Und schuld an der ganzen Verschwörung war Freddy. Verziehen hatte ich ihm noch lange nicht. Doch während ich meine Wut an den Bällen in meiner Hand ausließ, bemerkte ich, wie sie sich legte. Auch mein Kreislauf tolerierte die schräge Stellung des Bettes zwischen Waage- und Senkrechte.
Alles was ich wollte war, endlich wieder aus dem Bett heraus zu kommen. Obwohl ich ganz genau wusste, dass ich mich in Geduld fassen musste, fiel mir das sehr schwer. Erst Wochen später durfte ich das erste Mal einen Ausflug mit Hugo machen.

Wieder war es Peter, der mich jeden Tag aufs Neue herausforderte. Er schonte weder meinen Körper noch meine Seele. Inzwischen hatte ich nicht nur meinen Kampfgeist zurück, sondern auch meine Schlagfertigkeit. Peter und ich lachten viel. Auch die Schwestern kamen gern zu mir. Ich erzählte ihnen von den Pferden, vor allem von Bandit, und versetzte sie in entzücktes Erstaunen. Manche beneideten mich sogar. Darüber war ich erstaunt.
Wieder waren Wochen inzwischen vergangen und aus dem Frühling war Sommer geworden. Meine Sachen, die ich in der Kurklinik bei mir hatte, waren mit mir in die Uniklinik umgezogen. Meine Wohnung, mein Zuhause und mein früheres Leben waren soweit von mir weggerückt, dass ich manchmal dachte in einer Traumwelt zu leben, weitab jeder Realität.
Eines Tages lud Peter mich nach Feierabend zu einem Ausflug ins Freie ein.
»Wohin willst du denn mit mir?«, lachte ich amüsiert, während die Schwester mir die Haare bürstete.
»Ähm... vielleicht ein Eis essen«, meinte er schulterzuckend.
»Peter?!«, warnte ich ihn.
»Ja.«
Er blickte mich fragend an. »Ja wohin denn sonst? Du brauchst frische Luft und heute ist ein perfekter und sonniger Tag. Altweibersommer...«, grinste Peter hintergründig, »... wie geschaffen für dich! Du fängst schon an zu schrumpeln. Die Professoren sind der Meinung, dass du zu blass bist und krank aussiehst. Das schadet ihrem Image. Und außerdem ist dein Vitamin D Spiegel im Blut zu niedrig.«
Ich musste grinsen.

»Schuft«, zischte ich leise und fuhr mit Hugo hinaus.
Wie in alten Zeiten, dachte ich.
Und auch dieses Mal waren wir wieder in hohem Tempo unterwegs. Wir waren schnell! Ich spornte Hugo an, der zum Rennpferd mutierte. Ich wollte Peter abhängen. Er rief nach mir, doch ich kicherte nur.
Als ich zur Eingangstür hinausrollte und den Windzug in meinem Gesicht spüren konnte, fühlte ich mich frei, wie lange nicht mehr. Offensichtlich erschrocken sprang jemand zur Seite, den ich überhaupt nicht bemerkt hatte.
»Tschuldigung!«, rief ich hastig.
»Du schon wieder!«
Erschrocken fuhr ich zusammen und stoppte Hugo abrupt. Ich schluckte schwer, als ich Freddy anstarrte. Ausdruckslos blickte er mich an. Mit keiner Regung gab er seine Gedanken preis. Ich hätte zu gern gewusst, was er gerade dachte. Doch dann bemerkte ich wie traurig seine Augen wirkten.
»Guten Tag, Herr Vandervald«, sagte ich mit belegter Stimme, die in meinen Ohren fremd klang.
Freddy presste die Lippen hart aufeinander und nickte mehrmals.
»Das ist der Geburtsname meiner Mutter«, sagte er leise. Unschlüssig atmete ich tief durch.
Ich wollte Freddy nicht beschimpfen und nicht beleidigen, denn ich hatte mich tatsächlich durchgerungen, ihm tatsächlich eine zweite Chance zu geben. Doch zu leicht wollte ich es ihm auch nicht machen. Strafe musste sein. Hilflos blickte ich mich nach Peter um. Doch der war spurlos verschwunden.
»Wie geht es dir?«, fragte Freddy schließlich.
»Was denkst du denn? Ich möchte die Zeit zurückdrehen, bis dahin, als mein Leben noch im Lot war. Ich will

mein Leben zurück. Mein Leben ohne Hugo.«
»Als ich klein war, konnte Sally mich gesund zaubern. Ich glaubte fest daran und ich glaubte, dass ich das auch kann. Ich wünschte, ich könnte das jetzt... bei dir«, entgegnete er leise.
Jedes Wort, das er sagte, schien ihm sehr schwerzufallen. Freddy wirkte steif und unglaublich traurig. Ja er wirkte geradezu verletzlich. Diese Seite von Freddy hatte ich noch nie erlebt.
»Hast du es denn versucht?«
Freddy nickte wieder. »Ja, das habe ich. Aber mir sind zwei Fehler unterlaufen.«
»So?« Erstaunt blickte ich zu Freddy auf.
»Ich habe in meinem Leben für eine Sekunde nicht aufgepasst. Plötzlich, wie aus dem Nichts, tauchte ein dunkler Schatten in meinem Gesichtsfeld auf, als ich mit meinem Auto gerade auf den Parkplatz zum Supermarkt einbog. Ich machte sofort eine Vollbremsung, doch genau in diesem Augenblick knallte etwas gegen den rechten vorderen Kotflügel meines Wagens. Ich sah eine dunkle Gestalt über die Motorhaube fliegen. Das war der Tag, an dem ich dir das erste Mal begegnet bin, Stella.«
Erwartungsvoll starrte ich Freddy an, ohne mich zu rühren. Der ging nun vor mir in die Hocke, um mir direkt in die Augen zu blicken.
»Wie hättest du reagiert, wenn ich dir das bei unserer ersten Begegnung auf der Waldlichtung gesagt hätte? Du hättest mich weggeschickt und nie wieder sehen wollen. Du hättest mir nicht einmal zugehört und mir nicht die geringste Chance gegeben, dir zu helfen.«
Ich verzog das Gesicht, sodass ich die tiefe Furche direkt über meiner Nasenwurzel spüren konnte.
Das schmerzte, in jeder Hinsicht.

»Aber wieso? Und wieso spielst du so unfair mit meinen Gefühlen?«
»Das war mir nicht bewusst. Deshalb kann ich dich nur um Verzeihung bitten. Aber meine Gefühle sind echt, Stella. Ich habe in dir die Frau gesehen, die den Leuten, die ihr im Weg stehen, mit Mut und Schlagfertigkeit über die Füße fahren kann.«
Wieder verzog ich das Gesicht und musste im nächsten Moment widerwillig grinsen.
»So gefällst du mir besser«, sagte Freddy offensichtlich erleichtert.
»Versuche nicht, mich um den Finger zu wickeln!«
Freddy musterte mich argwöhnisch.
»Ich habe mir Verstärkung mitgebracht, weil ich Angst hatte, du könntest mich wegschicken.«
Um seine Mundwinkel herum zuckte es, während seine traurigen Augen zu glitzern begannen.
»Wieder eine deiner Überraschungen?«
Er nickte.
Meine Gedanken arbeiteten auf Hochtouren. Ich öffnete den Mund und schloss ihn wieder, ohne etwas gesagt zu haben. Tief berührt von Freddys Worten begannen meine Augen zu brennen und ich war tatsächlich sprachlos. Plötzlich vernahm ich ein energisches Schnauben, Hufgetrappel und Peters Flüche, während Bandit zu mir stürmte. Der Palomino stoppte direkt bei mir und sprühte mir unzählige Wassertröpfchen ins Gesicht, als er schnaubte. Das kitzelte. Vorsichtig legte ich meine Hand auf seine Nüstern. Das tiefe Blubbern zur Begrüßung drückte seine Freude aus, mich wieder zu sehen. In meiner Hand vibrierte es. Tränen der Rührung traten unscheinbar in meine ohnehin schon brennenden Augen und verschleierten meinen Blick. Meine Gefühle über-

wältigten mich. Mir war, als wären wir ganz allein auf der Welt.
»Bandit«, flüsterte ich.
»Nimmst du uns beide?«, fragte Freddy vorsichtig.
Ich war dazu geneigt ihm um den Hals zu fallen, doch ich verkniff es mir.
»Ich werde ernsthaft darüber nachdenken«, sagte ich sporadisch, ohne ihn anzusehen.
Dir nochmal mit Hugo über die Füße zu fahren!
Ich schniefte und musste unweigerlich schmunzeln.
Freddy hockte noch immer vor uns. Bandit begann an seinem langen Haar zu knabbern.
»Tja.... meine Beine sind eingeschlafen. Keine Ahnung, wie ich je wieder aufstehen soll...«, flüsterte er.
»Du darfst dich ausnahmsweise auf Hugo abstützen. Er hat nichts dagegen.«
»Danke Hugo. Du bist ein echter Kumpel«, ächzte Freddy, während er sich mühsam erhob. Bandit beäugte ihn misstrauisch.
»Tja... dann...«, stammelte Freddy. »Dann werde ich mal... mal gehen. Auf Wiedersehen, Stella. Lass dich nicht unterkriegen.«
»Auf Wiedersehen«, entgegnete ich kühl, während ich dachte: *Ich kann es kaum erwarten.*
Tapfer hielt ich all meinen Versuchungen stand. Ich wollte ihn leiden sehen, für das, was er mir angetan hatte! Er hatte es nicht anders verdient. Freddy wandte sich um und ging. Bandit blieb bei mir stehen und forderte mich unmissverständlich auf, ihn zu streicheln. Das tat ich gern, während ich Freddy hinterherblickte. Seine dunkle Gestalt machte einen erbärmlichen Eindruck auf mich. Ich empfand tiefes Mitleid mit ihm.
Wie kannst du nur!, schalten meine Gedanken mich.

Mitleid mit genau dem Kerl zu haben, der dir das alles eingebrockt hat und dir die ganze Zeit über Ärger gemacht hat und dich belogen hat?
Entschieden schüttelte ich den Kopf.
Nein!
Nicht mit diesem Kerl namens Vandervald. Aber mit dem Mann, der dort ging, der sich mit jedem Schritt weiter von mir entfernte. Das war der Mann, der mich zum Lachen brachte, mir Mut machte und mich auf seinen Armen trug. Nein, für Freddy empfand ich kein Mitleid. Verdammt! Es war Liebe. Aber manchmal ist dieses Glück so überwältigend, dass es weh tat. Ich starrte ihm nach und war unfähig etwas zu sagen, zu tun oder zu entscheiden. Ich hatte nicht mal *Danke* gesagt.
Als Bandit mir ins Ohr schnaubte, wurde mir plötzlich bewusst, dass ich mit einem ausgewachsenen Palomino-wallach, der noch immer glaubte er sei ein Hengst, allein hier vor der Klinik stand. Nun gut, nicht ganz allein. Immer wieder gingen Leute vorbei. Einige beäugten uns skeptisch und manche nickten mir freundlich zu.
Hilfesuchend blickte ich um mich. Peter war und blieb spurlos verschwunden und Freddys Gestalt war nur noch ein Punkt am Taxistand vor der Klinik.
»Verdammt! Freddy!«, rief ich so laut ich konnte.
Bandits Kopf schnippte nach oben und seine Ohren drehten sich wie Radarempfänger. Ein älteres Paar drehte sich erschrocken zu uns um. Ich lächelte verle-gen.
»Freddy!«
Doch der konnte mich offenbar nicht mehr hören. Also löste ich Hugos Bremsen.
»Komm, Bandit! In meinem Zimmer ist leider kein Platz für dich.«
Das Pferd seufzte.

Ich verzog das Gesicht und rollte schließlich mit Hugo in rasantem Tempo direkt zum Taxistand. Bandit folgte mir wie ein Hund beim Spaziergang. Seine Hufe knallten bei jedem seiner Schritte geräuschvoll auf die Gehwegplatten und erregten allgemeines Aufsehen.
»Freddy!«, rief ich außer Puste.
Der unterhielt sich gerade mit dem Taxifahrer und blickte schließlich zu uns. Auf seinem Gesicht erschien ein Grinsen, dieses Grinsen, dass ich genau kannte und so sehr mochte.
»Du!«, fauchte ich und schnappte nach Luft.
Bandit hob inzwischen völlig unbeeindruckt den Schweif und im selben Augenblick klatschten die ersten Äpfel zu Boden.
Der Taxifahrer riss die Augen auf.
»Shit!«, zischte Freddy.
Ich verschränkte demonstrativ meine Arme vor meiner Brust und atmete hörbar tief durch.
»Vielleicht bringt´s ja Glück«, grunzte der Taxifahrer schließlich.
Bandit schnaubte selbstzufrieden.
Ich verdrehte die Augen.
»Also, ich muss jetzt«, sagte Freddy und machte Anstalten, in das Taxi zu steigen.
»Hey!«, rief ich empört.
Freddy hielt inne und wandte seinen Kopf zu mir.
»Was?«, fragte er.
»Willst du Bandit denn nicht wieder mitnehmen?«
»Er wird kaum freiwillig in das Taxi steigen, wenn du nicht mitkommst.«
Der Taxifahrer öffnete den Mund und starrte entsetzt zu Freddy und dann zu mir. Freddy blickte mir schweigend in die Augen. Für einige Sekunden schien die Zeit still zu

stehen. Niemand rührte sich. Niemand sagte etwas. Schließlich wieherte Bandit.
»Siehst du, er vermisst seine Freunde und in der Klinik wächst kein Gras«, sagte ich.
Freddy schmunzelte und nickte schließlich. Er schlug die Wagentür zu und ging zu Bandit. Freddy schien ihm etwas zuzuflüstern und streichelte ihn so zärtlich, dass ich insgeheim neidisch wurde. Schließlich schwang er sich auf den Rücken des Wallachs. Mein Neid kannte Grenzen. Jetzt musste ich grinsen, auch wenn ich es nicht wollte, und schüttelte den Kopf.
»Seid ihr denn so hierher gekommen?«
Freddy zuckte mit den Schultern.
»Sein Bus ist schon weg«, meinte er.
»Willst du mich auf den Arm nehmen?«, fragte ich empört.
»Ja, das möchte ich. Sehr gern sogar. Aber ich darf das nicht.«
Ich kniff die Augen zusammen, sodass Pferd und Reiter zu einem Bild verschwammen.
»Du bist verrückt«, sagte ich leise.
Freddy nickte. »Weiß ich schon.«
Er ließ Bandit antreten und ritt im Schritt um mich herum.
»Weißt du nicht, wohin du mit Bandit willst oder ist das eine Werbekampagne für deine Hippotherapie?«, fragte ich spitz.
»Er will nicht von dir weg«, antwortete Freddy.
»Du musst dich durchsetzen!«
Jetzt rede ich schon genau wie die Reitlehrer, dachte ich.
»Stella!«, rief eine mir bekannte Stimme hinter mir.
Ich wandte mich sofort um. Professor Winter stand hinter mir. Überrascht starrte ich ihn an. Mir schoss das Blut

in den Kopf.
Erwischt!
»Übertreiben Sie es bitte nicht. Das ist Ihr erster Ausflug und Sie sollten besser nicht zu lange hier draußen sitzen. Dafür ist es noch zu früh. Denken Sie bitte an ihre letzte Infektion.«
Ich nickte brav, denn ich wagte nicht zu protestieren. Also wendete ich mit Hugo.
»Tschüss«, rief ich.
»Bist du noch ganz bei Trost?!«, hörte ich, wie der Professor Freddy anfuhr, während ich langsam zum Eingang zurückrollte. Ich fuhr regelrecht zusammen und zog unwillkürlich den Kopf ein.
Nur gut, dass er mich nicht so angeschnauzt hatte.
Vorsichtig hielt ich inne und wagte einen Blick zu den beiden. Freddy stand neben Bandit und ließ die Moralpredigt seines Vaters reglos über sich ergehen.

*****

Während der folgenden zwei Tage fühlte ich mich sehr einsam. Es war Wochenende, doch niemand besuchte mich. So hatte ich viel Zeit zum Nachdenken. Sehr viel Zeit. Ständig kreisten meine Gedanken um Freddy. Das Bild, als er mit Bandit am Taxistand war, hatte sich in meinen Kopf gebrannt. Nur Peter lenkte mich täglich erfolgreich ab und brachte mich zum Lachen. Aber er erzählte nichts von seinem Freund und ich wagte nicht, ihn zu fragen. Ja, ich wollte Freddy eine zweite Chance geben und ich musste es ihm sagen. Aber ich wusste nicht wie und wann. Ständig legte ich mir Worte zurecht. Schließlich schrieb ich die Worte auf. Aus ihnen wurde ein langer Brief. Den las ich mehrmals durch, um sicher-

zugehen, dass ich nichts vergessen hatte. Inzwischen war eine ganze Woche verstrichen und kein Tag verging, an dem ich nicht an Freddy dachte. Ich hatte ihn nicht wiedergesehen und auch nichts von ihm gehört. Zwei weitere Tage vergingen, während denen ich ernsthaft überlegte, den Brief abzuschicken. Ich wusste zwar, wo Freddy wohnte, aber ich kannte seine Postanschrift nicht. Ich hatte auch keine E-Mail Adresse von ihm und nicht mal seine Telefonnummer. Wie konnte das möglich sein? Wir hatten nie darüber geredet und nie miteinander telefoniert. Seltsam, dass mir das gerade jetzt erst auffiel. Ich war viel zu oft mit mir selbst beschäftigt gewesen und mit dem ganzen Ärger und dem Papierkrieg mit den Versicherungen, Anwälten und Behörden. Und Freddy? Dem musste das ganz recht gewesen sein, damit seine Lüge nicht platzte. Vielleicht hätte er sich am Telefon mit dem Namen Vandervald gemeldet.
Ich schnappte nach Luft.
Je mehr ich über die ganze Sache nachdachte, desto mehr verflog meine Wut. Die Professoren hatten mir neue Hoffnungen gemacht und Freddy wollte mich mit Hugo auf seine Blumenwiese holen. Bei diesem Gedanken hüpfte mein Herz vor Freude. Ich konnte das nicht beeinflussen.
Wie seltsam und rätselhaft doch manchmal das Leben ist, dachte ich und schüttelte den Kopf.
Manchmal sieht man den Weg nicht, der vor einem liegt und manchmal geschehen Wunder. Plötzlich musste ich laut und albern kichern, denn gerade waren mir meine eigenen Worte wieder eingefallen: *Ich will diesen Mann nackt ausziehen!*
Oh ja, das wollte ich noch immer.
Ich klebte den Brief endgültig zu und überlegte, ob ich

Peter als Postboten missbrauchen durfte. Nach einer Weile schüttelte ich den Kopf. Professor Winter? Nein! Das würde ich nie wagen. Obwohl er freundlich und gut zu mir war, fast wie ein Vater, konnte ich keineswegs einschätzen wie er darauf reagieren würde, wenn Freddy und ich... und überhaupt. Eines Tages würde er vielleicht mein Schwiegervater werden und er könnte das nicht verhindern. Missmutig verzog ich das Gesicht.
Der Taxifahrer?, schoss es mir in den Sinn. *Der, der uns zu Freddys Wohnwagen gebracht hatte...*
Ja, das war eine Möglichkeit. Aber ich musste Professor Winter um Erlaubnis bitten, denn ich hatte ihm hoch und heilig versprochen, keine Dummheiten mehr zu machen.

Nach einer fast schlaflosen Nacht überwand ich meine Angst und redete gleich am nächsten Morgen mit ihm. Doch der Professor wollte vorerst das nächste MRT abwarten, dessen Termin erst in einer Woche war. Ich sah das widerwillig ein. Aber so lange wollte ich nicht warten.
Wieso bin ich plötzlich nur so ungeduldig?
Freddy war es, den *ich* unbedingt zappeln lassen wollte. Doch im Augenblick erschien es mir gerade umgekehrt zu sein.
Die Lösung des Problems kam am Nachmittag direkt in mein Zimmer. Sally stand plötzlich vor mir.
»Hallo, Stella, wie geht es dir?«, lächelte sie mich an.
Ihre Augen glitzerten geheimnisvoll. Irgendwie hatte ich das Gefühl, dass sie mal wieder mehr wusste als ich.
»Guten Tag, Sally. Das ist ja eine schöne Überraschung!«
Tapfer lächelte ich zurück. Sally hatte Blumen in der Hand. Dieser wunderschöne, bunte und duftende, mit Gräsern verzierte Wildblumenstrauß weckte schlagartig

Erinnerungen in mir.
»Danke, mir geht es ganz gut. Die Professoren sind begeistert über meine Fortschritte.«
»Andrew will endlich seinen Nobelpreis haben«, kicherte Sally.
Ja, ich freute mich sehr über ihren Besuch. Ich mochte Sally und hoffte, einige Neuigkeiten von ihr zu erfahren.
»Andrew?«
Sally nickte und reichte mir die Blumen.
»Professor Andrew Winter«, sagte sie dann.
»Ah!... Danke, die Blumen sind zauberhaft.«
Ich tauchte mein Gesicht in den Strauß und atmete ihren Duft tief ein. Spontan musste ich niesen.
»Darf ich sie für dich in die Vase stellen?«, erlöste Sally mich.
Zur Antwort nieste ich noch zweimal und nickte.
»Danke«, krächzte ich, während ich Sally die Blumen zurück gab. Sie kicherte leise. Ich nieste nochmal.
»Weißt du zufällig wie es Bandit geht?«, fragte ich.
Sally ließ unbeirrt Wasser in die Glasvase, in die sie schließlich die Blumen stellte. Sie lächelte, während sie die Vase auf den Tisch stellte. »Gut.«
Ich verzog das Gesicht. Ich wollte mehr wissen. Viel mehr! Sally setzte sich auf den Stuhl, mir gegenüber. Sie legte den Kopf etwas schräg, während sie mich musterte.
»Er vermisst dich, Stella.«
Ich nickte niedergeschlagen.
»Ich ihn auch«, sagte ich leise.
Sally nickte verständnisvoll.
»Diese Blumen... sind sie... sind sie von der Wildblumenwiese im Wald?«, fragte ich.
Wieder nickte Sally.

Ich seufzte.
»Wenn ich nur wüsste, wie ich zu ihm kommen könnte. Aber ich kann noch nicht hier weg. Ich darf nicht.«
»Ich weiß und er wird es verstehen, auch wenn er genau-so ungeduldig ist wie du.«
Ihre Worte wirkten irgendwie beruhigend auf mich und für einen Augenblick wusste ich nicht mehr, ob sie von Bandit oder von Freddy sprach.
»Ich dachte, Pferde sind sehr geduldig, viel geduldiger als Menschen?«
»So?« Sally grinste. »Bandit ist in jeder Beziehung eine Ausnahme. Er war schon als Fohlen ein unbändiger Rebell. Manchmal habe ich mich gefragt, was bei ihm wohl schiefgelaufen war. Das muss wohl an den Genen seines Vater liegen. Er stammte aus einer arabischen Blutlinie.«
Ich riss die Augen auf und starrte Sally ungläubig an.
»Ein Araber?«, fragte ich erstaunt.
Sally ignorierte meine Frage.
»Er ist tatsächlich etwas Besonderes - in jeder Hinsicht. Wer einmal sein Vertrauen gewonnen hat, den wird er sein Leben lang nicht mehr aufgeben. Ich habe ihm übrigens erzählt, dass auch ich dich sehr mag und dass ich dich heute besuche.«
»Wem?«, fragte ich irritiert.
Sally lachte leise.
»Na, Bandit. Wem denn sonst, Stella?«
Upps!
Ich fühlte mich ertappt und grinste ziemlich ungeschickt. Aber auch das ignorierte Sally.
»Ich soll dich übrigens auch ganz herzlich von Eugen, Kathrin und Thomas grüßen. Sie alle wünschen dir gute Genesung.«
»Danke! Ihr seid eine sehr nette Familie. Vielen Dank.«

»Was ist mit deiner Familie?«
»Ich habe keine mehr. Hat Freddy denn nicht....?«
»Nein. Freddy redet nicht über Dinge, die so persönlich sind. Dinge, die man ihm anvertraut, plaudert er nicht leichtfertig aus.«
Ich nickte.
»Das tut mir leid, Stella.«
Einen Moment schwiegen wir beide.
»Ich wünsche mir von ganzem Herzen, dass du wieder glücklich wirst, wieder lachst und vor allem reitest. Du hast mehrmals bewiesen, dass du eine Kämpfernatur bist, so wie ein rebellisches Pferd. Gib nicht auf, Stella! Nicht ihn und nicht dich selbst. Manchmal sind die Dinge, die so unerreichbar weit weg von uns zu sein scheinen, näher als wir glauben.«
Obwohl ich die Tränen der Rührung in mir aufsteigen fühlte, konnte ich nicht anders, als meinen Blick zu heben und Sally direkt in die Augen zu sehen. Das war wie eine magische Kraft. Ihre Worte hatten mich tief berührt und ich war mir ziemlich sicher, dass sie die ganze Zeit von Freddy und mir geredet hatte. Sally machten mir Mut und Hoffnung, dass alles gut werden würde. Seit unserer Begegnung vor der Klinik mit Bandit hatte ich Freddy nicht mehr gesehen und nichts von ihm gehört. Doch Sally war zu mir gekommen. Ihre Botschaften waren rätselhaft, aber ich glaubte, sie zu verstehen.
»Sage ihm, dass ich ihn bald besuchen komme. Sobald Professor Winter mir es erlaubt.«
»Natürlich«, versprach Sally.
»Und sage ihm...« Ich suchte nach Worten.
»Das sagst du ihm am besten selbst, Stella.«
Wieder fühlte ich mich ertappt und spürte die Röte in

meine Wangen steigen. Sally schmunzelte und nahm meine Hände in die Ihren.
»Vertrau mir, was auch immer geschieht. Nicht immer führen die Wege, die wir gehen, zum Ziel. Manchmal gehen wir auch in die falsche Richtung. Aber irgendwann finden wir den richtigen Weg, dann, wenn wir ihn nicht mehr suchen. Das sagte schon meine Großmutter.«
Ich kicherte leise. »Meine auch.«
Sally zwinkerte mir zuversichtlich zu. Wir beide verstanden uns erstaunlich gut. Ich vertraute ihr plötzlich meine Sorgen an und erzählte ihr ungezwungen von meinem früheren Leben. Sally hörte aufmerksam zu. Sie ersparte mir unnötige Ratschläge, aber sie machte mir Mut für mein neues Leben. Wie konnte es auch anders sein. Wenn ich in ihre Augen sah und ihr herausforderndes Lächeln mir begegnete, erkannte ich deutlich Freddys Züge. Sie hatte ihm ja schließlich ihre Gene vererbt, dem Mann, in den ich mich verliebt hatte und sie wünschte sich nichts anderes, als dass Freddy und ich glücklich wurden. Ich spürte, dass sie es ehrlich meinte. Sie war ganz anders, als ich mir eine zukünftige Schwiegermutter je vorgestellt hatte. Wir redeten den ganzen Nachmittag miteinander, als wären wir seit Jahren befreundet. Als Sally sich schließlich am Abend erhob, nahm sie mich in den Arm und drückte mich zum Abschied.
»Bis bald, Kleines«, sagte sie leise. »Und falls du mal Hilfe brauchst, wir sind immer für dich da.«
Als sie von mir abließ, drückte sie mir einen kleinen Zettel in die Hand.
»Und für den Notfall: Ruf mich an!«
Ich nickte gerührt.
»Danke, Sally. Komm gut nach Hause.«
»Bis bald, Stella!«

Als Sally die Tür hinter sich geschlossen hatte, fühlte ich mich plötzlich so einsam wie lange nicht mehr. Eine Weile saß ich einfach nur da. Irgendwann faltete ich den Zettel auf. Darauf stand eine Telefonnummer.
Ich lächelte.
Dann legte ich den Zettel zu dem Brief, den ich an Freddy geschrieben hatte, in meinen Nachtschrank.

*****

Von nun an vergingen die Tage für mich nicht schnell genug. Tagsüber kämpfte ich eisern gegen meine eigene Ungeduld und Nachts überfielen mich total verrückte Träume. Nach einer weiteren Woche in der Klinik kam Professor Winter persönlich zu mir ins Zimmer. Er setzte sich zu mir an den Tisch und lächelte, als er sagte: »Ich bin durchaus mit all Ihren Befunden zufrieden, Stella. Sind Sie bereit für die Kurklinik Silbertal?«
Ich atmete tief durch, in Anbetracht dessen, dass ich alles von der Pieke auf wiederholen musste. Was hatte ich mir nur eingebrockt? Einen zweiten Unfall, an dem ich selbst schuld war! Die Erinnerung an jenen Tag jagte mir einen eiskalten Schauer über den Rücken. Ich konnte nicht mal Freddy die Schuld dafür geben. Ich konnte niemandem Vorwürfe machen außer mir selbst. Ich hatte in meiner blinden Wut überreagiert, denn ich war tief verletzt. Das konnte ich gerade in diesem Augenblick wieder spüren. Noch immer tat es mir im Herzen weh, doch ich brauchte Zeit, um das Geschehene aufzuarbeiten und zu akzeptieren.
Schließlich nickte ich niedergeschlagen.
»Ja, das bin ich.«
Winter betrachtete mich sehr aufmerksam.

»Ich kann verstehen, welchen inneren Kampf Sie seit geraumer Zeit mit sich austragen. Das kann Ihnen auch leider niemand abnehmen. Die Dinge zu akzeptieren, wie sie sind, ist nicht immer leicht. Doch die Dinge zu ändern, die so nicht zu akzeptieren sind, liegt in Ihrer Hand. Bei meinem alten Freund Hagedorn und seinem Team sind Sie in besten Händen. Ich denke das wissen Sie schon.«
»Angst habe ich nicht. Ich will ja vorwärtszukommen, aber ich habe keine Ahnung, ob die Krankenkasse das alles nochmal bezahlt. Eine Unfallversicherung habe ich nicht«, sagte ich kleinlaut, als er eine Pause machte.
Der Professor senkte den Blick und schwieg. Er schien zu überlegen.
»Wir finden bestimmt eine Lösung, Stella«, sagte er schließlich. »Lassen Sie mir einen Tag Zeit. Müssen Sie vor der Rehabilitation noch einmal nach Hause?«
Wieder atmete ich tief durch.
»Nein«, antwortete ich entschlossen und ohne zu zögern. »Ich habe kein Zuhause mehr. In meiner Wohnung kann ich zukünftig nicht leben, denn es gibt keine Möglichkeit sie umzubauen. Ich bin bereits auf der Suche nach einer behindertengerechten Wohnung«, hörte ich mich sachlich reden.
Professor Winter nickte.
»Auch dahingehend wird sich eine Lösung finden.«
Ich blickte ihn offensichtlich sehr skeptisch an, doch Winter lächelte. Wegen der Hippotherapie wagte ich gar nicht erst zu fragen. Und was sollte aus Bandit werden? Der Wallach war sicher bei Sally in besten Händen. Darum musste ich mir keine Sorgen machen. Doch Bandit wartet auf mich! Sally hatte mir das gesagt und im Augenblick spürte ich das sogar tief in meinem

Herzen. Ich glaubte sogar, dass er mich zu sich rief.
»Sehnsucht?«, fragte Professor Winter.
Plötzlich sah ich in ihm nicht den Professor, sondern Freddys Vater. Wieder lächelte er mich an, hintergründig glaubte ich, und seine Augen funkelten mich belustigt an.
»Schon, aber ich bin mir nicht ganz sicher.«
»Dann verordne ich Ihnen per sofort eine psychosoziale Therapie.«
Entsetzt riss ich die Augen auf. Mein Mund öffnete sich zum Protest. Doch bevor ich etwas sagen konnte, legte Winter seine Hand auf meine.
»Die beste, die es gibt!«
Bandit!, dachte ich, ohne dass mir bewusst war, dass ich dabei meine Lippen bewegt hatte.
Freddys Vater musste nun grinsen, während er nickte. Ich hätte ihm glatt umarmen können.
»Darf ich Sie mal in den Arm nehmen?«, fragte ich.
»Natürlich!«, entgegnete er überrascht.
Ich streckte also meine Arme aus, während er mir ein Stück entgegenkam.
»Danke!«, flüsterte ich schließlich.
Er strich mir mit der Hand über den Rücken und plötzlich stiegen die Erinnerungen an meinen Vater in mir auf und für einen Moment fühlte ich mich tatsächlich geborgen und beschützt.
»Danke!«, flüsterte ich noch einmal.
»Aber gerne, Stella. Das haben Sie sich verdient. Der Kopf muss frei werden und die Seele muss im Gleichgewicht sein, bevor man den eigenen Körper beherrschen will.«
Langsam lösten wir uns voneinander. Wieder lächelte Professor Winter mich an und wieder funkelten seine

Augen belustigt.
»Wir haben jetzt Mittag. Ich werde ihnen ein Taxi rufen, sodass sie nach dem Essen abfahren können.«
Mein Herz schlug vor Freude schneller. Ich war sprachlos. Mehr als ein drittes *Danke* bekam ich nicht heraus.
Freddys Vater stand auf und verabschiedete sich von mir. Als er die Tür geöffnet hatte, hielt er inne und wandte sich mir nochmals zu.
»Die Papiere sende ich meinem alten Freund Hagedorn direkt zu. Viel Erfolg mit Ihrem Bandit und mit der Kur.«
»Danke!«, sagte ich.
Nun war er weg und ich allein mit meinen wirren Gedanken, meiner Vorfreude auf Bandit und einer winzigen Hoffnung auch Freddy wiederzusehen.

*****

Sanft blies der Wind über die mit Wildblumen übersäten Wiesen, deren Duft ich tief in mich hineinsog. Ich war allein mit Hugo. Vorsichtig ließ ich mich aus meinem Rollstuhl zu Boden gleiten. Die Sonne schien vom wolkenlosen Himmel. Es war Sommer und ziemlich warm. Im Sonnenlicht schwirrten glitzernde Pollen über mir. War das zauberhaft! Eine Hummel schwirrte brummend umher. Aus der Ferne drang ein leises Klingeln an meine Ohren. Es war eine betörende Melodie, die mich verzauberte. Ich glaubte zu träumen. Ich kniff die Augen ein wenig zusammen. Davor flimmerte das Licht und bewegte sich wie tanzende Fabelwesen. Die Sonne kitzelte auf meiner Nase. Ich dachte nicht darüber nach, wie ich je wieder auf Hugo kommen sollte oder konnte. Ich schloss einfach die Augen. Genau hier und in diesem Augenblick, stand die Zeit plötzlich still. Ich atmete tief

ein und aus. Meine Gedanken hüllten sich in eine Nebelwolke, mit der sie auf und davon flogen. Vor meinen geschlossenen Augen drehten sich bunte Lichtspiralen im Farbspektrum des Regenbogens. Zufrieden lächelte ich.
Ich wusste nicht, wie lange ich schon hier lag, als ich das Schnauben direkt neben mir vernahm. Ich weigerte mich die Augen zu öffnen, denn ich hatte Angst, aus meinem Traum zu erwachen.
Jemand beschnüffelte mich. Samtweiche Lippen tasteten meine Wange ab. Ich bewegte mich nicht. Ich lächelte nur. Dann vernahm ich sein dunkles Lachen. Das war ein wunderschöner Traum!
»Was machst du denn hier?«, fragte Freddy erstaunt.
»Pause«, antwortete ich, ohne die Augen zu öffnen.
Ich bemerkte deutlich, dass Freddy sich direkt neben mir niederließ.
»Schönes Wetter«, sagte er.
»Hmhm«, murmelte ich.
Dann spürte ich seine Fingerspitzen über meine Wange streichen. Das kitzelte. Nein, ich wollte meine Augen nicht öffnen! Ich kniff sie sogar noch fester zu.
Freddy seufzte.
Neben mir schnaubte deutlich ein Pferd. Winzige Tröpfchen sprühten in mein Gesicht.
»Hast du es dir überlegt«, fragte er leise.
»Was?«, fragte ich gelangweilt.
Meine Augenlider fühlten sich so unbeschreiblich schwer an. Mir viel es nicht leicht, die Augen nicht zu öffnen, um ihn anzusehen.
»Als wir beide das letzte Mal hier waren, sagte ich zu dir: Wenn es keine Geheimnisse mehr gibt, Stella, werde ich dich fragen, ob du hier mit mir leben möchtest.« Freddy atmete tief durch, bevor er weiter sprach. »Ich will, dass

du meine Frau wirst und ich wünsche mir von ganzem Herzen, dass du *Ja* sagst.«
Ich war so gerührt von seinen Worten, dass ich die Augen aufriss. Doch Freddys Gesicht verschwamm vor mir, es tauchte in einen grauen Schleier. Ich blinzelte. Ich schniefte und schließlich musste ich heftig niesen.
Wieder vernahm ich sein dunkles Lachen.
»War das etwa ein *Ja*?«, fragte er und drückte mir ein Taschentuch in die Hand.
»Machst du dich etwa lustig über mich?«, fauchte ich ihn an.
Ich begann zu zittern und während mein Herz im rasanten Tempo gegen meine Brust trommelte, brach ich in Tränen aus. So etwas fand ich immer total albern und ich hatte mir geschworen, dass mir das nie passieren würde. Aber ich tat es gerade! Ich konnte ihm nicht mal antworten, weil ich heulte. Freddy nahm mir das Taschentuch wieder weg und putzte mir die Nase.
Oh Mann! Wie peinlich!
Dann küsste er meine Tränen weg und wartete auf meine Antwort.
»Hmhm«, gurgelte ich mühsam aus meiner Kehle und nickte deutlich. Zu mehr war ich im Moment nicht fähig.
Du blöde Kuh! Höre endlich auf zu heulen!, schalten meine eigenen Gedanken mich.
Mich fröstelte.
»Ja«, wisperte ich schließlich.
»Das wird hart, Prinzessin Stella. Wir haben viel Arbeit vor uns und...« Weiter kam Freddy nicht, denn ich legte ihm meinen Zeigefinger über die Lippen.
»Ich weiß, Prinz Freddy von der Pferdewiese. Ich kann wilde Pferde reiten, Behörden besiegen und ich habe einen eisernen Ritter, mit dem ich allen Leuten, die sich

uns in den Weg stellen, die Füße platt fahren kann.«
Ich grinste triumphierend.
Vor meinen Augen klarte endlich Freddys Gesicht auf. Es war direkt vor mir. Er lächelte mich an. Seine dunklen Augen glänzten und ich war mir sicher, darin sein tief empfundenes Glück erkennen zu können.
»Und genau deshalb liebe ich dich«, sagte er schließlich.
Dann küsste er mich so, dass ich genau das auch spüren konnte. Er tat es nicht zum ersten Mal so, aber gerade jetzt spürte ich es deutlicher denn je. Und damit zauberte er alle meine Bedenken, meine Sorgen und mein Ängste weg und plötzlich konnte ich ihn sehen.
Friedrich Vandervald hatte ich nie kennengelernt. Für mich gab es nur Freddy. Und wie zum Protest wieherte erst ein Pferd und gleich darauf ein anderes. Das waren Kasper und Bandit. Nun hatte ich wieder eine Familie, wenn auch, zugegebenermaßen, eine etwas eigenwillige Konstellation, und ein Zuhause.

»Indian Cowboy« Band 1-6,
»Maggie Yellow Cloud« Band 1-2
»Die Farben der Sonne«
»Sheloquins Vermächtnis«
»Tote Killer küssen besser«
»Ein Pferd für alle Fälle«

Erhältlich:
Twenty-Six-Verlag Online Shop
Autorenwelt Online Shop
Amazon
Thalia, Weltbild, Hugendubel und
allen Onlinebuchhändlern in allen Formaten
sowie in jeder Buchhandlung

Leseproben auf der Autoren Homepage

www.brita-rose-billert.de